LEOPOLDO ALAS, CRÍTICO LITERARIO

BIBLIOTECA ROMÁNICA HISPÁNICA

DIRIGIDA POR DÁMASO ALONSO

II. ESTUDIOS Y ENSAYOS

SERGIO BESER

LEOPOLDO ALAS, CRÍTICO LITERARIO

BIBLIOTECA ROMÁNICA HISPÁNICA

EDITORIAL GREDOS, S. A.

MADRID

EDITORIAL GREDOS, S. A.

Sánchez Pacheco, 83, Madrid. España.

Gráficas Cóndor, S. A., Sánchez Pacheco, 83. Madrid, 1968. — — 3084.

Depósito Legal: M. 14996 - 1968.

A la memoria de R. O.

PRÓLOGO

El presente trabajo intenta analizar y estructurar las ideas y valoraciones críticas que Leopoldo Alas fue desparramando en su extensa producción periodística. A lo largo de estas páginas me ha movido el constante deseo de revalorizar un aspecto de la obra de Clarín, que iba quedando algo olvidado ante la actual atención que se presta a su obra creativa. He procurado, siempre que mis conocimientos me lo permitían, evitar el examen de su labor crítica como un producto aislado; pues me parecía que, por ser un hecho histórico, era necesario el conocimiento de las coordenadas ideológicas, españolas y europeas, que lo delimitaban. A partir de esa situación histórica de los artículos de Alas, en el momento y ambiente cultural en que surgen, intento presentar sus ideas y juicios como un continuo proceso, resultado del enfrentamiento, a las obras literarias que juzgaba, de las contradicciones internas y externas, literarias y sociales, que caracterizan su personalidad. He pretendido mostrar la falsedad de unos tópicos valorativos, surgidos alrededor de la obra crítica del escritor asturiano, provenientes, entre sus coetáneos, de una parcialidad interesada, y entre los autores posteriores, de una lectura incompleta y, a menudo, superficial de sus escritos. Siguiendo el consejo de Sainte-Beuve —"Avec des citations bien prises on trouverait dans chaque auteur son propre jugement"—, intento presentar las concepciones y estimaciones literarias de Alas no a través de mis comentarios sino de sus propias palabras; mi labor tiende a escoger esas citas, buscar sus raíces, situarlas dentro del panorama español y europeo y mostrar su proceso de formación y desarrollo.

Mi deseo hubiese sido no sólo contribuir a la revalorización de un aspecto de Leopoldo Alas, sino a la de la crítica literaria de la época que se abre entre la revolución de 1868 y el inicio del siglo XX; género literario que, junto con la novela, representa la contribución de mayor importancia y calidad de ese período histórico a la literatura nacional, y señala la sustitución de una concepción del arte literario como distracción, entretenimiento o evasión, por el arte literario como posibilidad de enriquecimiento y formación del hombre; marca por lo tanto, el salto del goce individualista a la responsabilidad colectiva. La explicación de este cambio de actitud ante lo literario, creo que reside en la seriedad y consciencia social que el krausismo había introducido dentro de la vida española. Leopoldo Alas será precisamente el representante más eminente, dentro de la literatura, de la mentalidad y el gesto ético de los krausistas.

Considero necesario aclarar que no me he enfrentado a la producción crítica de Clarín con la fría objetividad del científico, sino con el fervor partidista de quien examina una obra y una personalidad a las cuales se siente unido por una cordial simpatía; de ahí que este trabajo tenga más de intento de justificación que de interpretación y estudio. Me sentiría satisfecho si mi labor pudiere contribuir a la corriente de revalorización de este escritor que forma, con Pérez Galdós y Menéndez Pelayo, la trilogía literaria de mayores valores positivos de nuestro siglo XIX, y que, no sabemos por qué misteriosos motivos, aun superando a los otros dos en dimensión europea, permaneció durante años en un oscuro segundo término.

* * *

Agradezco al Dr. José Manuel Blecua las observaciones hechas a una primera redacción de este trabajo, y al Research Fund de la Universidad de Sheffield la ayuda prestada para la consulta de fondos materiales del British Museum.

SERGIO BESER.

Sheffield, 1965.

LEOPOLDO ALAS Y LA GENERACIÓN DE LA RESTAURACIÓN

> "Más que a España amo yo al mundo, y más que a mi tiempo a toda la historia de esta pobre, interesante humanidad que viene de las tinieblas y se esfuerza, incansable, por llegar a la luz".
>
> Lepoldo Alas (*La Publicidad*, 1898).

La utilización, en cualquier clase de estudio, del concepto de generación obliga siempre a un breve preámbulo sobre el significado que el autor da a ese término. La noción de generación como conjunto de hombres nacidos alrededor de unos mismos años, con ciertas características semejantes, y su utilización, como medio de investigación histórica, surgió en un siglo, el XIX, dominado por el peso de la historiografía, y apareció como el medio más adecuado para explicar la introducción de novedades en el acontecer histórico y, por lo tanto, ese mismo acontecer; permitía además construir una división de la historia basándose precisamente en su sujeto: el hombre. En la primera mitad del XIX, una serie de sociólogos e historiadores habían logrado imponer este concepto en el campo de la cultura europea. Su utilización por Clarín y otros escritores españoles del XIX es un reflejo de tal tendencia, y no añade nada nuevo a su semántica.

Respecto al uso del término generación, en nuestros días y en nuestro país, hay que señalar dos puntos importantes: en primer

lugar, habría que tener en cuenta que los primeros en interesarse
por ese concepto fueron los sociólogos y, después de éstos, los
historiadores políticos que pretendían explicar mediante las generaciones los cambios históricos y el acceso al poder de nuevas
minorías; pero sólo con los historiadores de las ideas y el arte ha
alcanzado este concepto su actual vigencia. Cada uno de estos
últimos define y explica la generación según la aplicación personal
que de ella hace; construir una teoría de las generaciones desde el
campo de las ideas o la literatura, presenta el peligro de consi-
derarlas formadas por una pequeña minoría, aislada del resto de
la sociedad. En segundo lugar, hay que tener presente al aplicar
esta noción a un grupo biológico español, perteneciente a uno de
estos dos últimos siglos, que, en España, cualquier estudio de esta
clase se ve obligado a referirse a una generación, la del 98, aceptada como realidad indiscutible por historiadores y críticos, incluso por algunos de sus componentes. Esto, si por una parte tiene
la ventaja de legitimar un método histórico —el de las generaciones—, por otra presenta el inconveniente de que aquella generación, la del 98, se ha formado sobre una determinada noción de
generación y desde el punto de vista de los movimientos intelectuales, particularmente literarios; cualquier otra noción de generación, que se aplique a estos últimos cientos cincuenta años, corre
el peligro de chocar o enfrentarse con aquélla. En nuestro país, con
Ortega y algunos de sus seguidores, el concepto de generación como
método histórico —dentro siempre del estudio de las minorías, lo
que era de esperar de tal grupo de pensadores—, se ha llevado a
una excesiva rigidez. La teoría de las generaciones me parece, más
que un método de investigación, un medio didáctico, de gran utilidad al historiador literario para exponer y explicar la aparición
de novedades dentro del campo de las artes. No hay que olvidar
que el concepto de generación presenta la ventaja de poner al hombre, al escritor en nuestro caso, en relación y contraste con los
acontecimientos, tanto de base como superestructurales, de la época en que le ha tocado vivir. Cuando se transforma la generación
en una rígida dependencia de causa-efecto o en un automatismo
biológico, nos condenamos al desenfoque histórico.

Una de las teorías sobre las generaciones que ofrece mayores posibilidades es la de los historiadores franceses Cavaignac y Renouard [1], que definen la generación a partir de un acontecimiento; según ellos, frente a un suceso histórico importante, la sociedad se divide, teniendo como base la edad de sus miembros, en cuatro grupos, que se diferencian por su distinta participación en el suceso histórico. Esta teoría posee la ventaja de que dentro de ella cabe toda la sociedad humana en un momento dado; no nos enfrenta con pequeños grupos aislados, sino con todo el conjunto humano que está viviendo los mismos hechos; una generación será, pues, el conjunto de hombres más o menos coetáneos que, por ello, han vivido unos mismos acontecimientos y se han enfrentado a idénticas exigencias. Aquí no nos sirve este concepto de generación, pues no investigamos la actitud de una masa social, sino de un pequeño grupo de escritores; pero, aplicando la teoría de Cavaignac y Renouard a los literatos de la Restauración, podríamos dividir a los escritores españoles, tomando como acontecimiento diferenciador a la revolución de 1868 [2], en estos cuatro grupos:

1.º Los viejos, miembros de la que consideramos la generación romántica.

2.º Los hombres maduros, que han preparado o dirigido la revolución y más tarde restaurarán la monarquía; a éstos podríamos calificarlos de generación del 68.

3.º Los jóvenes fueron espectadores conscientes del acontecimiento o desempeñaron un papel activo en él, aunque sin llegar a dirigirlo; equivalen, en nuestro caso, a la generación de la Restauración.

---

[1] Véase el artículo de Ives Renouard, *La notion de génération en histoire*, en *Revue Historique*, vol. CCIX, París, 1953, págs. 1-23. Esta es también la concepción de generación que, en líneas generales, seguía Vicens Vives.

[2] Al presentar aquí la revolución del 68 como acontecimiento diferenciador, considero como tal no sólo los hechos que se desarrollan en setiembre de ese año, sino la etapa histórica que se abre en esa fecha y se cierra con la caída de la Primera República. En las cuatro generaciones, que la revolución del 68 delimita, encontraremos representantes de las distintas ideologías.

4.º   Los niños no pudieron ni intervenir ni comprender el acontecimiento, pero éste pasa a ser parte de sus recuerdos personales. Formarán el grupo de más edad de la generación del 98.

La primera y última de estas generaciones —la romántica y la del 98— se delimitan con cierta facilidad; no así las otras dos, particularmente la figura de Pérez Galdós. Baquero Goyanes, en su artículo *Clarín y la novela poética,* nos habla de una generación de 1870, que presenta como creadora de la novela española, frente a la del 98, que considera creadora del ensayismo en su aspecto más elevado. Baquero no explica los motivos por los que escoge la fecha de 1870, ni examina ninguna característica de aquella generación, en la que sitúa, junto a Galdós y Clarín, a Pereda, Valera, Alarcón, Pardo Bazán y Palacio Valdés; es decir, que funde en una a las que considero como dos generaciones distintas. Alberto Jiménez, en *Juan Valera y la generación del 68,* presenta a esta generación como la creadora de una nueva conciencia nacional; como miembros de ella sitúa a una serie de políticos y pensadores —Castelar, Cánovas, Giner de los Ríos, Salmerón, Canalejas, Montero Ríos, Azcárate, Costa, Moret, Pi y Margall... —y escritores— Valera, Verdaguer, Echegaray, Balaguer, Núñez de Arce, Pereda, Bécquer, Alarcón, Pérez Galdós...

Aplicando el esquema de Renouard y tomando como acontecimiento delimitador la revolución de 1868, encontramos que, por lo menos, tres de estas figuras mencionadas por A. Jiménez —Pérez Galdós nacido en 1843, Costa (1846) y Verdaguer (1845)— tienen que situarse en una generación posterior, pues ninguno de ellos pudo, por su edad —25, 22 y 23 años respectivamente—, haber tenido una intervención directiva en la revolución de 1868. Hay un motivo que mueve a situar a Galdós en aquella generación: la tendencia a colocarlo, en toda clasificación literaria, al lado de Alarcón, Valera y Pereda, sin tener en cuenta la nota de retraso que se manifiesta en estos tres escritores [3]. Pereda publicó su primera novela a los 43 ó 44 años, Galdós a los 24. Me parece más adecuado situar al gran escritor canario en la generación posterior,

---

[3] En nuestro siglo XIX, encontramos otros casos de escritores que superan los límites de su generación, por ejemplo, Campoamor y Echegaray.

la de la Restauración; su misma temática y estilo están más próximos de Pardo Bazán y Clarín que de Pereda y Valera. Podría presentarse también a Galdós como confluencia de las dos generaciones. El mismo Pérez Galdós, por la forma con que habla de Núñez de Arce [4], muestra estar situado en una generación más joven que la del poeta. El novelista canario se transforma en la cabeza de la generación de la Restauración, y como tal lo aceptan sus componentes; uno de ellos, J. Ortega Munilla, escribía en 1882: "Los que hemos nacido al mundo de las letras y las artes en el día de la Revolución de Setiembre, tuvimos una dicha reservada a pocas generaciones. El azar nos dio nuestro autor antes de sentir necesidad de él. Galdós nos precedía unos cuantos pasos. Había adivinado lo que en los cerebros de aquella juventud empezaba a ser ideas. Él había penetrado todo el ser de este hombre nuevo: su escepticismo, su indiferencia, su desdén, sus grandes iras, sus pequeñas preocupaciones, sus ansias de paz y trabajo, su desprecio de las aventuras políticas" [5].

Al referirme a la que denomino generación de la Restauración, no intento caracterizarla, sino sólo situar a Leopoldo Alas entre los escritores coetáneos. Figuras capitales de esta generación serían el grupo de novelistas realistas, más o menos influidos por el naturalismo: Pérez Galdós (1843), Leopoldo Alas (1852), Pardo Bazán (1852), Palacio Valdés (1853), Ortega y Munilla (1856), J. O. Picón (1853) y José María Matheu (1855); el historiador Menéndez Pelayo (1856); los críticos: Revilla (1846), González Serrano (1848), José Yxart (1853) y Juan Sardá (1851); las tres grandes figuras de la literatura catalana del XIX: Verdaguer (1845), Guimerá (1847) y Oller (1846); y los dos personajes centrales —Joaquín Costa (1846) y Macías Picavea (1847)— del regeneracionismo, actitud que tiende a presentarse como caracterizadora de la generación del 98. Incluso Antonio Maura (1853), el político que, dentro de la línea conservadora, marca esta dirección, pertenece a la generación de la Restauración. Dentro de ella deberíamos situar tam-

---

[4] *Arte y Crítica*, vol. II, págs. 139-150.
[5] *Siluetas Contemporáneas. Pérez Galdós*, en *La Diana*, Madrid, 1-II-1882.

bién a la serie de grandes figuras de la Medicina, que encabezan
Ferrán (1852) y Ramón y Cajal (1856). Como probables fechas límites de esta generación podrían señalarse: 1843, año en que
nace Benito Pérez Galdós, y 1856, fecha del nacimiento de Menéndez Pelayo. En un examen superficial de los escritores que forman
parte de ella, nos damos cuenta de que pueden dividirse en dos
grandes grupos: novelistas —Pérez Galdós, Pardo Bazán, Palacio
Valdés, Picón, Matheu— y críticos —González Serrano, Alas, Menéndez Pelayo, Yxart, Sardá—, aunque la mayoría de ellos culti-
ven ambos géneros literarios. La falta de poetas y la incomprensión de la poesía podrían presentarse como una de las características de esta generación. Emilia Pardo Bazán señaló acertadamente
que, en ella, "las corrientes metafísicas a la alemana cedían el paso
a las del positivismo francés y psico-físico; la novela se aprestaba
a disputar su popularidad al drama y a la poesía lírica, los dos
géneros predilectos del público bajo el romanticismo, y a recabar
su brillante puesto en la literatura nacional" [6].

En artículos de Clarín encontramos varias referencias a la que
califico de generación de la Restauración, pero en ninguna de
ellas llega a hacer un análisis o caracterización; nunca pasa de la
mera alusión a una nueva generación, dentro de la cual parece situarse él mismo; muchas de estas referencias se hallan en artículos
dedicados a su compañero Palacio Valdés. En la crítica de *El idilio
de un enfermo* [7] señala que entre los escritores jóvenes destacan
Ortega Munilla, Palacio Valdés y J. O. Picón: y en la de *Maximina*, tras mencionar la "nueva generación", declara que cree haber
acertado al colocar a su amigo entre los jóvenes que anuncian una
vida nueva: "González Serrano, Menéndez Pelayo, Oller y algún
otro catalán más" [8]. Leopoldo Alas no cita a Pérez Galdós entre
los miembros de la nueva generación, pero la actitud con que habla de él es muy distinta a la que presenta frente a Campoamor,
Núñez de Arce, Valera, Echegaray o Pereda; a estos últimos, en
una carta dirigida a Yxart, los llamaba los "dioses mayores". De

─────────
[6] *Apuntes autobiográficos*, prólogo a *Los Pazos de Ulloa*, Barcelona, 1886.
[7] *S. P.*, págs. 236-237. La lista de abreviaturas aparece en la Bibliografía.
[8] *M.*, pág. 212.

las afirmaciones contenidas en una "revista mínima", publicada en *La Publicidad* el 24 de julio de 1891, se deduce que distinguía tres generaciones, dentro de la sociedad española de la época: la de Cánovas, Pi y Margall y Castelar, la suya y la de los jóvenes. Casi siempre utiliza el término generación en relación a la aparición de un nuevo grupo de escritores; otras veces, sin embargo, lo refiere a los cambios de gusto artístico. No hay, en sus escritos, un solo ejemplo de algo que se aproxime a un intento de establecer una "teoría de las generaciones", ni siquiera una breve explicación de lo que quiere significar cuando habla de "generación" [9]; pero del examen de las menciones que aparecen en sus escritos se deduce que, en el concepto de generación literaria utilizado por Clarín, debe colocarse, junto a la exigencia de coetaneidad, la de comunidad, o proximidad al menos, de los gustos y tendencias artísticas.

Hemos visto cómo J. Ortega Munilla se situaba dentro de un grupo de escritores nacidos al arte con la revolución del 68. Pardo Bazán, en los apuntes autobiográficos que preceden a la edición de *Los pazos de Ulloa,* hablaba en el mismo sentido: "en aquellos años de 1879 a 1880, empezaba a destacarse ya la generación hija de la revolución de Setiembre del 68 (hija de la revolución digo, no porque en política se le adhiriese toda, sino porque sintió despertarse su inteligencia y definirse sus aspiraciones al rudo embate de los acontecimientos revolucionarios)". En otros momentos del escrito insiste en presentar a la revolución como fecha inicial de una nueva época de la literatura española [10]. Podríamos aducir otros muchos textos que coincidiesen en idéntica valoración de los hechos de Setiembre del 68, dentro del campo de la cultura; así

---

[9] Esto último da a entender que la idea de "generación histórica" es común a nuestro escritor y a su público, ya que no siente la necesidad de explicarla a sus lectores.

[10] "No puede dudarse que la revolución de Setiembre señala un período nuevo para nuestra literatura. Siempre los hondos trastornos políticos van de rechazo a influir en el arte, modificándolo: ley tan conocida no precisa demostración. Los últimos años del reinado de Isabel II fueron de postración para las artes: acaso convenía el rudo sacudimiento para que despertasen los que dormitaban, luchasen los despiertos, y una generación joven brotase del suelo sembrado de escombros y rociado con sangre".

Tolosa Latour, refiriéndose a la medicina, afirmaba: "Cuando la revolución de 1868 sacudió violentamente la sociedad española, la medicina patria experimentó un profundo cambio en su modo de ser"... "como si una enorme esclusa se hubiese abierto de repente, dando paso a una enorme cantidad de aguas estancadas, mezclándolas con el nuevo y copioso raudal de un torrente, así se precipitó por los claustros, aulas y anfiteatros de la Facultad de Medicina una muchedumbre abigarrada, levantisca, inquieta, pero fervorosa para el estudio" [11].

En setiembre de 1868, Leopoldo Alas era un bachiller de dieciséis años; pero esa fecha quedaría para siempre grabada en su mente como uno de los momentos más puros y hermosos de la historia de la patria; "¡Qué tiempos aquéllos! España despertaba de un letargo, todo era movimiento y vida", escribía en 1878, en un artículo dirigido a Tomás Tuero, un viejo compañero de aquellos años [12]. Con el triunfo de la revolución vivió Oviedo, como otras muchas ciudades españolas, un verdadero delirio de libertad y esperanza; cualquier acontecimiento, cualquier noticia, daba motivo a discursos y manifestaciones, "en cada encrucijada —recuerda Palacio Valdés—, en cada balcón, nos acechaba un orador. Sus discursos nos arrebataban de entusiasmo, aunque yo nunca logré oír de ellos más que la conclusión: ¡Viva la Soberanía Nacional!" [13]. Durante esos años, Clarín, junto con sus amigos Tuero, Rubín y Palacio Valdés, fue miembro de un club republicano, formado en su mayoría por trabajadores ovetenses; en el artículo citado antes, preguntaba a Tuero: "¿Te acuerdas del club? ¿Te acuerdas de los discursos de Juan Fernández y de José González, que, según decía, *no era filósofo ni teólogo,* y lo probaba?... Juan Fernández, José González, ¿dónde estáis ahora? ¡Quién pudiera oír vuestros solecismos! Ay, Tomás, tal vez han muerto defendiendo aquellas ideas que ni comprendían del todo ni menos acertaban a expresar: ¡qué elocuencia la suya!...". Palacio Valdés se refiere a este club en *La novela de un novelista,* y señala

---

11 M. Tolosa Latour, *El Instituto Rubio,* en *La Lectura,* vol. I, Madrid, 1901.

12 *Cartas de un estudiante,* en *La U.,* 31-VIII-1878.

13 *La novela de un novelista,* pág. 205.

que dejaron de asistir cuando la mayoría de los miembros se declararon federalistas, mientras ellos se consideraban unitarios. En 1900, ante el espectáculo de una conferencia de extensión universitaria organizada por la Universidad de Oviedo, Clarín rememoraba aquel club republicano: "se me ofreció un escenario que evocó en mí, con emoción poderosa, los recuerdos de mi juventud republicana, allá poco después de la *Gloriosa*. Yo era entonces un niño, pero ya peroraba en aquellas asambleas, con la misma fe que hoy tengo en la causa popular, pero con mayores ilusiones"; en los obreros socialistas encontraba una disciplina que no existía en los antiguos federalistas: "aquello era algo poco firme, inorgánico... Por eso no duró la República. Si el socialismo lleva a ella ese espíritu de organización, de *iglesia*, que recuerda vagamente lo que leemos de los primeros cristianos, la República vencerá de seguro"[14]. Las referencias a la revolución del 68 son muy abundantes en los escritos de nuestro autor, incluso uno de sus mejores artículos, el titulado *El libre examen y nuestra literatura presente*[15], lo dedica a examinar la influencia que tuvo en la vida cultural y social del país; "cuando un movimiento nacional como el de 1868 —escribe en él— viene a despertar la conciencia de un gran país, pueden ser efímeros los inmediatos efectos exteriores de la revolución; pero aunque ésta en el aspecto político deje el puesto a la reacción, en lo que más importa, en el espíritu del pueblo, la obra revolucionaria no se destruye, arraiga más cada vez, y los frutos que la libertad produce en el progreso de las costumbres, en la vida pública, en el arte, en la ciencia, en la actividad económica, asoman y crecen y maduran, acaso al tiempo mismo que, en las regiones del poder material del Gobierno, una restauración violenta se afana por borrar lo pasado, deshaciendo las leyes, resucitando privilegios, organizando persecuciones"; pocas páginas después continúa: "La revolución de 1868, preparada con más poderosos elementos que todos los movimientos políticos anteriores, no sólo fue de más transcendencia por la radical transformación política que produjo, sino que llegó a todas las esferas de la vida

---

[14] *La P.*, 25-XI-1900.
[15] *S.*, págs. 62-76.

social, penetró en los espíritus y planteó, por vez primera en España, todos los arduos problemas que la libertad de conciencia había ido suscitando en los pueblos libres y cultos de Europa". En artículos posteriores insistió en las mismas o parecidas ideas; en el comentario dedicado a *La Tribuna*, acusaba a Emilia Pardo Bazán de dar, en esa novela, un perfil cómico de la revolución de Setiembre, y reconocía que la escritora gallega, "por circunstancias extrañas a la literatura", no podía acertar en la pintura de la revolución [16]. En 1893, al hacer una valoración de sus resultados, la consideraba como primer paso necesario hacia toda futura mejora social [17].

Nota importante en los miembros de la generación de la Restauración es que no se enfrentan a los escritores que les preceden, sino que los aceptan y continúan en muchos de sus aspectos. Esta aceptación no se da sólo en lo literario sino también en lo social; en las obras de estos escritores, incluso cuando adoptan una posición radical, no hay la defensa de la subversión del orden político, sino todo lo contrario, la aceptación del "modus vivendi" creado por la Restauración. Clarín, que se presenta como un entusiasta de la revolución del 68, no defiende la vuelta a aquella situación, limitándose a señalar que los frutos de la revolución continúan desarrollándose por debajo de un aparente triunfo de la reacción; semejante actitud encontraríamos en Pérez Galdós. Parece que los escritores de la Restauración aceptan a ésta como un descanso en el proceso evolutivo de la historia; de ahí el pesimismo frente al mundo que les rodea, característica precisamente de aquellos cuya ideología tradicionalista ha vencido. El caso más claro de este pesimismo lo encontramos en Menéndez Pelayo, del que se podría decir que ve la historia como un proceso de decadencia; Laín Entralgo en el libro que le dedicó hablaba del "terrible pesimismo

---

16 *S. P.*, pág. 116.

17 *La P.*, 1-II-1893. Se trata de una "revista mínima", escrita con motivo de la muerte de Cristino Martos, en la que afirma: "si bien el resultado de la revolución no sería como para entusiasmar a nadie si no pasara de los frutos hasta hoy logrados, como forma necesaria, como preparación ineludible para todo el trabajo futuro de mejora social, tiene el valor que hay siempre en lo que es condición de algo importante".

del Menéndez Pelayo juvenil"; la misma actitud encontramos en algunas obras de Palacio Valdés: en *La aldea perdida,* el progreso se transforma en una maldición que destruye la paz idílica de unas aldeas olvidadas. Pérez Galdós y Leopoldo Alas representan la mentalidad contraria. En todos ellos, sin embargo, se destacan los testimonios del marasmo y falta de inquietudes de la Restauración; Palacio Valdés escribe de la ciudad donde se desarrolla la acción de *El cuarto poder:* "Sarrió, hay que confesarlo de una vez, era una población dormida para todas las grandes manifestaciones del espíritu, para todas las luchas regeneradoras de la sociedad contemporánea"[18]. Este mundo cerrado a toda renovación, a todo problema ajeno a los intereses personales de un individuo, es el telón de fondo de toda la novelística de Galdós y de los relatos largos de Clarín, que tienen como núcleo temático el choque entre un individuo y una sociedad carente de cualquier clase de inquietud espiritual. En *La incógnita,* uno de los personajes confiesa que lo que se llama paz no es sino aburrimiento, somnolencia, "languidez producida por la inanición intelectual y física, por la falta de ideas y pan"; posiblemente era ésta también la idea de su autor, Pérez Galdós, pero él, al igual que su personaje, acepta esa "paz".

Característico de todos los escritores de la Restauración es el rechazo del juego político inventado por Cánovas: hay en unos cierta tendencia, en otros una actitud declarada de menosprecio de la política, que consideran como una lucha entre grupos de intereses personales. Pérez Galdós escribe, en el último de sus *Episodios Nacionales,* refiriéndose a esta época: "Fue al Congreso Emilio Castelar por el cariño que Cánovas le tenía, y para que no estuviera solo pusieron a su lado al señor Anglada. Una vez más, y aquella vez más que otras, lució sobre Madrid y España la espléndida mentira de la Soberanía Nacional"[19]; en las páginas de *Los pazos de Ulloa,* Pardo Bazán nos dice: "entró allí cierta hechicera más poderosa que la señora María la Sabia: la política, si tal nombre merece el enredijo de intrigas y miserias que en las aldeas lo recibe. Por todas partes cubre el manto de la política intereses egoístas

---

[18] *Obras escogidas,* pág. 572.
[19] Pág. 101.

y bastardos, apostasías y vilezas; pero al menos, en las capitales
populosas, la superficie, el aspecto, y a veces los empeños de la
lid presentan carácter de grandiosidad" [20]. Palacio Valdés, en *El
cuarto poder,* posiblemente su mejor novela, muestra una pequeña
ciudad cuya ancestral tranquilidad se convierte, por la aparición
del periodismo y, con él, de las facciones políticas, en una infernal
lucha de egoísmos y odios. En 1893, Menéndez Pelayo llamaba
a la política "aquella pugna feroz de fanatismos, aquella especie
de pedantería sanguinaria que por muchos años convirtió en Caínes
a todos los partidos españoles" [21]. Leopoldo Alas, cinco años antes,
escribía, en el periódico *La Publicidad* de Barcelona, portavoz de
una fracción política republicana: "No me gusta hablar de política *per se,* pero *per accidens* hay que hablar de vez en cuando,
considerándola como *factor social,* como *síntoma* de males ciertos
y como otra porción de cosas y especialmente calamidades". En las
novelas de estos escritores, sin embargo, por debajo de lo que casi
podría ser calificado de "apoliticismo", se nos muestra una sociedad en transformación: nuevos grupos sociales ascienden al poder
o a la riqueza, otros por el contrario se hunden.

La reacción más fuerte contra la política de la Restauración,
y en general contra toda la sociedad de la Restauración, la marca
Joaquín Costa; esta reacción tiene en él caracteres de una exaspe-
ración enfermiza, que se manifiesta en sus ataques a lo que podemos considerar las máximas creaciones de la Restauración: el
"turno político" y la aceptación del "caciquismo". Gabriel Jackson,
en su artículo *Costa et sa "Revolution par le haut",* indica que
estos ataques a la política restauradora preceden en unos veinte
años a la crisis del 98, pero se van haciendo cada vez más radicales. Joaquín Costa debe considerarse como el máximo representante de la mentalidad burguesa, con un cariz incluso imperialista
—recordemos su interés por la colonización africana—; el aislamiento de su personalidad e ideología, hasta que llegó la crisis
de 1898, habría que explicarlo por la psicología acomodaticia que
la Restauración impuso a nuestra burguesía. Este deseo de inmovi-

---

[20] Pág. 202.
[21] *Estudios,* vol. V, Madrid, 1893, pág. 217.

lidad se encuentra perfectamente retratado en el magnífico análisis de las actitudes mentales y políticas de esta época que es *Cánovas,* el último de los *Episodios Nacionales* de Pérez Galdós: "Los hombres de ideas más avanzadas se vuelven suspicaces y medrosicos, y se acomodan a vegetar dentro de esta cárcel fastidiosa de la sensatez monárquica, mayormente si poseen buenas rentas para tratarse a cuerpo de rey mientras dure su cautiverio" [22]. La rotura de este mundo cómodo, que evitaba pensar e inquietarse, la produjo no sólo el desastre cubano, sino también la ascensión amenazadora del proletariado; no es una casualidad que los dirigentes más importantes del movimiento obrero español, el socialista Pablo Iglesias (1850) y el anarquista Anselmo Lorenzo (1842), puedan considerarse miembros de esta generación.

Leopoldo Alas se sitúa en contra de lo que representa la Restauración, pero acepta en parte el juego político que había impuesto; Prat de la Riba diría de él [23] que su solución a los problemas de España se limitaba a sustituir a Cánovas por Castelar. Sus más violentos ataques se dirigirán precisamente contra la figura del dirigente conservador, y se repetirán a menudo a lo largo de su producción, llegando incluso a dedicarle un folleto. Algunos de estos ataques alcanzan extraordinaria dureza; el 9 de febrero de 1897, por ejemplo, escribe en *La Publicidad*: "tan humillante como dejar a un pueblo extranjero mezclarse en nuestra administración es abandonar al capricho senil de una cabeza que ya no rige para pergeñar cuatro renglones, cosa tan delicada como es la transacción que en Cuba es necesaria para facilitar la paz". La Restauración representaba, para Clarín, la mentira de una falsa soberanía popular, el pesimismo ante cualquier posibilidad de aumento del nivel político del pueblo, una nación y un régimen apoyados en el caciquismo y el marasmo intelectual; y en Cánovas veía, acertadamente, el artífice y el símbolo de la Restauración, de ahí su ensañamiento, sus constantes ataques al jefe conservador. Clarín cree que con el transcurrir del tiempo la sociedad española cambiará; él colabora a ello con su lucha por la expansión de la cul-

---

[22] Pág. 116.
[23] *Per la llengua catalana,* pág. 11.

tura y la depuración del gusto artístico. Con el paso de los años
se va dando cuenta de que sus esperanzas no se realizan, de ahí
surge en él un pesimismo respecto no de la posibilidad de la transformación de la sociedad en que vive, sino de la labor de su generación. En febrero de 1878, adoptaba una actitud que podríamos
llamar de "puro", al atacar, en un comentario a *Los oradores del
Ateneo* de Palacio Valdés, toda clase de transigencia política, y la-
mentarse del triste espectáculo que "presenta esa juventud ilustrada, liberal, generosa, entregándose tan temprano al desencanto
y al empirismo azaroso" [24]. Hacia el año 1879, nos habla de estar
desarrollándose "una regeneración, gloriosa, lenta, intermitente,
pero segura" [25]. Casi por esta misma fecha, en un artículo dedicado a los *Recuerdos de Italia* de Castelar, presenta a la joven generación inquietada por el afán de situarse intelectualmente a la
altura de los países europeos: "Esta juventud que hoy crece en
España, ávida de ejercicio intelectual, casi avergonzada de nuestro
retraso científico, busca, con más anhelo que discernimiento, las
nuevas teorías, la última palabra de la ciencia, temerosa más que
del error, de quedarse atrás, de no recibir en sus pasmados ojos
los más recientes destellos del pensamiento humano" [26]. En abril
de 1883, en un artículo de la revista barcelonesa *Arte y Letras*,
examina el panorama intelectual español y lo considera dominado
por la atonía; hay gente capaz de escribir bien, declara, pero "es
lo cierto que nadie escribe"; existe el progreso, pero "es con grandes intervalos de marasmo"; se está viviendo, dice, el cansancio
y el refinamiento de la literatura francesa sin haber pasado por su
época de creación. El 24 de Julio de 1891, publica una interesante
"revista mínima", en las páginas de *La Publicidad*; aquí el rechazo de la labor de su generación es ya total: "Yo, que no respondo

---

[24] *El S.*, 28-II-1878. Estas palabras testimonian la posición política adoptada por Alas hasta 1881, año en que deja de colaborar en *El Mundo Moderno,* continuador de *El Solfeo* y *La Unión*. En estos años, Clarín se situó
en contra del "posibilismo" de Castelar y cualquier intento de colaboración
con la Restauración. Más adelante se convertiría en un entusiasta seguidor
de Castelar.

[25] *G.*, pág. 310.

[26] *S.*, pág. 90.

de mi generación, confieso que la encuentro muy mediana, y no espero de ella milagros, y si los hiciese, que me los claven en la frente"; su única esperanza reside en las generaciones que han de seguirles: "el remedio ha de venirnos de las generaciones futuras, si sabemos ir preparándoles una educación que nosotros no tenemos, dicho sea de pasada"[27].

Desde el primer momento los hombres del 98 consideraron a Pérez Galdós, Alas, Palacio Valdés, Menéndez Pelayo, etc., como miembros de una generación anterior a la suya, perfectamente delimitada. A finales de siglo, Unamuno escribía a Clarín: "Tal vez esté yo equivocado, tal vez haya incompatibilidad entre ustedes la generación que salió del 68, y nosotros los que aún no pasamos de 35 años"[28]. Otra mención de esta generación la encontramos en *La voluntad* (1902) de Azorín; al darnos un breve esquema generacional del XIX, la califica de naturalista y la sitúa entre la romántica y la del 98. Más importantes son las referencias contenidas en el artículo *La generación del 98*, donde nos dice que "la protesta de la generación del 98 no hubiera podido producirse sin la labor crítica de una anterior generación"[29]; más adelante añade que se cree que la literatura "regeneradora" arranca del desastre colonial, "nada más erróneo, la literatura regeneradora, producida en 1898 hasta años después, no es sino una prolongación, una continuación lógica, coherente, de la crítica política y social que desde muchos años antes a las guerras coloniales venía ejerciéndose", como ejemplos de esa crítica cita a Eugenio Sellés (*La política de capa y espada*, 1876), Valentín Almirall (*L'Espagne telle qu'elle est*, 1886), Pompeyo Gener (*Herejías*, 1887). A la generación del 98 la presenta, al final del artículo, como continuadora de la generación anterior, y declara que "ha tenido el grito pasional de Echegaray, el espíritu corrosivo de Campoamor y el amor a la realidad de Galdós". De estos tres escritores sólo a uno, Galdós, lo hemos situado dentro de la generación de la Restauración, los otros dos, por las características cronológicas de su obra, se escapan a una

---

[27] Pese a esta declaración, en su actitud frente a la generación del 98 encontraremos cierto recelo.

[28] *E. a L. A.,* págs. 95-96.

[29] *Clásicos y modernos*, Buenos Aires, 1952, pág. 172.

clasificación generacional. El amor a la realidad que Azorín señala en Pérez Galdós podría considerarse como característico de todos los escritores de la generación del novelista.

También en Maeztu encontramos la asimilación en una sola generación de todos los escritores de la Restauración. Maeztu fue el escritor del 98 que más fuertemente reaccionó contra la generación anterior, pero hacia 1930 da uno de sus frecuentes cambios ideológicos, y exalta a aquéllos mientras ataca a sus coetáneos. En el artículo *La crisis literaria* [30] escribía: "La generación de Galdós y Palacio Valdés, de Campoamor y Núñez de Arce, Pereda y Menéndez Pelayo, no ha hallado sucesores y no por falta de talento, sino por extravío"; y señalaba acertadamente que su generación dirigía "su esfuerzo a pulir el estilo", en lugar de penetrar en el mundo y en las almas humanas. Andrés González Blanco, escritor que puede relacionarse con los hombres del 98, se refiere también a la generación de la Restauración sin darle ninguna denominación, en el artículo *Un novelista de la generación gloriosa: Jacinto Octavio Picón*, publicado en 1923: presenta allí como miembros de la generación a los novelistas Picón, Palacio Valdés, Pardo Bazán, Clarín, Ortega Munilla, y Matheu.

Si el método más sencillo para caracterizar un grupo de escritores es siempre el examen comparativo con otro, en el caso de los autores que ahora tratamos lo más fructífero sería el contraste con lo que Laín Entralgo ha llamado el parecido generacional de los hombres del 98. Una serie de puntos surgirían como notas distintivas de los dos grupos literarios; así en los hombres del 98 encontraríamos una restricción de la realidad: los temas y asuntos de sus novelas son proyección literaria de conceptos mentales, mientras que la novela de la Restauración es, en primer lugar, un reflejo, crítico o sentimental, de la vida real; pensemos en los distintos tratamiento y papel que tiene la mujer en la literatura de las dos épocas. Mucho más importante es la diferencia de actitudes frente al público: mientras los del 98 tienden a restringir su público y, movidos por cierto "aristocraticismo", no escriben para

---

[30] Publicado en *La Prensa* de Buenos Aires el 20-XI-1932. Recogido en *Las letras y la vida en la España de entreguerras*, págs. 55 y ss.

todos sus posibles lectores sino para grupos ideológicos y culturales afines, el escritor de la Restauración se dirige a todas las clases
y grupos sociales. Relacionado con ese mismo "aristocraticismo"
hay que situar la búsqueda de una originalidad personal, reflejada
principalmente en la preocupación estilística que encontramos en el
98 y el modernismo y que no existe en la Restauración. En un
estudio detenido de estos contrastes, me parece que la figura de
Leopoldo Alas surgiría como puente entre los dos grupos literarios.

LA CRÍTICA EN LA SEGUNDA MITAD DEL SIGLO XIX

> "Of the literature of France and Germany, as of
> the intellect of Europe in general, the main effort,
> for now many years, has been a critical effort".
> Matthew Arnold (*The Function of Criticism*, 1861).

1. PREÁMBULO SOBRE EL CONCEPTO DE CRÍTICA

Antes de entrar en el estudio de la obra crítica de Leopoldo
Alas, me parece conveniente intentar una delimitación del concepto
de crítica literaria, y dar un resumido panorama de su situación
en España y Europa, durante la época en que nuestro escritor
desarrolla su labor, especialmente durante los años de su formación.

En el Diccionario de la Academia, hay dos acepciones del vo-
cablo "crítica" que pueden interesarnos en un intento de definición
de la crítica literaria; la primera dice "Arte de juzgar de la bondad, verdad y belleza de las cosas"; la segunda, "cualquier juicio
formado sobre una obra de literatura o arte". Aquélla se refiere a
una acepción general, abstracta en cierta forma; ésta a una realización concreta, es el resultado de la puesta en práctica de la primera, es decir, del acto de juzgar. La crítica literaria sería pues, el
acto de juzgar de la bondad, verdad y belleza de las obras literarias. Sin embargo, si examinamos trabajos críticos veremos que
en muchos de ellos no hay ninguna clase de juicio sobre la bon-

dad, verdad y belleza de las obras a que se refieren, o si los hay es sólo en una proporción mínima.

La delimitación del concepto de crítica literaria es mucho más difícil de lo que podría desprenderse de una aplicación de la definición académica; pues va desde la concepción popular del crítico como "buscador de faltas", como alguien que toma una actitud hostil frente a cuanto le rodea, y cuya única fuerza motriz es descubrir imperfecciones; hasta la acepción etimológica que, basándose en su semántica originaria —enjuiciar, juzgar—, ve a la crítica literaria como el proceso para llegar a un juicio sobre la obra literaria. La primera acepción —la crítica como examen de los defectos de la obra literaria— pasa a ser una parte de la crítica como proceso para llegar a un juicio. Algunos escritores han negado no sólo la identificación de la crítica con la censura, sino a la censura como clase o parte de la crítica; según ellos ésta debe limitarse a destacar los aciertos o bellezas de una obra. Valera, como veremos, representa, en nuestro país, esta corriente. Taine llegó a afirmar que la crítica nunca debe censurar; afortunadamente él no siguió siempre ese lema. El inglés Arnold parece sostener la misma opinión cuando, en su ensayo *The Function of Criticism at the Present Time*, declara que a la crítica debe moverla "the endeavour to learn and propagate the best that is known and thought in the world"[1]; el descubrir los defectos de un libro puede, sin embargo, ser parte de esta labor.

En ese mismo ensayo, M. Arnold nos daba una de las definiciones de la crítica más sugerentes y acertadas hechas jamás. Dice allí que "Criticism" es "to see the object as in itself it really is"[2]; ver el objeto como realmente es, no podía definirse mejor la aspiración de todo crítico. Los medios para llegar a esa perfecta visión podrán ser muy diferentes; ellos nos darán las distintas clases de crítica. Para una clasificación de ésta habrá que tener en cuenta también la posición en que colocamos a la obra literaria respecto

---

[1] Esta idea fue recogida y ampliada por Saintsbury al final de su *History of Criticism*; "Criticism —escribía— is the endeavour to find, to know, to love, to recommend, not only the best but all the good, that has been known and thought and written in the world" (vol. III, pág. 611).

[2] *Essays Literary and Critical*, pág. 1.

a las coordenadas del tiempo histórico; es decir si intentamos ver el objeto tal como era originariamente, tal como es ahora, o tal como se nos presenta en el proceso histórico; estas tres maneras de situar a la obra literaria equivalen a la crítica histórica, la crítica idealista y la crítica dialéctica. Arnold, Eliot y la mayor parte del criticismo inglés quedan dentro de la crítica idealista; L. Alas, posiblemente por haberse formado en los movimientos filosóficos alemanes, sería en algunos aspectos representante de una crítica dialéctica. Estas tres clases de crítica se subdividirían a su vez en otras, según el método de investigación utilizado para llegar a ver la obra literaria "tal como realmente es". Fácilmente se comprende que la definición de Arnold representa una actitud que excede no sólo al campo de la crítica —la novela puede ser también un intento de ver "el objeto" tal como es, y lo ha sido en la novela realista—, sino también al de la literatura, para convertirse en una actitud ante la vida. Con esta última acepción utilizo el término *criticismo,* sin relación alguna con el sistema filosófico de Kant, aunque también éste era, en principio, un intento de ver al "objeto" como realmente es.

El problema más difícil que surge en un intento de definición de la crítica literaria, es el de su limitación, en particular respecto de las dos manifestaciones del pensamiento humano más próximas a ella: la historia y la estética. En cierta manera podríamos considerarla como un triángulo cuyos lados fueran la obra de creación, que sería la base sobre la que se sustenta, la historia y la estética. W. Schlegel afirmaba, en su *Curso de literatura dramática,* que tanto la estética como la historia del arte permanecen aisladas e imperfectas si no se encuentra un medio de relacionarlas, y añadía que denominaba "crítica" "al intento de unión entre la enseñanza general y la historia". El francés Moreau, en su librito *La critique littéraire en France,* siguiendo las huellas de Schlegel, consideraba a la crítica como "l'histoire animée par l'esthétique, l'esthétique appuyée sur l'histoire" [3].

En relación con la historia literaria, se encuentra el problema fundamental que surge del examen del objeto de la crítica: ¿La

---

[3] **Pág. 17.**

crítica lo es de la literatura que se escribe o de la que se escribió, de la literatura que se hace o de la que se hizo? La solución correcta es ambas cosas, pero vistas desde nuestra actualidad; precisamente es la crítica, no la historia literaria, la que confiere a un escritor el papel de "clásico"; para el crítico la importancia de Cervantes reside en su valor presente, no en el papel que le concedieron sus coetáneos o en su posterior influencia. Claro que para una perfecta valoración de una obra clásica, incluso desde el punto de vista del lector actual, es necesario un examen comprensivo de la obra, colocada en la época en que fue escrita; gracias al conocimiento de la situación histórica en que se ha producido la obra —y por situación histórica entiendo todo el complejo social y artístico del autor y de la sociedad que confluye en ella— descubriremos ciertos valores actuales que, sin la ayuda de esa iluminación histórica, habrían permanecido ocultos para nosotros: atacar la idea monárquica en un reino significa una manifestación de protesta, atacarla en una apacible república puede no significar nada. No hay que olvidar, sin embargo, que el examen crítico de la literatura que fue, tiene como única finalidad iluminar nuestro conocimiento de la obra y darnos así las máximas posibilidades de goce en la lectura de ella. En 1886 y en las páginas de *La Ilustración Ibérica*, sostenía Clarín que la inteligencia completa de los textos clásicos sólo podía conseguirse mediante "el conocimiento suficiente de la vida de aquella actualidad".

En estas breves consideraciones me parece lo más importante insistir en la dificultad de definir o limitar la crítica literaria; en última instancia depende siempre del método utilizado por el crítico.

2. LA CRÍTICA LITERARIA EUROPEA

En el último tercio del siglo XIX, la crítica literaria forma parte, en los países europeos, de una tradición; es ya posible escribir una historia de ella. Así lo hará el inglés Saintsbury que, en 1904, da fin a los tres grandes volúmenes de su *History of Criticism*. De la mera expresión de un juicio o una opinión sobre una obra literaria, la crítica se ha convertido en un género independiente. Gra-

cias a los esfuerzos de sus cultivadores ha ganado el derecho a
existir por sí misma; el lector puede acercarse a un estudio crítico
movido, no por un primer interés hacia la obra examinada, sino
hacia el examen mismo. Esto indica que la crítica se ha convertido
en una manifestación del pensamiento humano que tiene la razón
de ser en sí misma, pues enriquece al hombre directamente, y no
a través de la obra artística de que trata; Henry James, novelista
y crítico, escribía, a finales de siglo: "criticism is positively and
miracoulously *not* the simplest and most immediate, but the most
postponed and complicated of the arts, the last qualified for and
arrived at, the one requiring behind it most maturity, most power
to understand and compare"[4].

La crítica literaria europea, nacida con el humanismo, se limitó
hasta bien entrado el siglo XVIII, con alguna reminiscencia posterior, a enfrentar la obra artística a un canon de belleza preestablecido; la novela carecía de crítica porque carecía de canon. El
empirismo inglés del XVIII y los movimientos estéticos alemanes de
fines de ese siglo arrinconaron aquel canon, y el Romanticismo terminó por hacer desaparecer sus últimos restos; la retórica —su
hijuela— arrastró una vida moribunda hasta casi nuestros días.
El crítico literario que, durante unos tres siglos, había limitado
su actividad a comparar la obra examinada con la idea de una
belleza perfecta, se ve obligado a buscar unas nuevas bases a su
juicio. Durante esos años, fines del XVIII y principios del XIX, como
ha indicado R. Wellek en su *Historia de la crítica moderna*, surgen todas las tendencias fundamentales de la crítica. Durante el
resto del XIX, esas tendencias se enriquecen y multiplican, a menudo por influencia de las ciencias; la crítica es entonces unas veces histórica, otras sociológica, otras filosófica, otras psicológica, etc. A mediados de siglo, aparece la tendencia a convertirse
ella misma en una ciencia; Taine y la crítica naturalista son pruebas de ello. En estos intentos hay el deseo, consciente o inconsciente, de encontrar un sistema metódico para valorar y analizar la
obra, algo parecido en su utilización a lo que poseían los clásicos.
En realidad, el éxito de uno cualquiera de estos intentos hubiese

---

4 *Literary Reviews and Essays,* pág. 26.

significado la desaparición de la crítica como arte —basada, en la intuición del crítico—, para convertirla en un ejercicio más o menos científico. Algunos de los escritores del XIX creyeron haberse acercado a ese método o sistema crítico; pero su hallazgo moría con ellos, probando así que los aciertos de sus trabajos residían más en ellos mismos, en su intuición artística, que en su sistema. Sólo la crítica marxista, y ya en nuestro siglo, ha mostrado una continuidad metódica a expensas de acercarse, como era de esperar, más a la ciencia que al arte. La crítica moderna ha llegado a adoptar la actitud opuesta a la de los humanistas y neoclásicos; éstos se enfrentaban a la obra para referirla a una idea "a priori" de belleza, por el contrario, el crítico moderno va a la obra para sacar de ella la idea de belleza. El norteamericano Northrop Frye afirma en la interesante introducción a su libro *Anatomy of Criticism*: "The first thing the literary critic has to do is to read literature, to make an inductive survey of his own field and let his critical principles shape themselves solely out of his knowledge of that field".

El prodigioso desarrollo de la crítica literaria durante el siglo XIX forma parte de una actitud general del pensamiento humano de este siglo; Renan afirmaba: "La critique universelle est le seul caractère qu'on puisse assigner à la pensée délicate, fuyante, insaisissable du XIXe siécle"; el también francés D. Nisard escribía, en el cuarto volumen de su *Histoire de la littérature française* (1861), que la crítica, facultad general y predominante del siglo XIX, era el alma de todas las obras y se hallaba en todos los géneros. Idéntica idea encontramos en el inglés Matthew Arnold. El "criticismo" es, pues, la base casi general a todas las manifestaciones del pensar humano de esta época; corresponde a la ideología de la burguesía, y refleja el liberalismo político en el plano del pensamiento.

La expansión de la crítica literaria hubiese sido imposible sin la existencia de un público lector que buscara los libros no sólo para distraerse sino para pensar; un público formado por los mismos escritores y los miembros de las profesiones liberales. La crítica ayudaba a sus lectores a analizar, comprender y valorar una obra literaria; el lector no podía acercarse a ella como a una novela, con el único fin de pasar el rato. La crítica es el género literario alrededor del cual se agrupan los intelectuales; el "criticismo" será, desde entonces, la actitud característica del intelectual frente a la sociedad en que vive. En la crítica, el escritor descubre su ideología más fácilmente que en la creación; por eso salió beneficiada al tomar la literatura actitudes políticas. El crítico escribe en una revista o periódico de determinada tendencia política o ideológica, colaborando en la formación de la mentalidad de sus lectores.

De tener que señalar una edad dorada de la crítica, posiblemente deberíamos destacar la segunda mitad del siglo XIX francés; las mentes más agudas y de mayor poder de creación fueron atraídas por ella y la practicaron con más o menos fortuna; cada uno de los críticos propuso y siguió distinto método; de todo ello resultó un enriquecimiento extraordinario en las actitudes críticas. Los poetas y novelistas —Baudelaire, Zola, Verlaine, Bourget...— se acercaron a ella y, junto con los resultados de su experiencia personal y la defensa de las bases estéticas de sus obras, nos legaron algunas de las manifestaciones críticas más notables del siglo. Los historiadores de la crítica han reconocido unánimemente la superioridad francesa en el campo de la crítica literaria, al menos hasta principios del siglo XX. A este respecto son interesantísimas las manifestaciones de F. Brunetière, contenidas en una de sus conferencias pronunciadas en la Escuela Normal de París, el año 1889 [5]; declaraba allí que durante trescientos años, desde Ronsard hasta aquellos días, la crítica había sido "l'âme de la littérature française", y Francia, añadía, era la única nación donde la crítica poseía desde sus orígenes una historia ininterrumpida; Alemania e Inglaterra han tenido críticos de gran importancia pero en sus literaturas la crítica carece de continuidad.

En Alemania, la crítica literaria ha corrido muy a menudo el peligro de convertirse en crítica filosófica o en estética. Hay una época —el paso del siglo XVIII al XIX— en que tanto su estética como su crítica literaria tienen una importancia decisiva en el movimiento literario europeo; puede decirse que el Romanticismo es, en sus principios, resultado de la aplicación de muchas de las teo-

---

[5] *L'évolution des genres*, vol. I, págs. 35 y ss.

rías de los estetas y críticos alemanes. Alemania, que en los inicios del XVIII se limitaba a recibir pasivamente la mayoría de las doctrinas neoclásicas francesas, se convierte en el centro de irradiación del pensamiento crítico[6]. Durante todo el siglo XIX la estética es considerada unánimemente como una ciencia alemana; Menéndez Pelayo escribe, en las primeras páginas de su introducción al estudio de las ideas estéticas del XIX: "Desde los últimos años del siglo XVIII hasta el momento actual, sólo en Alemania ha alcanzado la filosofía del arte un verdadero y orgánico desarrollo; sólo allí tiene una verdadera historia, entendida esta palabra en el sentido de sucesión interna y lógica de ideas y sistemas, que se engendran los unos a los otros"; por el contrario, en la crítica aplicada, reconocía la superioridad de la literatura francesa.

El predominio, en la crítica, del reflejo de la estética alemana desaparece hacia 1840; después de esta fecha su influencia se mantiene sólo en zonas periféricas de la cultura europea —España, Italia...—, se limita a la filosofía del arte —caso de la obra de Vischer— o se debe a la fuerte personalidad de algún pensador, como Schopenhauer (1788-1860) o Nietzsche (1844-1900). Durante el primer tercio de siglo la supremacía alemana en el campo de la teoría y el gusto literario había sido completa, pero el auge de los estudios estéticos, y su reflejo en el campo de la crítica literaria, arrancaban del siglo anterior, con la aparición del libro de Baumgarten (1714-1762), *Aesthetica*, los trabajos de Lessing (1729-1781) y la escuela histórica de Wolf (1750-1824). La idea de este último —la obra de arte como un producto colectivo y nacional— será decisiva en los escritos de los hermanos Schlegel (August Wilhelm, 1767-1845; Karl Wilhelm Friedrick, 1772-1829) y, en general, para todo el Romanticismo. Su influencia llegará también a España, posiblemente a través de los Schlegel; sin embargo, extraña que no fuese más importante, pues nuestra literatura presentaba unas características ideales para las teorías de Wolf. En el artículo que aparece como prólogo a *Nueva campaña*, y que lleva el mismo título que el volumen, se reflejan, aunque muy elaboradas, las

---

[6] Señalado por R. Wellek en su *Historia de la crítica moderna*.

ideas centrales de la crítica de Wolf [7]. A partir de estos pensadores y algunos filósofos, Kant en primer lugar, surgen, a finales del XVIII y principios del XIX, las bases filosóficas y estéticas del Romanticismo. Estas bases fueron establecidas por un heterogéneo núcleo de escritores a los que es muy difícil, excepto en el caso de los hermanos Schlegel, colocar dentro del campo de la crítica literaria. En este grupo se encuentran el teólogo Schleiermacher (1768-1834); los filósofos Fichte (1762-1814), Hegel (1770-1831) y Schelling (1775-1854) [8]; los escritores Goethe (1749-1832), Herder (1744-1803), Schiller (1759-1805), Jean Paul Richter (1763-1825); y los críticos historiadores, ya mencionados, hermanos Schlegel. La influencia de todos ellos, durante la época romántica, llegaría a nuestro país indirectamente, a través de las ideas comunes a todo el Romanticismo, excepto en dos casos: los hermanos Schlegel, que gracias al alemán españolizado Böhl de Faber, servirán de modelo a la labor de algunos historiadores de la literatura española, especialmente a Agustín Durán y el mismo Böhl de Faber; y Schiller, a cuyas ideas estéticas Aribau dedicó, en 1823, un largo comentario en las páginas de *El Europeo,* aunque posiblemente tuviese escasa transcendencia. Según Gili Gaya [9] la verdadera difusión de la filosofía del arte alemana se inicia, en España, hacia 1850, a través de dos núcleos que adoptan actitudes ideológicas distintas; uno es en cierta manera tradicionalista, el otro renovador. El primero tiene su centro en la Universidad de Barcelona, sustentándose en las enseñanzas y obras de Milá y Fontanals, el cual publica, en 1852, la primera edición de su *Estética;* el otro, en la Universidad

---

7 "El genio español había nacido para las grandes ideas sociales, en que la libertad se sacrifica al entusiasmo, la delicadeza a la grandeza, el pensamiento a la fe, el individuo al conjunto; en literatura, como en todo, nuestra inspiración, propiamente nacional, era colectiva, era sentimental; y de aquí el predominio de las formas épicas y dramáticas, la pobreza del arte psicológico sin más excepción de cuenta que el misticismo" (*N. C.,* página 11).

8 Su elevada concepción del arte —para él "el arte es el único y verdadero órgano de la filosofía, y al mismo tiempo el documento que confirma sin cesar lo que la filosofía no puede exponer exteriormente"— debió influir en los krausistas españoles, y, a través de éstos, posiblemente en Clarín.

9 *Sobre la "Historia de las ideas estéticas" de Menéndez Pelayo.*

de Madrid, y lo representan Sanz del Río y la gente influida por él. Es ésta precisamente la época en que el pensamiento estético alemán, y filosófico en general, está perdiendo su hegemonía en Europa; los autores que ahora influyen en nuestros escritores son distintos a los que originaron el movimiento romántico. En Milá es fácil encontrar la huella de Schiller y, sobre todo, de los Schlegel, aunque tiende a una síntesis de todo el pensamiento estético alemán, desde Kant a Hegel. El grupo de Madrid se caracteriza por la influencia de Krause (1781-1832), cuyo *Compendio de Estética* fue traducido por Giner de los Ríos en 1874; pero al lado de Krause encontramos las influencias fructíferas de Hegel (1776-1801), cuyas *Lecciones de Estética* fueron traducidas por H. Giner de los Ríos ya en este siglo. Es curioso ver la coincidencia en la admiración por Hegel de dos críticos que, en cierta forma, representan al escritor formado en cada uno de esos dos grupos, Leopoldo Alas y Menéndez Pelayo. Don Marcelino, que entró en contacto con la estética alemana en la cátedra de Milá y posiblemente de nuevo durante sus estudios en la Universidad Central, mostró después hacia ella, tal vez por influencia de Laverde, cierto menosprecio, para volver de nuevo a un vivo entusiasmo cuando tuvo que enfrentarse científicamente a la filosofía alemana del arte, en su *Historia de las ideas estéticas*; en esta obra llegó a escribir que la estética de Hegel, "divide en dos partes la historia de la ciencia (estética), y deja reducido a mera curiosidad histórica la mayor parte de los ensayos anteriores".

Al examinar el papel que los krausistas representan en el pensamiento español se olvida a menudo que introdujeron en la cultura española junto a Krause otros muchos pensadores y filósofos alemanes; en el campo de la estética su obra divulgadora fue muchísimo más amplia que la exclusiva exégesis de Krause que algunos les suponen. Una prueba de ello la encontramos en una carta de Leopoldo Alas a Menéndez Pelayo, fechada el 12 de Marzo de 1888 [10], donde, después de afirmar que le ha gustado mucho todo

_____

[10] *E.*, págs. 42 y ss. La dificultad de la letra de Clarín ha llevado al editor de estas cartas a transcribir mal algunos nombres: Shelley en lugar de Schiller, y Hellmuller y Homlick seguramente en lugar de Helmholtz y Hanslick.

lo que el historiador había escrito de Jean Paul, declara que en sus
"verdes años", es decir, en su época de formación recibida de profesores krausistas, le gustaron mucho "las cartas y opúsculos de
Schiller", "lo de Goethe", "muchísimo de Humboldt". Añade que
participa del entusiasmo de Menéndez Pelayo por Hegel, y que
conoce además un tomo y el índice de la *Estética* de Vischer, las
obras capitales de Schopenhauer, algo de Hellmuller, y un librito
de Homlick; a continuación defiende a Krause de los ataques de
Menéndez Pelayo, pero sin demostrar gran entusiasmo por su
Estética. El conocimiento que Clarín muestra de las corrientes
estéticas es, como se puede ver, bastante amplio; me inclino a
creer que a la mayoría de todos estos autores llegó a través de sus
profesores krausistas —Giner, González Serrano, Canalejas, posiblemente el mismo Revilla. Es muy fácil descubrir, en Leopoldo
Alas, reflejos de Hegel, principalmente en sus primeros escritos
sobre teatro, donde lo cita a menudo, y de Jean Paul Richter, figura por la que demuestra gran simpatía.

La mencionada carta de Clarín nos da un cuadro bastante claro
del conocimiento de las ideas estéticas alemanas en España, poco
antes de 1880. Cita también, en ella, al jesuita alemán J. Jungmann,
cuya obra *La Belleza y las Bellas Artes* (1865), traducida por el
tomista Ortí y Lara en 1874, ejerció durante esta época cierta influencia entre los grupos conservadores y tradicionalistas. Ortí y
Lara intentaba con su traducción oponer una doctrina ortodoxa a
las estéticas idealistas alemanas que los krausistas estaban intro-
duciendo en nuestro país. La única fuente de autoridad de Jungmann residía en su nacionalidad y su religión. Menéndez Pelayo,
con el durísimo comentario que dedicó a esta obra, cortó toda posibilidad de influencia [11]. A finales de la década del setenta hay

---

[11] "Pobre juventud nuestra, tan despierta y tan capaz de todo, y conde-
nada, no obstante, por pecados ajenos, a optar entre las lucubraciones de
Krause, interpretadas por el Sr. Giner de los Ríos, y las que bajo el título
de *La Belleza y Las Bellas Artes* publicó, en 1865, el jesuita J. Jungman...
El que quiera cerrarse para siempre los caminos de toda emoción estética,
no tiene más que aprenderse cualquiera de esos manuales. El resultado científico es poco más o menos el mismo... uno y otro no son Estética, sino
Contra-Estética; no son tratados de arte, sino *contra el arte*" (*Historia de
las ideas estéticas*, vol. IV, pág. 275).

que destacar la labor desempeñada por el cubano José del Perojo en la introducción de nuevas corrientes del pensamiento, aunque sin inmediata relación con la estética; desde las páginas de la *Revista Europea* primero, y, más tarde de la *Revista Contemporánea*, fundada por él, dio a conocer una serie de pensadores que van desde los neokantianos a los positivistas. Tal vez fuera Perojo el primero en dedicar un estudio a Schopenhauer, autor por el que Alas sintió siempre una gran simpatía. La importancia de su labor reside en la insistencia en la necesidad de europeizarse y el intento de abrir una nueva perspectiva al pensamiento español, liberándolo de esquemas apriorísticos y defendiendo la libertad de la investigación científica. En los últimos años del siglo encontramos en nuestros escritores huellas de otros dos autores germánicos: el austríaco Max Nordau (1849-1923), cuya influencia es decisiva en el catalán Pompeyo Gener, y Federico Nietzsche (1844-1900). Leopoldo Alas reaccionó contra los dos.

Contrariamente a lo que ocurre con las ideas estéticas alemanas, la crítica y la teoría literaria inglesa fueron casi desconocidas durante la Restauración; la cultura española parecía interesada en sólo dos países europeos: Alemania y Francia. Los dos capítulos de la *Historia de las ideas estéticas* dedicados a la crítica inglesa del XIX, son una clara prueba de nuestra ignorancia del tema. Menéndez Pelayo olvida casi por completo la obra de los dos grandes críticos ingleses del XIX, Coleridge (1772-1834) y Matthew Arnold (1822-1881); al primero le dedica media página y no habla para nada de su crítica; al segundo, un examen superficial en parte de una larga nota al final de uno de los capítulos, donde afirma cosas tan peregrinas como que Arnold era "el menos inglés de los críticos". Este desconocimiento de la teoría y crítica inglesas aparecía después de que los libros de Burke (1729-1797) y Blair habían sido desde fines del siglo XVIII y durante muchos años, guías del pensamiento estético español; en las críticas de Clarín encontramos aún referencias a Hugo Blair (1710-1800). Tal vez este desconocimiento de la crítica inglesa fuese más aparente que real; no creo que sea una mera casualidad la serie de coincidencias que Vicente Gaos señalaba, en su estudio de la "poética" de Campoamor, entre las ideas literarias de este escritor y las de T. S.

Eliot; posiblemente habría que buscar su origen en la fuente de
la tradición crítica inglesa —Wordsworth y Coleridge—, la cual,
a través de Arnold, enlaza con Eliot. Los hombres de la Institución Libre de Enseñanza, en sus viajes a Inglaterra para estudiar
los sistemas escolares, tuvieron que entrar en contacto con la obra
y personalidad de Matthew Arnold (1822-1888), con cuya figura
y mentalidad presenta curiosas coincidencias don Francisco Giner
de los Ríos. La primera referencia de Clarín a Arnold, que conozco, se encuentra en el folleto *Museum,* publicado en 1890; es por
lo tanto de la misma época, tal vez posterior en un año, no más,
a la nota añadida por Menéndez Pelayo a la *Historia de las Ideas
Estéticas;* la idea tratada por Leopoldo Alas no aparece en el
breve examen que hace Menéndez Pelayo.

Nuestros escritores demostraron mayor conocimiento de la obra
de ciertos pensadores ingleses, que bordeaban los límites de la crítica literaria: Carlyle (1795-1881), Macaulay (1800-1859) y Ruskin
(1819-1900). Al primero se refería Valera en 1876 [12]; años más tarde le dedicaron estudios Menéndez Pelayo [13] y Leopoldo Alas [14].
Estos dos últimos autores demostraron también una viva simpatía
por la obra de Macaulay, aunque para ellos era fundamentalmente
un historiador. Leopoldo Alas, en una de sus "revistas literarias" [15]
presentaba como prueba del desconocimiento francés de las literaturas modernas extranjeras, el caso omiso que los escritores de ese
país hacían de Leopardi y Carducci, y "la poca influencia de Macaulay y Carlyle". De todos ellos el que posiblemente tuvo mayor
difusión a finales de siglo, principalmente en Cataluña y dentro de
las teorías de las artes plásticas, fue Ruskin. El primer contacto
con todos estos escritores, debieron realizarlo en las páginas de
La historia de la literatura inglesa de Taine. Leopoldo Alas se refiere en sus artículos a otros críticos ingleses —Grant Allen, Pos-
nett...— pero es difícil saber si los conocía directamente o a través de escritos franceses; en el caso de este último parece ha-

---

[12] *La originalidad y el plagio,* en *Revista Contemporánea,* Madrid, 15-
II-1876.
[13] *Historia de las ideas estéticas,* vol. IV, págs. 397-400.
[14] Prólogo a la edición castellana de *Los héroes,* Madrid, 1893.
[15] *E. R.,* pág. 222.

ber leído su libro *Comparative Literature* [16]. En sus escritos no he
encontrado ninguna referencia a Lamb y Hazlitt, pero sí, y ya desde sus artículos publicados en *El Solfeo,* al sociólogo y filósofo
Spencer, aunque parece no tener en cuenta sus ideas estéticas.

Francia que, durante la segunda mitad del XVII y gran parte
del siglo XVIII, había dominado por completo el gusto artístico
europeo, perdió a principios del siglo XIX parte de esta posición
hegemónica; el crítico francés más característico de aquellos años,
Madame Stael (1766-1817), representa precisamente la introducción de corrientes literarias alemanas. Muchos de los críticos franceses de principios de siglo caen en el peligro opuesto al que ame-
nazaba a sus compañeros del vecino país; su crítica se transforma en historia. Guizot (1787-1874), Cousin (1792-1867) y Villemain
(1790-1870) representan, respectivamente, la introducción de los
nuevos métodos históricos dentro de la historia política, de la filosofía y de la crítica literaria; pero, en ciertos aspectos, señalan
una línea de continuidad entre Mme. Stael y Taine. A partir de
1830 un nuevo grupo de escritores, encabezados por Sainte-Beuve
(1804-1869), inicia su actividad crítica; gracias a ellos, Francia
vuelve a ocupar la indiscutible hegemonía en este campo de la literatura. Sainte-Beuve es el crítico de producción más extensa y
posiblemente a la vez más variada; utiliza en sus escritos distintos métodos, pero siempre con el estudio del autor como primera
vía iluminadora de la obra. La aparición de cada uno de estos
nuevos críticos señalaba un enriquecimiento en las actitudes y métodos de la crítica literaria, al reflejar distintas tendencias ideológicas y literarias: D. Nisard (1806-1888) representa la supervivien-
cia del gusto neoclásico; G. Planche (1808-1857), la rudeza y severidad del crítico militante que intenta establecer jerarquías, coincide en esto con algunos aspectos de nuestro Leopoldo Alas; Barbey d'Aurevilly (1808-1889), la paradoja ingeniosa y brillante;
Scherer (1815-1889), el relativismo crítico y la búsqueda de valoraciones morales. A éstos y otros nombres habría que añadir la
larga serie de creadores que la cultivan, muchas veces con la intención primera de defender sus obras. El aire de controversia en

---

[16] *E. R.,* pág. 229.

que vive la literatura favorece extraordinariamente el desarrollo de
la crítica. Tras las discusiones en torno al clasicismo y romanticismo emerge una nueva polémica que, en cierta forma, perdurará
hasta nuestros días; por un lado, la teoría del "arte por el arte"
sostenida por T. Gautier (1811-1872), por el otro, el realismo literario defendido, aquellos años, por el novelista Champfleury (1821-
1889). Durante la segunda mitad del XIX, al contacto con la psicología, la historia, la sociología, la fisiología, etc., aparecen nuevos
métodos críticos. Una generalización, algo peligrosa, nos permitiría
afirmar que, a partir de 1860, los críticos franceses pueden agruparse en dos grandes líneas, por un lado los que intentan una
especie de crítica científica —Taine, Hennequin, Guyau, Bourget, en
ciertos aspectos...—, por el otro los que defienden la crítica impresionista —Baudelaire, Lemaitre, Anatole France...—.

Todos estos escritores eran conocidos por los espíritus más
abiertos de la generación de la Restauración, para los cuales, Francia es una segunda patria literaria. Excepto en el caso de Taine,
cuya obra e ideas producen un verdadero impacto, es difícil señalar influencias. La proximidad a ellos es tan estrecha, que más que
sus ideas se refleja todo el complejo ambiente en que se originan.
Algunas veces, como ocurre en el caso de Clarín, es más fácil señalar reacciones contra ellos —algunos de los mejores artículos de
Alas tienen el aire de una polémica con Brunetière— que influencias. En sus escritos Leopoldo Alas menciona, discute valoraciones, y examina los métodos de la mayoría de los críticos franceses
de esta época. Casi todas sus referencias a ellos son posteriores a
1885, y van aumentando con el paso del tiempo, excepto en sus
últimos años en que parece algo desinteresado de los problemas
literarios. Su conocimiento de la crítica francesa es tan perfecto
como lo pudiera ser el de cualquier francés de la época, interesado
en ella; además, es un conocimiento que no arranca sólo de los
libros sino del diario contacto a través de las revistas y publicaciones periódicas francesas. Este interés por la crítica francesa no
significa que sienta ante ella una ciega admiración, por el contrario, presenta un aire polémico más marcado que en Menéndez
Pelayo. En una carta escrita a este último, le decía, comentando
el último volumen de la *Historia de las ideas estéticas,* que para

él Taine no era crítico literario aunque lo admiraba, "eso de la
raza, el momento, etc., es algo pero no es todo lo principal" [17]; sin
embargo, declaraba que Guyau le gustaba más de lo que demos-
traba Menéndez Pelayo. Con este escritor francés, Leopoldo Alas
demuestra gran afinidad; seguramente no hay influencias sino
coincidencias.

3. LA CRÍTICA LITERARIA ESPAÑOLA

Dentro del panorama literario español de la segunda mitad del
siglo XIX, la crítica desempeña el papel de cenicienta de los géneros literarios. La importancia que le han concedido los historiadores es casi nula; no tenemos ni una sola visión de conjunto; en
cierta manera, enfrentarse a ella es adentrarse por una selva vir-
gen. Sólo a Clarín y Valera se les ha dedicado estudios más o menos afortunados e importantes. Tenemos muchos artículos y libros
sobre Menéndez Pelayo, en la mayoría de los cuales la figura del
gran historiador queda ahogada por el histerismo trentino o nu-
mantino, pero carecemos aún del estudio científico y completo de
su inmensa labor de historiador y crítico literario. Afortunadamente, en los últimos años, Gili Gaya, Olguín y Dámaso Alonso han
iniciado el examen objetivo de los escritos críticos de Menéndez
Pelayo. Pardo Bazán ha sido objeto de trabajos en torno a su naturalismo, pero nadie ha examinado el conjunto de su obra crítica
y de sus ideas estéticas. Roca Franquesa dedicó un libro al estudio de la estética y la técnica narrativa de Palacio Valdés; en el
primer capítulo, 26 páginas, examinaba superficialmente su obra
crítica. Yxart ha merecido una biografía, sin interés para quien
quiera conocer su crítica, y algún breve artículo [18]; Giner de los
Ríos, las valiosas referencias de José Pedro Díaz en su libro dedicado a Bécquer, y de López Morillas, en su estudio del krausismo. Los demás, nada. González Serrano, Altamira, Balart, Sardá,

---

[17] *E.,* pág. 68.

[18] Afortunadamente he podido consultar la tesis de licenciatura de Ramón Sumoy, *José Yxart y su crítica,* presentada a la Universidad de Barcelona, en Junio de 1962.

Soler y Miquel, Revilla, Posada, etc., son para nosotros, como críticos literarios, casi unos desconocidos, que vamos reencontrando en alguna que otra cita que nos sale al paso en un artículo o libro erudito.

La crítica, pese a este olvido en que la ha tenido la investigación histórica, vive durante la Restauración, favorecida por el amplio desarrollo del periodismo, momentos de brillantez; posiblemente sea, tras la novela, la manifestación literaria de mayor mérito. Las polémicas literarias ayudarán al auge de la crítica. Lo "literario" se transforma en noticia y tema de conversación; la crítica no sólo informa y ayuda al lector a escoger sus lecturas, sino que da las ideas en que se apoyará cualquier discusión sobre literatura; llega así a convertirse en una exigencia paralela a la de la obra de creación. Este fenómeno no ocurre aquí con la medida e intensidad con que se produce en Inglaterra y, sobre todo, en Francia, pero no puede dejar de tenerse en cuenta. A través de la crítica literaria van entrando las novedades e ideas europeas que fertilizarán nuestra vida intelectual; en cierta manera, se convierte en el índice de esta última. Casi todos los escritores-creadores de la época manejan en algún momento el género crítico; el mismo Pérez Galdós recogió en un volumen parte de sus artículos; para algunos, Campoamor por ejemplo, es un medio de defender su propia obra creativa. A la crítica literaria llegan escritores cuya principal actividad está a veces en campos ajenos a la literatura; así González Serrano, desde la psicología y la ética, Posada, desde el derecho y la sociología. Entre los críticos importantes no hay uno solo, a excepción quizá de los catalanes Yxart y Sardá, cuya primera y principal actividad intelectual sea la crítica. Una de las labores más arduas de sus cultivadores será la lucha contra la idea, bastante extendida, de que la crítica es un género secundario, de nula utilidad. Ya veremos como el mismo Palacio Valdés parece participar de esta actitud. El artículo de Álvaro Romea *¿Me hago crítico?*, aparecido en el *Madrid Cómico* el 8 de febrero de 1880, podría presentarse como exponente extremado del desdén hacia la crítica; el entonces director del periódico escribe: "¿Y qué es la crítica? La murmuración elevada a la categoría de arte. Pero el murmurador no se convierte en crítico hasta que ha perdido la esperanza de llegar a ser otra cosa", "Los críticos —añade— son los eunucos de la literatura".

Hacia 1893, Francisco A. de Icaza [19], en el discurso inaugural del curso del Ateneo de Madrid, afirmaba acertadamente que la crítica era la manifestación de las letras donde puede estudiarse mejor el influjo recíproco del escritor y del público. Un artículo sobre una novela contemporánea se escribe para ser publicado o no se escribe; y cuando se escribe se hace pensando, en primer lugar, en el lector a que va destinado. En el público de la Restauración encontraremos la explicación a algunas de las características que presenta la crítica de aquella época, principalmente de sus deficiencias. Una queja común a todos estos escritores críticos es que no son leídos; la hallamos en Valera, Menéndez Pelayo, González Serrano...; Clarín, tal vez el único que era leído a costa del sacrificio, en algunos casos, de sus mejores calidades, ve en la falta de calor del público el motivo del abandono de la labor crítica por parte de algunos escritores —Giner de los Ríos, Palacio Valdés...—, o de la producción intermitente de otros —Balart, González Serrano, el mismo Valera—. Cada vez que un escritor de esta época hace una revisión de la crítica coetánea, aparece siempre un balance de críticos "en actividad, en descanso y cesantes". En este mismo hecho, debió influir, además de la falta de entusiasmo del público, la característica de "segunda actividad" que aquella labor tiene en casi todos los escritores a que nos referimos.

Leopoldo Alas, en el artículo que da título al volumen *Nueva campaña,* hace un desalentador examen de los autores que en plena madurez han abandonado el cultivo de la crítica; eran precisamente los que mejores cualidades poseían para ella. En cada uno de estos escritores encuentra motivos distintos para explicar ese abandono: a Valera su "aticismo no le permite tomar las actitudes románticas que en España necesita la crítica"; Menéndez Pelayo "teme acaso que la crítica de todos los días pudiera rebajarle un poco, y hace bien en temerlo"; Federico Balart no quiere escribir; Giner de los Ríos y González Serrano se han consagrado a otras actividades. Todos los maestros, así los llama, han abando-

---

[19] *Examen de críticos,* págs. 11 y ss.

nado el campo; a su lado sólo se encuentran algunos jóvenes, entre los que "no tardará en entrar el desaliento por falta de ejemplo digno, de estímulo y de cuanto puede hacer soportable el penoso combate" [20]. Ante el desolador panorama llega a dudar de la utilidad de seguir combatiendo por el buen gusto literario.

Pedro Sainz Rodríguez señalaba, en su discurso de inauguración del curso 1921-1922 en la Universidad de Oviedo [21], que la aparición de la "Biblioteca de Autores Españoles", en 1846, dividía en dos partes la historia de la crítica española del XIX. Imagino que al escoger esta fecha debió pensar más en la historia literaria y la erudición que en la crítica propiamente dicha; pues en esta no encontramos, en el decenio posterior a la aparición de la B. A. E., ningún cambio con respecto a los años anteriores. Posiblemente Aribau pudo haber marcado la transformación de la crítica española de haberse dedicado a ella con cierta continuidad. Antes que Sainz Rodríguez, el P. Blanco, en su desaforada y sacristanesca obra *La literatura española en el siglo XIX,* presentó a la B. A. E. como la iniciación de un nuevo período en la erudición y la "crítica sabia" española. Fishtine, en su libro *Don Juan Valera, The critic,* veía en las décadas del 50 y 60 un vacío de crítica, con la única figura de Valera; olvidaba la labor de Giner de los Ríos y de Canalejas. Como motivo de esta falta de cultivo de la crítica señalaba Fishtine una serie de razones, algunas de ellas, como la del temperamento español más dotado para la creación que para la crítica [22], bastante pueriles, otras ciertamente verosímiles: poca producción literaria y de escaso valor —recordemos que de estos años sólo se salvó las figuras de Bécquer y, en ciertos aspectos, Campoamor—, la indiferencia del público, el pernicioso sistema de "bombos" y "palos" que rebajaba la crítica al nivel del ataque personal, la atracción hacia la política, y la ausencia de un medio social favorable. Es innegable, sin embargo, que, al final del decenio de 1860, hay un brillante florecimiento de la crítica lite-

---

[20] *N. C.,* pág. 8.
[21] *La obra de Clarín,* pág. 63.
[22] El ensayismo, especie particular de la crítica y la actitud crítica, presenta en la literatura española, una notable continuidad, como ha demostrado Marichal en su libro *La voluntad de estilo.*

raria; creo que son estos años, los inmediatamente anteriores a la revolución de 1868, los que nos han de servir de fecha límite, de querer hacer una división de la crítica literaria del XIX.

Todas las figuras que, en aquellos momentos, la practican —Valera, Balart, Giner, Canalejas, Castro...—, tienen como característica común la oposición al régimen gubernamental imperante; de ellos, los tres últimos forman parte del movimiento krausista, y al interés por la crítica unen, especialmente Francisco Canalejas, la preocupación por la estética y, en algún caso, la retórica. Ideológicamente todos forman parte de los grupos liberales, y, excepto Valera, pertenecen o están en relación con el partido demócrata.

Federico Balart (1831-1905) cultiva un tipo de crítica próximo al de Larra, combinando la crítica social con la literatura y la sátira; en este aspecto será el crítico de la época al que más se acercará Clarín. Uno de sus artículos satíricos, un ataque al famoso "rasgo" de Isabel II que coincide con el escrito de Castelar, le llevó a mantener un duelo con el intendente de la casa Real, en el que resultó herido de un pie. De todos estos críticos es el más limitado al panorama literario español. Los otros, por el contrario, se abren a las corrientes europeas, pero con una casi general reacción anti-francesa. La producción crítica de Federico Balart aparece dividida en dos partes por un largo período de silencio; lo dicho anteriormente sólo puede aplicarse a los artículos de la primera época. Se inició como crítico hacia 1861, en las páginas del periódico *La Verdad*; poco después colaboró en *La Democracia*; su fama la debió a los artículos del *Gil Blas*. Durante el período revolucionario ocupó distintos cargos públicos, abandonando la labor crítica que no reemprendió hasta 1889, en el periódico madrileño *El Globo*. En esta última época colaboró en *Los lunes de El Imparcial*, y en *La Ilustración Española y Americana*. En setiembre y noviembre de 1892, Balart publicaba, en *El Imparcial*, seis artículos bajo el título *Crítica de críticos*, donde examina y rechaza los métodos críticos de Taine, Hennequin y Sainte-Beuve; el defecto común a los tres, según Balart, es que se apartan de la verdadera crítica literaria y utilizan la obra literaria como medio y no como fin; en el último artículo, nos promete definir el concepto de crítica literaria, pero se pierde en una serie de divagacio-

nes y superficialidades, a través de las cuales se adivina que, para
él, la crítica ha de ser un juicio valorativo, referido a unos principios estéticos, inamovibles y muy conocidos, que no explica. En
los artículos de Clarín abundan las referencias a Balart crítico,
pero no encontramos un análisis de su crítica; por lo general se
limita a quejarse de que haya abandonado el cultivo de esta manifestación literaria. Durante su primera época, Clarín parece considerarlo como uno de los críticos más importantes; así en el
artículo *Obras de Revilla* [23], declarará que, después que enmudeció
Balart, nadie pudo disputar a Revilla el primer puesto en la crítica contemporánea. A finales de 1890, los dos escritores mantu-
vieron una polémica con motivo de una alusión aparecida en la
segunda de las cartas dirigidas por Clarín a Tomás Tuero, en las
páginas de *La Correspondencia* [24]; la réplica de Balart se publicaba el 22 de diciembre en *El Imparcial,* bajo el título de *Correspondencia particular. Sr. D. Leopoldo Alas.* La discusión giró en torno
a la acusación de escepticismo dogmático hecha por el crítico
asturiano a Balart; este último, según Alas, había afirmado que
no hay doctrina cierta respecto al fin del arte, para sostener después
que el *mejor arte* era el que despertaba un sentimiento religioso.
Esto para Clarín representaba, al imponer al arte una finalidad,
negar su sustantividad, es decir, su independencia y su naturaleza
absoluta [25]. Francisco A. de Icaza veía la principal cualidad de
Balart [26] en su capacidad de hacer una crítica entera con una sola
frase; basándose en una afirmación de Balart —"Yo juzgo de la

---

[23] *S. P.,* pág. 131.

[24] Ejemplar del 14-XII-1890.

[25] Leopoldo Alas recoge su larga teorización en el siguiente artículo,
Al Sr. Balart (*La C.,* 28-XII-1890); defiende en estas páginas la sustantividad del arte, teoría que, arrancando de Kant y con su mejor expresión en
Schiller, está relacionada con la doctrina del *arte por el arte;* su mente
realista e historicista le lleva, sin embargo, a poner una serie de salvedades
a sus propias palabras: "es una abstracción desprovista de toda realidad,
considerar algo del mundo aisladamente ante todo; todo en la realidad se
da primero con lo demás, y el verlo primero separado, es cosa nuestra, no
de la realidad misma, que pudiera decirnos: 'Con quien vengo, vengo'. Por
esto no hay nada en el mundo que no esté condicionado por algo distinto
de ello y que a su vez no condicione otras cosas".

[26] *Ob. cit.,* pág. 80.

obra artística, como los místicos juzgan la oración, por sus efectos. Si me infunde nobles sentimientos... por buena la tengo; si me produce los efectos contrarios la declaro mala sin temor a equivocarme"—, le considera como represetante español de la crítica impresionista, que practicaban, en Francia, Lemaitre y Anatole France; se diferenciaban, según Icaza, en que a Balart, bajo el aparente impresionismo, se le adivinaba convencido de tener la razón. Rubén Darío en el artículo *La crítica*, recogido en *España contemporánea* [27], sin citar a Icaza, niega el paralelo entre Balart y los dos escritores franceses citados, reaccionando duramente contra su crítica: "en mi entender, no ha habido en el señor Balart más que una nueva faz del eterno pedagogo autoritario que se conmueve reglamentariamente y falla en última instancia sobre todas las estéticas; y así como su censura es estrecha, su elogio es desmesurado. Se le ve en ocasiones pasar impasible ante una manifestación artística, ante una idea llena de novedad y de belleza, y cantar los más sonoros himnos a la mediocridad apadrinada, a lo que por algún lado halaga sus tendencias personales, sus propios modos de ver".

Si de este conjunto de críticos el más importante es Valera, posiblemente aquel cuya obra tuvo mayor transcendencia, sobre todo a través de una influencia soterrada en la mayoría de escritores posteriores y también en la general actitud frente a la literatura, es Giner de los Ríos (1839-1915). De él escribía Clarín, en 1878, que sería "sin duda nuestro primer crítico" si otros estudios más graves no lo ocuparan [28]. A Giner y a todo el grupo krausista hay que agradecerles la lucha por la dignificación de la literatura; para ellos el arte se presenta no como un entretenimiento sino como una obra de perfección del hombre; porque es acaso la máxima y más noble posibilidad a que éste puede aspirar. Sanz del Río llegó a escribir en su obra *Ideal de la Humanidad*: "Las obras de arte traen, como Prometeo, a la tierra un rayo de belleza infinita; son una viva y progresiva revelación de la divinidad entre los hombres" [29]. Parecida consideración mereció la literatura a Giner, que,

---

[27] Pág. 345.

[28] *El S.*, 14-VI-1878.

[29] Citado por López Morillas, *El Krausismo español*, págs. 128-9 (en nota).

en el artículo *Consideraciones sobre el desarrollo de la literatura moderna,* defiende la superioridad de la literatura sobre la historia como vía de conocimiento del "sentido real de la vida", "no es otra cosa la literatura —afirma— que el primero y más firme camino para entender la historia realizada" [30]. Esta idea estará en la base de toda la crítica de Clarín, y también en la novela de Pérez Galdós. Valera representaría, en algunos aspectos, la actitud contraria. A través de todos los artículos de Giner de los Ríos, en medio del pesimismo que le provoca la literatura coetánea, se descubre una "fe irresistible en el destino y la perpetuidad del arte" [31]; la misma fe que animará la obra de Leopoldo Alas, y que le hará ver en el arte y la cultura una de las primeras fuerzas transformadoras de la sociedad. Toda la ideología krausista, y por tanto la crítica, reflejo de su actitud ante la literatura, es primordialmente un humanismo: el hombre, en su más elevada concepción, se convierte en el fin de todas sus actividades, pero —ahí reside uno de sus mayores méritos— ese ser humano, fin y objeto de todo su pensamiento, no es el hombre abstracto, sino el hombre histórico, el hombre de un lugar y tiempo determinado. Así la crítica literaria de Giner de los Ríos está referida siempre al hombre español coetáneo; según él la literatura debe acompañar a ese hombre y ayudarle a salir de la crisis en que vive, crisis producida por la situación de violenta lucha dialéctica entre un pasado que ya no le basta y "un porvenir que misteriosamente lo empuja, pero cuyo secreto desconoce todavía". El arte de los años que preceden a la revolución de Setiembre, como la vida de la sociedad española en que se produce, es un intento de evadirse a esa lucha dialéctica. José Pedro Díaz, en su análisis de la poesía de Bécquer, demostró de forma concluyente el paralelismo entre la poesía del autor de las *Rimas* y la crítica de Giner de los Ríos en que se señala ese intento de evasión. Tras la revolución de Setiembre la actitud de la literatura española cambia y se transforma en un reflejo de la lucha entre pasado y presente; para ello tuvo la suerte de encon-

---

[30] Recogido en *Estudios de literatura y arte,* pág. 170.
[31] Véase el estudio *Dos reacciones literarias,* en *Estudios de literatura y arte.*

trar la forma literaria ideal: la novela realista aparentemente, pero ideológica en el fondo. Esta adecuación, novela-tiempo polémico, la señalarán González Serrano [32] y Clarín en sus primeros artículos, los dos críticos que en los años inmediatamente anteriores a 1880 representan, dentro de la crítica literaria, la mentalidad krausista. La literatura y la vida española, y con ella la religión, la ciencia, la historia, el derecho, etc., se transforman, como ha señalado López Morillas [33] en una polémica entre aquellas dos fuerzas de que hablaba Giner: el pasado y el presente. Todas las manifestaciones intelectuales de este decenio están dominadas por el krausismo o son reacciones contra él. Será el naturalismo francés, con su ley de la impersonalidad narrativa, quien salvará a la literatura, en realidad sólo a la novela, de este dominio despótico de la ideología.

La importancia concedida por el krausismo a la literatura, hizo que se dedicasen a la crítica muchos de sus seguidores; a los ya citados —Giner, Revilla, Canalejas, y González Serrano— hay que añadir Hermenegildo Giner, traductor de la *Estética* de Hegel, Fernández y González y Federico de Castro. Leopoldo Alas, que se formó en el contacto personal y escolar con estos hombres, aprendió de ellos a mirar el arte y la cultura con una unción y respeto únicos en toda nuestra historia. Tiene razón J. Blanquat cuando afirma que Clarín representa, dentro de la crítica literaria, la obra de renovación de la sociedad española que intentaron los krausistas [34].

Posiblemente el menos importante del grupo de críticos krausistas que examinamos sea Francisco de Paula Canalejas (1834-1883). Su labor intelectual se repartió entre los estudios de estética, filología, historia literaria, filosofía e historia de las religiones; en todos ellos es característica la tendencia a una excesiva generalización. Contrasta con el resto de los krausistas de la primera época, algo reacios a la publicación, por la cantidad de libros y trabajos sobre todas aquellas materias que escribió. Fue el primero en declarar (1875) que el krausismo, como escuela, había ya desapa-

---

[32] *Ensayos de crítica y filosofía,* pág. 201.
[33] *Ob. cit.,* págs. 136 y ss.
[34] J. Blanquat, *Clarín et Baudelaire,* pág. 13.

recido [35]. Leopoldo Alas, alumno suyo en la cátedra de Literatura española de la Universidad Central, dedicó, en su juventud, varios artículos al examen de las obras y artículos de Canalejas. Uno de ellos, aparecido en las páginas de *El Solfeo*, el 14 de Junio de 1878, trata del libro *La poesía moderna*, colección de discursos, pronunciados en distintas sociedades. Tras una semblanza laudatoria, en que declara que Canalejas es un verdadero crítico, entra en el examen del discurso que da título al libro y al artículo de Clarín; el discurso está formado por dos partes distintas: teoría de la poesía lírica y una historia crítica de la lírica contemporánea española. En la primera parte, estima "como probable" lo que dice Canalejas, "sobre todo, —añade— en puro intelectualismo, sin aspirar a ciencia real"; pero se muestra en desacuerdo con la terminología empleada por el autor. La segunda parte la considera un "verdadero escándalo de crítica aplicada". Alaba el resto de los trabajos recogidos, especialmente el dedicado a *El escándalo*. En Enero de 1890, veinte y dos años después, se refería burlescamente a la segunda parte de aquel discurso de Canalejas [36]. Encontramos referencias a Canalejas en otros escritos de Clarín; las caracteriza el respeto hacia la figura de su antiguo profesor. Parece interesado por su concepto de epopeya y por la teoría, según Alas expuesta "magistralmente" por Canalejas, de la superioridad del ideal del escritor satírico sobre el de aquellos a quienes combate; pero no se muestra de acuerdo con él en esos puntos [37].

En el artículo de Clarín, mencionado anteriormente, *La poesía moderna de D. Francisco de P. Canalejas*, se quejaba del escaso interés que, por distintos motivos, tienen por la crítica quienes más dotados estaban para ella: si Balart, Valera, Canalejas y Giner, dedicaran más tiempo a ella —declara— "¡a qué inmensa altura podría elevarse la crítica!"; la única excepción, añade, es Revilla, pero "el Sr. Revilla es más hombre de inteligencia que de sentimiento". Manuel de la Revilla (1846-1881), el más joven de este

---

[35] Recordamos que ya Sanz del Río había afirmado que él no quería formar ninguna escuela (*Análisis del pensamiento racional*. Madrid, 1877, página XV).

[36] *E. R.*, pág. 265.

[37] *E. R.*, pág. 321; *P.*, págs. 39-40; *N. C.*, pág. 284.

grupo de críticos de que hablamos, marca en cierta manera el tránsito entre los críticos de la generación del 68 y los de la Restauración. Es también el intelectual que representa de manera más clara la inestabilidad ideológica de la época, pues figuró sucesivamente como uno de los más entusiastas krausistas, neokantianos y positivistas. Se dio a conocer al público, al igual que Clarín, a través del periodismo radical; fue colaborador asiduo de dos de las grandes revistas de la época, *Revista de España* y *Revista Contemporánea* [38], y del periódico *El Globo*. En 1872, publicó en colaboración con Alcántara García, *Principios generales de Literatura,* de la que, antes de 1900, habían aparecido otras tres ediciones; esta obra fue, durante toda esta época, la base de la mayoría de estudios estético-retóricos. Parte de sus artículos periodísticos fueron recogidos después de su muerte en *Obras de don Manuel de la Revilla* (Madrid, 1883) y *Críticas* (Burgos, 1884-1885). A Valera le desagradaba su tipo de crítica por ser demasiado franco y violento; veinte años después de su muerte hacía una valoración de sus trabajos, en los que mezclaba alabanzas y objeciones: "crítico casi imparcial, aunque severo y sobrado descontentadizo en ocasiones; hombre de vasta lectura y de muy variados conocimientos; inseguro en sus creencias y vacilante en sus afirmaciones y sediento de la verdad, buscándola con ansia en cuantos sistemas y novedades filosóficas, políticas y literarias se lanzan a la palestra". Cuando Clarín inició su actividad literaria (1875-1876), Revilla era el primero de los "críticos militantes" representando una actitud liberal avanzada; como tal tomó parte en la polémica en torno a "la ciencia española", sosteniendo la tesis de su inexistencia por culpa de la intolerancia religiosa. En los primeros artículos de Clarín, abundan las referencias a Revilla, pero parecen estar guiadas por un interés especial en mostrar discrepancias con él. En esta disconformidad de Clarín con Revilla hay que ver no sólo diferencia de opiniones o gustos literarios, o al joven escritor que intenta enfrentarse al más importante de los críticos para ganar pres-

---

[38] De esta revista, que dirigieron Revilla y Perojo, López Morillas ha escrito: "desplegó ante los ojos del lector español la inagotable riqueza del pensamiento europeo de la época" (*Ob. cit.,* pág. 105).

tigio, sino también desavenencias de tipo ideológico y político:
Clarín le acusa una vez de parecer interesado en olvidar sus antiguos entusiasmos republicanos. A Leopoldo Alas debieron dolerle
las pullas contra el krausismo que se adivinan, durante estos años,
en algún escrito de Revilla. En Mayo de 1878, dedicó cuatro artículos de *El Solfeo* al estudio de los *Principios generales de Literatura* [39]; este estudio es fundamentalmente una discusión del concepto
de belleza defendido por Revilla; Clarín destaca el sentido "positivista y aun sensualista" de su estética y lo cree insostenible. Los
artículos contienen, sin embargo, bastantes elogios de la obra y
personalidad de Revilla. Pese a sus discrepancias estuvieron unidos
por una amistad personal. En la necrología que le dedicó destacaba su pesimismo, y afirmaba que aunque valía mucho como crítico era mejor como orador [40]. En el comentario dedicado a la
publicación de sus obras por el Ateneo de Madrid [41], se queja de
que se haya prescindido de sus artículos cortos que era donde mejor se veía lo que valía como crítico. En este mismo artículo, declara que sus prejuicios realistas le llevaron a mirar con horror
cualquier renacimiento de tipo romántico, de ahí la injusticia, según Clarín, demostrada con Echegaray. En otras partes destaca la
severidad con que trató a los autores y el aire de catedrático que
no abandonaba al escribir muchos de sus artículos.

De todos estos escritores, Juan Valera (1824-1905) es el que
posee una obra crítica más extensa; abarca, con algún lapso de
silencio, desde el decenio de 1850 hasta su muerte. Tanto durante
su vida, como después, fue considerado como uno de los primeros
críticos españoles, pero sus artículos y estudios tienen siempre más
interés como medio de conocer a Valera que al autor, obra, o tema
comentado; si hay un crítico español que pone un interés modélico
en no seguir nunca el lema de Arnold —"ver al objeto tal como
en sí mismo es"—, ése es Valera. Muchas de sus valoraciones
resultan hoy verdaderamente peregrinas. El libro de E. Fishtine,
Don Juan Valera, The Critic, aunque escrito con evidente simpatía

---

[39] Aparecidos en los números del 12, 18, 21 y 23 de Mayo de 1878.
[40] *L.,* 1881, págs. 125 y ss.
[41] *S. P.,* págs. 131 y ss.

hacia el autor de *Pepita Jiménez,* recoge una serie impresionante de incomprensiones frente a gran parte de la literatura; su "esteticismo" le impidió apreciar corrientes literarias enteras; encumbramientos excesivos y desprecios incomprensibles —Shakespeare, Baudelaire, Hugo, la novela realista y en general toda la literatura francesa, Quintana, Ventura de la Vega, la poesía medieval...— se mezclan en la mayoría de sus estudios. En casi todos los artículos sobre sus contemporáneos huye de mostrar sus verdaderas ideas; no hay nada más desalentador, afirma Fishtine [42], que las críticas de Valera sobre sus coetáneos si uno las lee con la intención de encontrar valoraciones de autores y libros; más adelante añade que, en conjunto, su crítica de la literatura de la época es sorprendentemente superficial y ligera; cuando se extrae la sustancia de sus artículos y se presenta sin el humor y el encanto personal de Valera, la inconsecuencia y trivialidad de los juicios expresados son deplorables, hasta que uno recuerda que lo que le importaba no era el libro sino las observaciones que estimulaba en él. Valera da a menudo la impresión de haber nacido con sesenta años de retraso, parece más próximo a Moratín, Jovellanos o Quintana que a sus contemporáneos; sus ideas políticas están cercanas al despotismo ilustrado o el naciente liberalismo; su verdadero público en una clase social —la aristocracia ilustrada— que en aquellos días desaparecía. Su teoría estética vacila entre algo muy próximo al "arte por el arte" y el mero entusiasmo por lo agradable y placentero; el calificativo perfecto es el utilizado por Krynen, en su estudio sobre Valera, "el esteticismo". Sus cualidades —extraordinarias dotes de escritor, flexibilidad, enorme curiosidad y amplias lecturas, independencia y tolerancia que le colocan en una situación ideológica única en su época— están perjudicadas por su egocentrismo, por su pesimismo disfrazado de sonrisa irónica, su falta de energía y exceso de benevolencia, y su irracionalismo. El mejor juicio de su crítica lo hizo el mismo Valera: "Yo he criticado siempre más como aficionado, que como profesor, aspirando, no a enseñar nada a mis lectores, cuando los tenía, sino a entretenerles un rato con mi charla"; concepto de la

---

[42] *Don Juan Valera, The Critic,* pág. 74.

crítica que coincide con su idea del arte, según L. Alas: "una diversión, una hermosura fugaz que sirve para darnos un gusto pasajero"[43]. Clarín demuestra, a lo largo de sus escritos, ser un lector asiduo de la crítica de Valera; pero casi todas sus referencias, aunque confiesa sentir gran admiración por él, son para contradecirle. Si Clarín puede considerarse como el representante de una crítica comprometida, Valera lo sería, por el contrario, de la crítica de evasión.

Giner de los Ríos, Valera, Canalejas, Balart, son los escritores que representan, por la fecha de su nacimiento, a la generación de 1868 dentro del campo de la crítica literaria. Más difícil de situar es Revilla; por su nacimiento pertenece a la generación siguiente, pero su temprana desaparición y lo muy joven que empezó a escribir obliga a situar su obra al lado de los escritores del 68. Todos éstos son los críticos en cuya lectura se formaron las ideas y el gusto literario de Leopoldo Alas; frente a ellos mantiene siempre la actitud propia del escritor joven ante los autores que han alcanzado la madurez; hacia todos ellos guarda, incluso cuando contradice alguna de sus afirmaciones, una extremada consideración. En 1880-1881, ninguno de ellos cultiva la crítica; Valera y Balart volverán a ella más tarde, los demás la han abandonado. Hacia esos mismos años, como ya hemos señalado anteriormente, hay un cambio importantísimo dentro de la vida intelectual española: la desaparición del aire de intolerancia ideológica que la caracterizaba[44]; y, con ello, la desaparición de desagradables polémicas, la más importante de las cuales fue la que libraron, en torno de la existencia o no existencia de una "ciencia española", Menéndez Pelayo y Laverde por un lado, y Azcárate, Canalejas, Perojo y Revilla por el otro[45]. Este descenso de presión

---

[43] *A. L.,* 1-X-1882.

[44] Valera fue uno de los pocos escritores que se mantuvo fuera del aire polémico que caracterizó a la vida intelectual española durante esta época.

[45] Clarín, aquellos días, parece sostener la opinión de sus compañeros de ideología, pues, en la crítica del *Goethe* de González Serrano, escribía que España "ni tiene tradiciones de verdadera filosofía, ni con las ciencias ha tenido el trato preciso para enterarse de lo esencial de ellas. La causa de la vanidad nacional es una causa ridícula: empecemos por ser humildes y acaso llegaremos a valer algo".

polémica en la enrarecida atmósfera del país se refleja en la obra de Menéndez Pelayo —aunque nunca pudo salvar su pasión anti-krausista— y en la de Galdós, Clarín y casi todos los escritores de la época: las polémicas culturales no tendrán sus raíces en las luchas políticas, ni irán más allá de lo estrictamente cultural; esto no quiere decir que a partir de 1880 los escritores huyan del encuadramiento político o que sus ideologías no se transparenten en sus libros. El primer acontecimiento literario a que deben enfrentarse los críticos de la Restauración —González Serrano, Clarín, Menéndez Pelayo, Pardo Bazán, Altamira, Yxart, Sardá, etc.— es la aparición del naturalismo. En la polémica que se desarrollará en torno a él, ya no es fundamental la mentalidad política; entre sus contrarios, aunque predominan los tradicionalistas y conservadores, hay también gentes de ideas radicales como González Serrano; entre sus defensores, por el contrario, no falta algún moderado, como Emilia Pardo Bazán. Por lo general en la crítica de la Restauración desaparece o disminuye la influencia, predominante anteriormente, de las escuelas idealistas alemanas; muere la reacción antifrancesa de la generación del 68; la estética deja de interesar y se huye de la teorización; la crítica literaria se limita al estudio de la obra o autor examinado; y hay más objetividad que en los escritores anteriores. En todos los críticos de la Restauración hay, en mayor o menor grado, reflejos del positivismo de Taine; el ambiente aparece casi siempre como una de las coordenadas que definen una obra literaria, la otra es el propio autor. González Serrano, hacia 1880-1881 escribió con estilo algo rebuscado: "El estudio impersonal del medio interior en relación con el exterior, como la cópula de que resulta la fecunda creación del arte es la característica más valiosa del espíritu crítico, es lo que hace crítico, que apenas si admite parangón con nadie, a Taine" [46]. La influencia de Taine, a que nos hemos referido, no se puede considerar como caracterizadora de la crítica de la Restauración, aunque sí delimitadora; junto a Taine encontraremos reflejadas la mayoría de corrientes críticas europeas, principalmente francesas, de finales de siglo, y algunas anteriores. El tono general de estos

---

[46] *Estudios críticos,* **pág.** 124.

críticos frente a ellas, es el eclecticismo; casi siempre es dificilísimo aislar una determinada influencia de autor extranjero, y muchas veces no puede discernirse si es una influencia o una coincidencia.

En ese mismo artículo, González Serrano presentaba un panorama de la crítica española en aquellos días: "En España muerto Larra, malogrado prematuramente Revilla, en silencio voluntario Balart, con movilidad versátil en pro de causas nobles Giner de los Ríos, sutilizado y quintaesenciado Valera, recluido en su efectismo gongorino Ortega y Munilla, derrochando su talento y gracia Cavia en la nota del día, nostálgico y un tanto retraído Picón, Yxart circunscrito a sus valiosos *Comptes rendus* y retirado Orlando (Lara), apenas si siguen dando en el yunque, aunque con la constancia relativa que indica el orden en que los colocamos Clarín, Menéndez Pelayo, y Palacio Valdés" [47]. De los tres, Palacio Valdés abandonaría pronto la labor crítica; mientras los otros dos, Alas y Menéndez Pelayo, quedarían como las dos figuras capitales de la crítica española de la Restauración, y, dentro de sus respectivos campos, la historia literaria uno, la crítica "militante" el otro, como las más importantes de cualquier época. Los críticos literarios de la Restauración pueden clasificarse, basándonos en la proximidad de sus ideologías, en tres grupos. En primer lugar, los radicales, de tendencia republicana, heterodoxia religiosa, y en algún caso cierta simpatía hacia el socialismo; lo forman como figuras más importantes U. González Serrano, Leopoldo Alas, Rafael Altamira, Palacio Valdés, durante sus años de labor crítica; todos ellos han tenido influencia krausista. En segundo lugar, los escritores de mentalidad "conservadora", de ideología tradicionalista o liberal moderada, y de religión católica; sus dos figuras son M. Menéndez Pelayo y Emilia Pardo Bazán. Los dos, dentro del campo de la cultura y la literatura y tal vez inconscientemente, intentan situar la mentalidad tradicionalista a la altura de los tiempos; Menéndez Pelayo dando bases racionales al historicismo tradicionalista; Pardo Bazán vigorizando esa mentalidad con la adaptación de las modas literarias europeas. Con características ideológicas originales se presenta el grupo de críticos catalanes —la mayor parte

---

[47] *Ob. cit.*, pág. 125.

de cuya obra está escrita en castellano—; resulta difícil descubrir a través de sus escritos sus tendencias políticas, excepto el reconocimiento de la personalidad histórica de Cataluña, o religiosas; por lo general, se enfrentan a la obra literaria con una actitud que podríamos llamar científica; sus dos representantes más característicos e importantes son José Yxart y Juan Sardá.

Urbano González Serrano (1848-1904), colaborador de la obra de la Institución Libre, fue uno de los más importantes representantes del krausismo en la que podríamos considerar la segunda etapa de este movimiento, en la cual deja de ser un sistema filosófico para presentarse como una actitud ante la vida. Profesor de Leopoldo Alas en la Universidad Central, su principal actividad intelectual fue el estudio de la psicología, ética y lógica, escribiendo varios libros sobre estas materias. Aunque su producción crítica tiene un carácter esporádico, resulta bastante abundante y de evidente mérito; sus artículos aparecieron en *La Correspondencia de España*, *Revista Contemporánea*, *La Ilustración Artística*, *Nuestro Tiempo*, *Revista de España*, etc.; algunos de ellos fueron recogidos en los volúmenes: *Ensayos de crítica y filosofía* (Madrid, 1881), que contiene un importante estudio de *Doña Perfecta*, *Estudios críticos* (Madrid, 1882), *Cuestiones contemporáneas* (1883), *La literatura del día* (Barcelona, 1903), *En pro y en contra* (Madrid, s. a.). Publicó un libro sobre *Goethe* (Madrid, 1878), al que Clarín dedicó una crítica. Aunque González Serrano fue muy influido, durante sus primeros años, por el idealismo alemán, más tarde consideró a Taine, como el primero de los críticos; pese a ello rechazó a la novela naturalista. Clarín calificó a su posición frente a este movimiento literario como una "relativa censura" [48], y afirmó que los escritos contra el naturalismo de González Serrano y Menéndez Pelayo, eran superiores a lo dicho por Brunetière y Sarcey en Francia. González Serrano consideró que el arte se había dividido, en la segunda mitad del XIX, en dos direcciones que denomina "arte productor" y "arte crítico" [49], y vio a su época como época eminentemente crítica, afirmando que "el criticismo" era la "señal" de su

---

[48] *S. P.*, pág. 55.
[49] *Ob. cit.*, pág. 123.

tiempo; de ahí que al presentar a la novela como "el género literario más adecuado al espíritu y la tendencia de los tiempos presentes" [50], destacara "el constante espíritu crítico que puede campear en la novela".

La producción crítica de Armando Palacio Valdés (1853-1938)
abarca sólo un breve espacio de sus primeros años de escritor; se
puede afirmar que, en 1881, coincidiendo con la aparición de su
primera novela *El señorito Octavio*, abandonó el cultivo de la crítica literaria. El exceso de "egotismo" y la falta de verdadero entusiasmo e interés, le impidieron la dedicación a una más amplia
labor crítica. Sus artículos más importantes están recogidos en los
volúmenes *Semblanzas literarias* —dividido en tres partes: "Los
oradores del Ateneo", "Los novelistas españoles", "Nuevo viaje al
Parnaso"— y *La literatura en 1881*, escrito en colaboración con
Clarín. Fragmentos relacionados con la crítica literaria los encontramos en obras posteriores como *Testamento Literario*, *Album
de un viaje*, y también en algunos prólogos a sus novelas; particular interés presenta el de *La hermana San Sulpicio*. La crítica de
Palacio Valdés está muy próxima a la que por los mismos años
escribía Leopoldo Alas, pero en aquél predomina la burla de tipo
evasivo. Algunos de sus artículos, como los dedicados al Padre
Sánchez y a novelistas de escaso mérito literario, son de una violencia nunca igualada por Leopoldo Alas. Coinciden en muchas de
sus valoraciones, pero no en su actitud ante la crítica; pues Palacio Valdés da la impresión de que le concede poca importancia.
Repetidamente manifiesta que el crítico es inferior al creador, y
que no cree en la utilidad de la crítica, incluso en algún momento
declara considerarla perjudicial al arte; así en el prólogo al "Nuevo viaje al Parnaso" afirmaba: "Yo no creo en la crítica. Tengo
la inmensa desgracia de no creer en la crítica... Mi horroroso escepticismo se formó de dos proposiciones: una negativa y otra
positiva. Primera proposición: Nunca hizo falta la crítica para que
apareciesen grandes artistas. Segunda proposición: La crítica ha
empequeñecido al arte". Indudablemente con estas ideas no había

---

[50] *Ensayos de crítica y filosofía*, pág. 20. Leopoldo Alas insistirá también en esta idea.

más salida que el abandono de la actividad crítica. Palacio Valdés había dado sobrados motivos para afirmar que *"puede* ser crítico y que sólo le falta *querer"* [51].

Rafael Altamira, el famoso historiador de la civilización española, profesor de la Institución Libre de Enseñanza y catedrático de la Universidad de Oviedo, se inició en la literatura, al igual que Clarín, González Serrano y Palacio Valdés, como periodista, llegando a ser director del periódico republicano *La Justicia,* en donde publicó algunos de sus artículos de crítica; otros aparecieron en *El Liberal* y *La Ilustración Ibérica,* entre ellos el importantísimo *El Realismo y la literatura contemporánea* que, por su extensión, puede considerarse como un libro sobre el tema; en la misma publicación y el mismo año, 1886, publicó un detenido examen de la novela de Zola *La obra.* Algunos de sus trabajos críticos los recogió en los libros *Mi primera campaña,* aparecido en 1893 con un prólogo de Clarín, *De historia y arte* (Madrid, 1898) y *Cosas del día* (Valencia, 1907). Leopoldo Alas situó a Altamira entre un grupo de críticos que denominaba "críticos-científicos", del que decía era "el más nuevo en nuestro país y el que ofrece más esperanzas junto con algunos peligros" [52]; característico de estos críticos es el amplio conocimiento de la literatura europea coetánea, y la seriedad y documentación de sus artículos. Altamira se presenta en sus escritos y personalidad como un epígono del krausismo, pero de pensamiento totalmente original, utilizando además el método de investigación del positivismo científico. Demostró una gran atracción por la novela de Maupassant, dedicando a este escritor varios artículos; de Echegaray [53] afirmaba, en 1888, que estaba "desplazado en absoluto del mundo en que se agita su público".

La mayor parte de los libros y estudios de Menéndez Pelayo caen dentro de la historia literaria o la erudición; pero su mentalidad historicista le hace ver a la sociedad coetánea como resultado del proceso histórico, y al estudio de la historia, como un medio formativo del hombre, que, en el caso de España, muestra el úni-

---

[51] González Serrano, *Estudios críticos,* pág. 131.
[52] *Mi primera campaña,* págs. VIII-IX.
[53] *Ob. cit.,* págs. 171-177.

co camino hacia una futura grandeza. Esto hace que tanto sus estudios históricos como los eruditos estén siempre muy próximos al
campo de la crítica. El concepto de la historia como "maestra de
la vida" llevó a Menéndez Pelayo a afirmar, refiriéndose a la influencia de Víctor Cousin en el desarrollo de los estudios históricos: "con esto ha venido una más recta estimación del valor pro-
prio de cada cosa [54], difundiéndose aquella tolerancia científica,
aquel espíritu crítico y aquella inteligencia de las ideas más opuestas, que forzosamente trae consigo el estudio de la historia y que
es su más positiva ventaja" [55]. En otro lugar escribía: "La Historia será tanto más perfecta y artística cuando más se acerque con
sus propios medios a producir los mismos efectos que produce el
drama o la novela"; estas palabras no se limitaron a ser una manifestación teórica sino que intentó llevarlas a la práctica desde
sus primeros libros; la *Historia de los heterodoxos españoles* es,
incluso para el que simpatice con la "heterodoxia", uno de los libros del XIX de más fácil y entretenida lectura. Menéndez Pelayo
cultivó la crítica de obras y escritores contemporáneos, y algunos
de sus estudios en este campo son de gran mérito literario; así
los últimos volúmenes de la *Historia de las ideas estéticas*, superior, en algunos aspectos, a lo escrito en Europa sobre este asunto,
el prólogo a las obras de Pereda, o el discurso de contestación a
Pérez Galdós, en la entrada de éste en la Academia, en el cual
parecen reflejarse algunas ideas de Leopoldo Alas. González Serrano, en el artículo, varias veces citado, *La crítica en España* [56], le
reconocía una gran importancia como crítico, pero al mismo tiempo
le hacía dos objecciones que interesa destacar: parece carecer del
poder de sintetizar, mira y cuenta los árboles pero sin ver el bos-
que; y la otra (cuya investigación nos llevaría a una dificilísima
problemática, pero que creo podría ser la vía iluminadora en el
estudio del pensamiento y obra de don Marcelino), la insinuación
de que "sabe lo que todos han pensado e ignora lo que piensa".
Esta última objeción, falta de un pensamiento sistemático, podría

---

[54] Afirmación muy próxima a la declaración de Arnold sobre la finalidad de la crítica: ver el objeto cómo en sí mismo es.
[55] *Historia de las ideas estéticas*, vol. V, pág. 17.
[56] *Estudios críticos*, págs. 129-130.

explicar la sensación que a menudo nos da la lectura de Menéndez Pelayo de que el autor va abandonando unos conceptos "apriorísticos" o formando sus propias ideas a medida que avanza su trabajo; sería, por lo tanto, la explicación de lo que Dámaso Alonso ha llamado las palinodias de don Marcelino. En este mismo artículo, González Serrano destacaba la importancia concedida por Menéndez Pelayo al "medio exterior"; esta referencia nos lleva a situar al gran historiador próximo a la línea de la crítica francesa que culmina en Taine, por el que demostró una gran simpatía. En una carta a Valera [57] afirmaba: "pienso poner por las nubes, en el volumen siguiente, a la crítica de arte y literatura que Francia ha dado en este siglo". De Taine, a cuya teoría estética dedicó un capítulo entero en su *Historia de las ideas estéticas,* prometiendo uno más extenso, que no llegó a escribir, sobre su crítica aplicada, afirmaba: "De este último Taine (el crítico aplicado) somos apasionados, como lo es toda la juventud de nuestros días" [58]. Menéndez Pelayo representa dentro del campo de la estética y la crítica literaria la unión de las corrientes idealistas alemanas con el positivismo histórico francés; este fecundo eclecticismo da a su obra un aire de gran originalidad. Olguín, en su brillante estudio *Menéndez's Theory of Art and Criticism,* señala que Menéndez Pelayo llegará tras unos primeros tanteos, a la vigorosa defensa de un método crítico en que la estética y la crítica histórica se hallen íntimamente unidas; "Detrás de cada hecho literario —escribía en el prólogo a la *Historia de las ideas estéticas—,* o más bien, en el fondo del hecho mismo hay una idea estética, y a veces una teoría o una doctrina completa de la cual el artista se da cuenta o no, pero que impera y rige en su concepción de un modo eficaz y realísimo".

Emilia Pardo Bazán alternó el cultivo de la novela con los estudios históricos —*La epopeya cristiana,* el libro sobre el Padre Feijóo...— y críticos; entre estos últimos merecen destacarse *La cuestión palpitante,* el libro sobre la novela rusa, y el *Nuevo Teatro*

---

[57] *Epistolario de Valera y Menéndez Pelayo,* Madrid, 1946, pág. 42. Carta del 10-VIII-1889.

[58] *Historia de las ideas estéticas,* vol. V, pág. 137.

Crítico. Su crítica presenta características opuestas, en algunos aspectos, a las de la crítica histórica de Menéndez Pelayo. Su importancia reside más que en la profundidad de sus escritos, en haber ayudado a introducir en España corrientes literarias europeas,
aunque a veces sólo estuviese movida por el "snobismo"; su nombre irá unido siempre, con todos los defectos de su trabajo, a la
aparición del naturalismo y la moda de la novela rusa en nuestro
país. Una de las acusaciones que más a menudo se hicieron a sus
artículos y libros de crítica fue la de plagiar a otros escritores. Icaza en su *Examen de críticos* [59], tras un ataque durísimo demostra-
ba, comparando textos, una serie de plagios de autores extranjeros
hechos por Pardo Bazán. Clarín tuvo siempre un marcado interés
en señalar como algunas ideas de la escritora gallega aparecían en
anteriores escritos suyos; incluso el título, *Nuevo Teatro Crítico,*
declaraba en *Madrid Cómico,* lo había utilizado él anteriormente
en una serie de artículos publicados en *La Justicia.* Martínez Ruiz
en su folleto *La crítica literaria en España,* discurso leído en el
Ateneo de Valencia en 1893, afirmaba que el defecto común a la
crítica española —falta de penetración y exceso de retórica— era
característico de Pardo Bazán y Picón y se atenuaba en Clarín y
Altamira. Pese a la verdad de todas estas afirmaciones es innegable la importancia de Pardo Bazán como divulgadora de modas
literarias, y por la intuición crítica que tienen algunas de sus afirmaciones.

En Barcelona durante estos años, desarrollan su labor crítica
una serie de escritores —Soler Miquel, Domingo Peres, Opisso,
Torrendell...— de los que destacan los ya citados José Yxart y
Juan Sardá, con notas parecidas a las de los escritores del resto de
la Península, tipo Altamira, que Clarín denominaba "críticos-científicos". La característica principal de este grupo de escritores, según Clarín, era la influencia de las "modernas *humanidades* francesas", sin olvidar "lo que traen los ingleses, los alemanes, los ita-
lianos, los americanos..., etc.", esto hacía que pareciesen menos
"berberiscos" que sus congéneres de Castilla [60].

---

[59] Pág. 89.
[60] *E. R.,* pág. 172.

José Yxart, víctima de un incomprensible olvido, ocupa en la historia de la crítica española uno de los primeros lugares. Su libro *El arte escénico en España*, aparecido primero como una serie de artículos en las páginas de *La Vanguardia*, es la obra más importante escrita, en nuestro país, sobre el arte teatral. Ya en 1879, a los 26 años, publicó un artículo en catalán, titulado *Teatre català. Ensaig historich-critich* [61], que está muy por encima de todo lo escrito hasta entonces, en la Península Ibérica, sobre teatro. Algunos de sus artículos castellanos, los recogió él mismo en la serie de volúmenes titulados *El año pasado*, donde estudiaba los distintos aspectos de la vida cultural barcelonesa durante el año que daba título al volumen; otros siguen olvidados en las páginas de los periódicos y revistas en que colaboró. Ramiro de Maeztu en el duro ataque dirigido contra Leopoldo Alas, *Clarín, Madrid Cómico and Cº limited,* afirmaba que Yxart había realizado lo que Clarín había sido incapaz de hacer. El mismo Leopoldo Alas, que tuvo una gran simpatía y admiración por él, escribía en el artículo necrológico que le dedicó: "No ha habido en España jamás quien tomó más en serio el arte" [62]. Ramón Sumoy, en su trabajo de licenciatura sobre la crítica de Yxart, señala, en el escritor catalán, una actitud ante los géneros literarios muy parecida a la de Clarín: es consciente de la superioridad de la novela de su tiempo sobre los otros géneros; lucha por la renovación del teatro, aplicando a él los supuestos estéticos de la novela naturalista; y, ante la poesía, muestra cierto desconcierto, provinente de la contradicción entre su mentalidad realista y su formación poética romántica. Yxart será el representante español más caracterizado del positivismo crítico, que mostrará particularmente en su entusiasmo por la novela naturalista y la actitud sociológica —estudio del público— de sus críticas teatrales.

Juan Sardá (1851-1898) alternó la crítica política y social con la literaria. Parte de sus escritos fueron recogidos en 1914 en tres volúmenes, bajo el título de *Obras escogidas*. Sardá fue el defensor moderado del naturalismo en Barcelona; de sus artículos desta-

---

[61] Recogido en *Obres catalanes*, págs. 214 y ss.
[62] *La P.*, 25-VI-1895.

can los dedicados a la novela, en especial a autores extranjeros,
a Galdós, la Pardo Bazán y al catalán Oller, sobre el cual a igual
que Yxart tuvo gran influencia. En Galdós destacó la gran importancia que tenían en algunas de sus obras las teorías psicológicas; y afirmó de él que era "el revolucionario más temible que
escribe en lengua castellana"[63].

En esta revisión de la crítica española de la Restauración me
he referido solamente a los autores que considero de mayor importancia, pero no podemos olvidar la gran cantidad de escritores y
escritorzuelos que, desde don Pelegrín García Cadena —¿quién se
acuerda de él?— hasta el injustamente olvidado Pompeyo Gener,
iban comentando y escribiendo sobre los libros, obras teatrales y
novedades de la vida intelectual; sólo con el examen de los artículos de los Bofill, Alfonso, Lara, Cañete, Calderón, Vera, Bonafoux, etc., podríamos tener un cuadro general de la crítica literaria
de la época. Estos autores nos servirían para realzar la obra de
las primeras figuras, y nos explicarían los gustos del público español del último tercio de siglo.

4. EL CONCEPTO DE CRÍTICA EN LEOPOLDO ALAS

Cuando Clarín inicia, hacia 1875, su labor crítica, este género
literario poseía en Europa una tradición, que arrancaba del humanismo renacentista y tenía su más romoto origen en las fuentes
de todo el pensamiento europeo: la filosofía griega. En España
carecía de esa línea de continuidad que convierte a una manifestación humana en tradición. El crítico inglés de la segunda mitad del
XIX podía referirse, en sus trabajos, a apreciaciones críticas de Dry-
den, Johnson o Coleridge; el francés, a Boileau, Voltaire o Mme.
Stael; en nuestro país, el único nombre que podía desempeñar el
papel de un clásico era Larra, pero no dentro de la literatura sino
de las actitudes vitales del español. Para Clarín los ejemplos y
enseñanzas de una labor crítica están tan cerca de él —Valera,
Giner...— que no las puede ver nunca como historia sino como

---

[63] *Obras escogidas*, vol. II, pág. 258.

coetaneidad. Son ellos, los hombres de la generación del 68 y los de la Restauración los que están creando la crítica española. Esto no empequeñece, a los ojos de Clarín, el papel de la crítica; en sus artículos insiste varias veces en su carácter de género independiente, situado en el mismo plano que la novela, el teatro, o la poesía; así en las páginas de *La Publicidad,* el 22 de Noviembre de 1892, se quejaba de que en España la crítica se convirtiese en "género secundario" "no por su propia índole, sino por la categoría de los que suelen cultivarla".

Su *exégesis* de la crítica va más allá de reconocerle el carácter de género independiente. La crítica carece de la libertad de los géneros de creación, pues está delimitada por la obra que examina y el público, y ligada a este último por una responsabilidad social. En estas limitaciones reside precisamente su grandeza: la crítica será siempre un género comprometido y actual; no puede evadirse de las exigencias del momento. Estas consideraciones le mueven a aceptar su práctica como un sacerdocio del arte: "Si la crítica se practicara como una religión los críticos serían casi siempre mártires. Pero ni los más severos, ni los más orgullosos creen firmemente en los casos de apuro, que su oficio es un sacerdocio" [64]. El 3 de Octubre de 1875, al iniciar en *El Solfeo* una sección de crítica literaria titulada *Libros y libracos,* publicaba un artículo que podríamos considerar como profesión de fe y prólogo a su producción crítica, no en vano el escrito lleva como subtítulo *Prefacio;* "Para mí —escribe— la crítica literaria no es, como un retórico la define, la obra del ingenio negativo", "exige cualidades, no sólo de inteligencia, sino de sensibilidad; no le basta al crítico la doctrina que en la cátedra se recoge, necesita asimismo una larga contemplación de obras bellas para adquirir la condición indispensable del buen gusto; pero éste es el ideal. Entre nosotros, tales condiciones parecen repartidas; ninguno de los críticos con que la literatura española contemporánea cuenta es un estético profundo y al par hombre del arte, que haya visto y gustado muchísimos dechados de belleza". Aunque en el artículo encontramos muestras del idealismo filosófico alemán (Hegel es presentado como modelo

---

[64] *Oo. Ss.,* pág. 1.025.

de críticos), propias de sus años de formación, aparece ya la reacción contra la rígida y formalista aplicación de las teorías estéticas; "en la ciencia crítica —afirma— hay muy pocos dogmas, todo
casi es cuestión, hipótesis todavía".

En este apartado intento examinar el concepto que Clarín tenía
de la crítica literaria. En general su actitud es eminentemente pragmática; es decir, que no parte de un concepto preestablecido de
crítica, sino que éste se forma en relación a la obra que examina;
por eso son, en toda su producción, tan escasas las teorizaciones;
no hay ninguna definición de la crítica literaria, pero sí referencias
a lo que ha de intentar la crítica. Al final de los artículos que dan
título a la serie *Lecturas* [65] demuestra tener presente la definición
del diccionario de la Academia: la finalidad del crítico histórico,
nos dice, es "penetrar en la filosofía o la historia para arrancarles
sus secretos de verdad, bien y belleza"; la coincidencia de estos
tres términos con la definición académica no puede deberse a una
mera coincidencia. La problemática crítica de Leopoldo Alas se
origina en el examen de la literatura coetánea; él es, utilizando
sus propias palabras, un "crítico de actualidades", tipo de crítica que exige "un gusto propio, original y espontáneo" [66], el cual
no puede ser suplido por un amplio conocimiento histórico o literario, ni por el perfecto dominio de un determinado método crítico.
El que estudie las obras coetáneas no quiere decir que considere
fuera del campo de la crítica literaria a las obras de otros tiempos;
en las grandes obras maestras, en la *Ilíada,* en la *Divina Comedia,*
en el *Quijote* y el *Fausto,* "hay mucho más —nos dirá— de lo
que puede ver cada cual en las distintas circunstancias de la vida;
son, como la naturaleza, un libro abierto en que puede leer cada
edad y cada hombre páginas muy distintas" [67].

El pragmatismo, a que antes nos hemos referido, lleva a Clarín
a aceptar y practicar dos clases de crítica, las cuales no dependen
del humor en que se encuentra el escritor sino de las obras o autores examinados; para los libros que carecen de valor artístico,
para los escritores que se muestran incapaces de salir de la vulga-

[65] *La I. I.,* 1886; recogido en *M.,* pág. 53.
[66] *E. R.,* pág. 132.
[67] *S.,* págs. 261-262.

ridad y se convierten en parásitos de la vida literaria, la burla, el ataque sin piedad, lo que él llama "crítica higiénica y *policíaca*" [68]; para los otros, el estudio minucioso, iluminador, conducido por una simpatía creadora. Ante la obra poética de reconocida calidad el crítico ha de llegar a situarse en el lugar del poeta, y "criticar" a la obra desde dentro de ella: "En poesía —escribe en el estudio que dedicó a Baudelaire— no hay crítica verdadera, si uno no es capaz de ese acto de abnegación que consiste en prescindir de sí mismo, en procurar hasta donde quepa, infiltrarse en el alma del poeta, ponerse en su lugar" [69]. Son sus ideas sobre esta segunda clase de crítica las que quiero examinar aquí. Sólo a ella reconoce Clarín el verdadero carácter de crítica literaria [70]; la otra queda en la frontera de la crítica social, es —dirá él mismo— "crítica aplicada a una realidad histórica que se quiere mejorar, conducir por buen camino" [71].

Esta primera división que hace de las obras literarias para aplicarles distintas clases de crítica, lleva implícita una aceptación de la crítica como juicio valorativo. Tal será precisamente la idea de la crítica que defenderá en varios de sus artículos. Las más largas consideraciones sobre la crítica escritas por Leopoldo Alas las encontramos en el artículo de *Mezclilla* dedicado a Baudelaire, en el prólogo de *Palique* principalmente, y en una "revista literaria" de enero de 1890, recogida en *Ensayos y Revistas* bajo el título *La crítica y la poesía en España*. Es, en estos dos últimos trabajos, donde expone más claramente su concepto de la crítica; la coincidencia entre los dos textos es casi completa. En la "revista literaria" sostiene que su esencia consiste en ser "*un juicio de estética*" [72]; en el prólogo a *Palique*, posterior en unos tres años al escrito anterior, esta idea aparece más desarrollada, pero a la vez

---

[68] *P.*, pág. XVIII.

[69] *M.*, pág. 67.

[70] "La crítica literaria no debe tomar como señales del progreso la multitud de libros, ni estudiar, por consiguiente, gran cantidad de ellos, sino los que por méritos particulares representan el verdadero movimiento de la vida intelectual del país" (*E. R.*, pág. 213).

[71] *P.*, pág. XXII.

[72] *E. R.*, pág. 255.

más confusa. El nombre de "crítica literaria", escribe aquí, lo merecerán aquellos escritos que sean: "1.º, *crítica*, es decir, *juicio*, comparación de algo con algo, de hechos con leyes, cópula racional entre términos homogéneos; y 2.º, *literaria*; es decir, de arte, estética, atenta a la *habilidad* técnica, a sus reglas, absolutas o relativas" [73]. Idéntica idea reaparece en el prólogo, que escribe ese mismo año, 1893, para el libro de Rafael Altamira *Mi primera campaña*; pero ahora añade una nota que estaba implícita en los dos escritos anteriores: "los críticos pueden ser algo más que jueces aunque la crítica sea ante todo un juicio". La cita del prólogo de *Palique*, que he reproducido, sitúa a Leopoldo Alas en la tendencia de parte de la crítica decimonónica a buscar un sustituto al concepto neoclásico del canon de belleza; Leopoldo Alas no nos dice en ningún momento cuáles son esas leyes, esas reglas artísticas a que se refiere. Ricardo Gullón, en su estudio *Clarín, crítico literario* [74], considera que Alas propugna, en esta declaración, lo que hace hoy la Estilística; me parece arriesgada esta opinión, pues no creo exista en Clarín nada que se aproxime a la moderna Estilística, tal vez sería mejor situar estas palabras en un plano próximo al "New Criticism" anglosajón, pero sin olvidar que la declaración de Leopoldo Alas resulta bastante confusa.

Si intentáramos examinar sus artículos críticos a la luz de este intento de definición a que nos referimos, nos daríamos cuenta de que evidentemente existen en muchos de sus trabajos comparaciones —siempre entre la obra examinada o uno de sus aspectos o personajes y otra obra considerada unánimemente como poseedora de grandes valores artísticos—, pero no encontraremos nada parecido a la conciencia de una ley o regla técnica. Los aciertos y defectos que señala en las obras literarias estudiadas se refieren en su mayoría al reflejo artístico de la realidad, y a la corrección lingüística. La explicación que da al término "literario", en esta declaración, me hace pensar que se está refiriendo a una crítica de la expresión, es decir, a una crítica que podríamos llamar formalista; precisamente un tipo de crítica que él no cultiva casi

---

[73] *P.*, pág. XIII.
[74] Pág. 396.

nunca. De aceptar el concepto de crítica que entrañan sus palabras nos veríamos obligados a sostener que la crítica de Clarín no es casi nunca crítica literaria. Sus artículos tienden a "distinguir, aquilatar y analizar detenidamente lo que merece maduro juicio" [75] y "a examinar de paso varias cuestiones anejas al asunto y de importancia para el estudio de nuestra presente vida literaria", situando siempre al libro estudiado dentro del conjunto de la producción del autor y de la corriente literaria a que pertenece. La idea capital del prólogo de *Palique* —la crítica como aplicación de una *regla*— está pues en clara contradicción con los artículos que escribió. Esto hace sospechar la existencia en Clarín de cierta inseguridad en torno a la concepción de la crítica, que coincidiría con el confusionismo teórico que predomina entre la crítica europea de esta época. Él mismo lo reconocía en el prólogo a *Mi primera campaña*: "si empezara a exponer aquí mis ideas acerca de la crítica, de su concepto, de su historia, de su porvenir... no me bastaría la mitad de este volumen. No porque yo sepa mucho, sino por lo mismo que sé poco, y en dudas, tanteos y digresiones tendría que emplear mucha tinta" [76]. Este confusionismo y la pérdida de interés por la literatura le llevaría, en 1899, a calificar, con cierto aire enigmático, a la crítica literaria de "Vestal de dudosa conducta, que suele colgar los hábitos, las pocas veces que los tiene" [77].

En su concepción de la crítica como "juicio estético", debió influir la reacción frente a las dos corrientes principales en que se agrupaba la crítica europea de ese momento: el impresionismo y la tendencia científica. No hay que olvidar nunca al estudiar a Leopoldo Alas que su mentalidad polémica hace que algunas de sus afirmaciones sean fruto, en gran parte, de una reacción frente a otros escritores. En el último de sus artículos sobre *Los pazos de Ulloa*, recogidos en *Nueva campaña*, hace una serie de interesantes manifestaciones contrarias a lo que sostiene después en el prólogo de *Palique*: "El arte no puede menos de recibir influencias y de influir en otras esferas; y así como es muy legítima la reclama-

---

[75] *S.*, pág. 123.
[76] Pág. VI.
[77] *La P.*, 1-I-1899; edición de la mañana.

ción del artista que ante todo quiere ser juzgado como tal, no lo
es menos la pretensión del historiador y del crítico literario que
buscan relaciones de coordinación y subordinación entre la obra
artística y lo demás de la vida actual, y no aprecian el valor de esa
obra, ni aun el intrínseco, el técnico, prescindiendo de todo mérito
relativo a grandes elementos de la realidad que no son el arte
mismo" [78]. La idea, que Clarín expone, en estas páginas, podría
resumirse: en el arte hay algo más que los valores exclusivamente
artísticos, luego la crítica no ha de limitarse a la valoración artística; idea que concuerda con toda su producción. En la mencionada "revista literaria" sobre *La crítica y la poesía en España,*
parece sostener la opinión contraria, pero los dos escritos sólo dis-
crepan en la expresión. En la "revista literaria" declaraba "la crítica moderna, con ser todo eso (el positivismo científico de Taine,
la recreación individualista de Sainte-Beuve, el psicologismo de
Bourget...), ha de ser algo más, ha de ser lo que en ella fue siempre esencial: un *juicio estético*" [79]. Si consideramos, cómo acepta
Clarín, la existencia en la obra literaria de unos valores artísticos
y otros extra-artísticos, Leopoldo Alas nos dice, en un caso, que
la crítica al estudiar los primeros no ha de olvidar los segundos, y,
en el otro, que la crítica no puede limitarse al estudio de estos últimos, pues los valores artísticos son esenciales a la obra literaria.
No creo, por lo tanto, que exista una oposición entre estas dos
declaraciones, sino, por el contrario, una coincidencia que nos lleva
al verdadero concepto que Leopoldo Alas tenía de la crítica: la
mutua exigencia entre el examen de los valores artísticos y extra-
artísticos; pero reconociendo que la "crítica *inmediatamente* literaria" —son sus propias palabras— [80] reside en el "juicio estético". Idéntico pensamiento se descubre en una investigación detenida del prólogo de *Palique*: "no hay inconveniente —declara—
en admitir todas esas clases de crítica... que indirectamente se refieren al arte. Estudiar la influencia del público, del *medio,* etc., etc.,
en los autores, es legítimo; analizar las ideas y sentimientos que
debieron de presidir a la realización del producto literario, es bue-

---

[78] *N. C.,* pág. 230.
[79] *E. R.,* pág. 255.
[80] *P.,* pág. XVI.

no y siempre oportuno; atender a la influencia de los organismos sociales en la forma de las literaturas (literatura de clase, tribu, ciudad, clan, raza, etc.), santo y bueno; escudriñar las causas y los efectos morales de la vida literaria, ¿por qué no?; relacionar el arte con el movimiento de la vida jurídica, particularmente en su aspecto político, labor excelente; examinar los elementos fisiológicos, los temperamentos, sus decadencias y empobrecimientos, en la vida y obras de los artistas, enhorabuena. Pero es preciso confesar que ninguna de esas es la crítica *inmediatamente* literaria, ni en general artística, ni ahora ni nunca; sino crítica etnológica, antropológica, sociológica, política, ética, etc., en su *relación* estética y particularmente literaria" [81]. El problema reside en saber si podía hacerse una *crítica inmediatamente literaria* independiente de la crítica etnológica, antropológica, sociológica, política, ética, etc. Leopoldo Alas no contesta aquí a nuestra pregunta, pero en sus artículos nos prueba que para él no era posible; lo mismo que sostenía en el citado artículo sobre *Los pazos de Ulloa*.

Frente a los distintos métodos críticos utilizados por los escritores franceses del XIX, Leopoldo Alas adopta, teórica y prácticamente, una actitud de fértil eclecticismo: "para mí, hay un exclusivismo erróneo, como la mayor parte de ellos, en el afán de señalar a la marcha de la crítica etapas en que sucesivamente vaya siendo legítima la de tal clase hoy, mañana tal otra" [82]; sin embargo, él rechaza, en este mismo texto, la calificación de ecléctico, por la que demostró siempre cierta antipatía, pues, en el eclecticismo, veía una posición de comodidad y conformismo; en su lugar, se refiere "al sincronismo de los varios géneros de crítica que son racionales y obedecen a facultades y fines respectivos". Alas acepta no sólo los métodos críticos surgidos en el XIX, sino también la antigua retórica neoclásica "prescindiendo de su aire dogmático, de su exclusivismo (pecado de antaño y de hogaño) y de su limitación, en ellos se puede aprender todavía no pocas cosas de observación, de gusto, de naturalidad y buen seso". En el primero de sus artículos titulados *Lecturas,* anterior en unos nueve años al

---

[81] *P.,* págs. XV-XVI.
[82] *P.,* pág. IX.

prólogo de *Palique,* se presentaba a sí mismo practicando ese eclecticismo crítico; "según el asunto, según la época de que se trate
unas veces predominará (en sus artículos) la pura reflexión artística,
otras la filosofía propiamente dicha, otras el elemento psicológico
será el más atendido, en ocasiones el sociológico, a veces el histórico, muchas el aspecto moral, o el puramente sentimental" [83]. Hay
una clase de crítica que no acepta: la que siendo apreciación subjetiva pretende pasar por valoración objetiva; es decir, la crítica
impresionista que se disfraza de científica. En un artículo dedicado
al prólogo de Valera a una traducción del *Fausto,* afirmaba: "Si
el crítico ha de seguir en sus juicios tan sólo sus aficiones pasaje-
ras... y sentarlas como dogmas estéticos ¿en qué abismos de vanas
disputas va a caer ese ministerio, que no diré que sea sagrado pero
que al fin es respetable?" [84]. El prototipo de esta clase de crítica lo
representa, para él, Brunetière.

Ya he señalado que, durante la época en que Clarín escribe,
prevalece, sobre la crítica literaria europea, cierto confusionismo
teórico, que se muestra principalmente en la existencia de dos corrientes de crítica literaria contrarias: los que intentan transformar
la crítica en un estudio científico y los que creen que deben limitarse
a expresar las impresiones y sugerencias que la lectura de la obra
literaria provoca en el crítico [85]. Como reflejo de esta situación encontramos, en Clarín, la falta de un verdadero criterio, que se nota
en sus contradicciones y en la escasa firmeza de algunas de sus
declaraciones. En *Ensayos y Revistas,* una de sus afirmaciones parece oponerse a la última que he citado: "O sobra la crítica, o la
crítica no puede hacer consistir su modestia en dar como una preocupación individual, aprensión subjetiva, las afirmaciones que le
dictan el juicio y el gusto" [86]. Esta declaración coincide con el de-

---

[83] *La I. I.,* 1886; *M.,* pág. 15.
[84] *S.,* pág. 266.
[85] En *El Imparcial* del 23 de Mayo de 1892, Gómez Carrillo estudiaba,
en un sugerente artículo titulado *Sensaciones de arte. Sobre el arte de la
crítica,* estas dos tendencias críticas, declarándose partidario de la "impresionista"; como modelo de esta clase de crítica presentaba al escritor francés Anatole France. Al año siguiente recogía este artículo en el libro *Sensaciones de arte.*
[86] *E. R.,* pág. 251.

seo, presente a lo largo de toda su crítica, de encontrar unas leyes
que permitan transformar a la crítica en ciencia, pero no, como
en el caso de Taine, provinentes de otros apartados del pensamiento
humano, sino surgidos del mismo arte literario. En 1878, declara
que aún no existe una "verdadera ciencia de la Literatura", pero da
a entender que es posible se consiga algún día; por ello, añade,
el crítico necesita "a falta de dogmas evidentes, gran poder de intuición, estudio prolijo y reflexivo de los modelos que se aparten
de la abstracción seca y fría" [87]. En 1887, parece colocarse en una
posición intermedia al afirmar: "La crítica en nuestros días no
puede todavía —ignoro si podrá más adelante— llamarse científica, en la vigorosa acepción de la palabra; pero sí puede tener
ciertas condiciones que le den un valor objetivo, garantías de imparcialidad y método" [88]. Pero en el prólogo de *Palique* (1893), tantas veces citado, da a entender que existen unas reglas que trans-
formarían a la crítica en una ciencia literaria: "toda actividad humana tiene un modo bueno de cumplirse y otro malo; el bueno
es el conforme al fin de esa actividad, y para conseguirlo no hay
más remedio que aplicar el medio adecuado, y esto sólo se logra
por la habilidad que obedece a una aptitud y una regla"; el crítico debe comprobar si el artista ha seguido o no esa regla. Cuando
no existen reglas —nos dice— no existe tampoco el arte; "supon-
gamos por un momento sólo, que la estética actual fuera una verdadera anarquía, una confusión, pasto del escepticismo; todo esto
nos haría creer que hoy no se conocía la *regla* verdadera, pero no
que ésta no exista... Cabe siempre decir: se equivocó este o el
otra crítico, pero no cabe decir: ya no hay crítica, es decir *crítica
que juzga*, que aplica reglas a resultados artísticos para comparar-
los con ellas" [89]. Leopoldo Alas, sin embargo, parece no tener una
idea muy precisa de cuáles son esas reglas del arte; si examinamos sus artículos con la intención de deducirlas de ellos encontraríamos como algo que se acerca a ese carácter de regla artística: el
reflejo de la realidad, la correcta expresión lingüística y la fidelidad a las leyes de construcción de los distintos géneros literarios.

---

[87] *S.*, pág. 214.
[88] *M.*, pág. 61.
[89] *P.*, págs. XIV-XV.

CAPÍTULO II

LA PRODUCCIÓN CRÍTICA DE LEOPOLDO ALAS

"Hágame el favor, ahora y siempre, de apreciar-
me a mí un poco más que a mis escritos".

L. Alas (Carta a Menéndez Pelayo, 1892).

"Representa veinte años de nuestra   historia literaria".

Azorín (*Charivari*, 1897).

"El Sr. Alas no es un crítico; es un salteador de
dramaturgos y poetas infelices".

L. Bonafoux (*Huellas literarias*, 1894).

1.   COLABORACIÓN EN PERIÓDICOS Y REVISTAS

El primer contacto de Clarín con la literatura se realizó en el
periódico; en este órgano de información encontró el escritor asturiano el campo ideal para el desarrollo de su criticismo. Si acep-
tamos que la característica de la "mentalidad periodística", como
ha señalado T. S. Eliot [1], es la de escribir bajo la presión de un
hecho inmediato, Clarín crítico quedará siempre dentro de esa de-
marcación literaria. Toda su obra crítica, excepto los folletos y el
estudio dedicado a Pérez Galdós, apareció en diarios y revistas.
La crítica literaria la vio siempre como una misión periodística;

---

[1] *Selected Prose,* pág. 45.

sólo comprendió el examen, la valoración de una obra artística
como parte de una publicación periódica. Los folletos eran un subs-
tituto de revistas que no existían; tal vez fue éste —la relación de
la crítica con el periódico— uno de los motivos que influyeron en
el abandono de la labor emprendida en los folletos literarios. Al
examinar la obra crítica de Leopoldo Alas no debemos olvidar
pues, que casi toda ella apareció en periódicos y revistas, y que,
por los motivos que fuese, Clarín es ante todo un periodista. Su
maestro como tal fue Larra, por quien sintió una gran admiración
y con quien presenta numerosas coincidencias. Otro modelo, más
cercano en el tiempo, debió de ser el F. Balart anterior a la revolución del 68. Al periodista y al escritor satírico los vio siempre
como cultivadores del arte literario, de ahí las alabanzas y artículos que dedicó a algunos de ellos: Fernanflor, Mariano Cavia,
Sánchez Pérez, Taboada, Valbuena, Eduardo Palacio, Moja, Le-
zama, Nougués, Lorenzana, Frontaura, etc.

Los comienzos de su carrera son los de un escritor satírico, al
que intereses superiores llevaron a ampliar su campo literario. Los
primeros escritos de Alas están íntimamente unidos con los acontecimientos políticos que vive el país, a los cuales se enfrenta con
una mentalidad radical. Alas es un hombre de "izquierda", que
escribe en periódicos de "izquierda" y defiende ideas de "izquierda". El sostén de la libertad, la lucha contra cualquier opresión
que la amenace o la subyugue, es el punto inicial de todos ellos;
su máxima aspiración es la de actuar como revulsivo y agitador
de ideas; el blanco de sus más duros ataques, la mentalidad con-
formista que se manifiesta políticamente en la actitud conservadora.
Estas características perduraron, algo mitigadas, hasta sus últimos
escritos.

Su entrada en la prensa y en el mundo de las letras la realizó
a través del artículo satírico, por el que sintió siempre una innata
atracción. Palacio Valdés, en *La novela de un novelista*, nos habla
de esa tendencia hacia lo satírico que dominó a Alas desde su ni-
ñez, y de sus primeras colaboraciones en esta clase de periódicos:
"Aunque me habitué a esta manera de vivir y fui cada día más
compenetrándome de los gustos de mis nuevos amigos (Tuero y
Alas), debo confesar que había algo con lo cual no estaba con-

forme en el fondo de mi alma. Este algo era el entusiasmo que sentían por ciertos periódicos satíricos que a la sazón se publicaban en Madrid, particularmente por uno titulado *Gil Blas*. No se hartaban de leer y comentar los donaires y rasgos ingeniosos que salían en este periódico. Para ellos un señor llamado Luis Ribera, otro Roberto Robert, otro Sánchez Pérez eran famosos héroes de las letras, dignos de la inmortalidad. Quien mostraba hacia ellos más intenso aprecio era Alas, cuya vocación de escritor satírico se hizo ostensible desde bien temprano. No solamente los imitaba, escribiendo semanalmente para su uso particular un periódico, que tituló *Juan Ruiz,* sino que enviaba a menudo a *Gil Blas* articulitos y versos. ¡Caso prodigioso!: este semanario, tan exigente y desdeñoso para todos los literatos que entonces existían en España, insertaba los escritos de un niño de quince años" [2].

Es fácil examinar el papel que para Alas representa el periódico, a través de las numerosas referencias que hace a él en sus artículos. Leopoldo Alas es un periodista consciente de la responsabilidad que este medio informativo tiene en la creación de la opinión pública. La prensa entraña, según él, un doble peligro, respecto al lector o al escritor. En cuanto al primero, el periódico está movido, nos dice en un artículo de *La Publicidad* [3], por sus *constantes favorecedores* los cuales podrán ser organizaciones políticas o intereses financieros, "de modo que si es muy delicada la misión de la prensa, no lo es menos la del lector", quien algunas veces se verá obligado a descubrir por sí solo la verdad. La presión de estos "favorecedores" entraña para el escritor el peligro de que le hagan perder su independencia crítica. Leopoldo Alas nos dio, a este respecto, un ejemplo de dignidad y honradez profesional: cuando vio amenazada su libertad de escritor, en algún periódico, dejó de colaborar en él; nunca transigió con la imposición de ninguna empresa periodística. Pruebas de ello encontramos varias: en 1883, dejó de publicar en *El Día* la serie de artículos *El hambre en Andalucía.* Al año siguiente, el 12 de diciembre, declaraba a Menéndez Pelayo: "me han echado, con buenos modos, de todos

---

² Pág. 205.
³ 20-IX-1889.

los periódicos de alguna circulación donde escribía. Mis queridos correligionarios son así a veces (como los de usted), no comprenden que se alabe a los *contrarios* y se *pegue*, como ellos dicen, a los *amigos*". El 24 de abril de 1895, afirmaba, en *La Publicidad,* que se había visto obligado a dejar de colaborar en *El Liberal,* al que, a continuación, acusa de no ser demócrata ni republicano. El caso más conocido es el de su rompimiento con el director de *La España Moderna.* Para el escritor el periódico presenta sino otro peligro al menos sí un límite: la necesidad de amoldarse a los gustos y cultura de su público.

El crítico inglés T. S. Eliot, en el estudio a que me he referido anteriormente, señala tres posibles causas de la labor periodística de un escritor: una ardiente preocupación por los problemas del día; inercia o pereza personal, que exigen un estímulo inmediato para escribir; y el hábito formado por una temprana necesidad de ganar pequeñas sumas de dinero rápidamente [4]. Las tres coinciden en nuestro escritor, pero a ellas hay que añadir otra, tal vez de mayor importancia: la conciencia del papel que desempeña el periódico en la propagación de la cultura. En *Corresponsales de París,* artículo publicado en la revista de Barcelona, *Pluma y Lápiz,* el 11 de noviembre de 1900, afirmaba que los periódicos "tienen algo así como *cura de almas*", "porque aquí, por ahora, el público grande, no lee todavía con asiduidad, más que periódicos". Cinco años antes, en una "revista mínima" aparecida en *La Publicidad* [5], se refería al periódico considerándolo, junto con el teatro, como únicos caminos de acceso del gran público a la literatura. Teatro y prensa eran, afirmaba, los medios para hacer del hombre corriente un lector de libros, y de España algo parecido culturalmente a las otras naciones europeas. "No se leen libros —escribe en la misma publicación el 9 de abril de 1899—, pero se empieza a leer periódicos: pues aprovechemos el sucedáneo, y demos en el periódico, hasta donde se pueda, lo que habíamos de dar en el libro". Si el arte era para Clarín un privilegio del hombre, tal vez su más alto privilegio, al que gran cantidad de ellos no tenían acceso,

---

[4] *Ob. cit.,* pág. 45.
[5] 24-III-1895.

no es extraño que, movido por su afán de ampliar el círculo de esos "privilegiados", entregara lo mejor de sus fuerzas al periódico, único medio de entrar en contacto con la "mayoría" que le ofrecía la sociedad de la época. Ningún escritor español, tal vez tampoco europeo, ha insistido tanto en la importancia y valor educativo de la prensa; sin embargo, siempre fue consciente de que el periódico era tan sólo un primer paso hacia la cultura, "el que no lee más que periódicos —escribe el 19 de setiembre de 1885, en *Madrid Cómico*— no sabe leer todavía". Uno de los comentarios más lúcidos que dedicó a la prensa lo encontramos en el fragmento final de la "revista literaria" del 3 de agosto de 1892 [6]; en él examina el papel del cuento en la literatura moderna y la influencia que tenía en su boga el periódico. Aquí nos interesan principalmente las primeras páginas del fragmento, brillante examen del papel que desempeñaban los periódicos en la cultura española. Las palabras de Clarín no necesitan de ninguna exégesis: "Sigo con gran atención y mucho interés los cambios que va experimentando en nuestra patria la prensa periódica, cuya importancia para toda la vida cultural nacional es innegable"; "El periodismo, y particularmente el periodismo español, tiene muchos defectos y causa graves males, pero (...) tales daños están compensados con muchos bienes, y sobre todo con el incalculable de cumplir un cometido para la vida moderna, y en el cual es el periódico insustituible"; a las letras "hay épocas en que la prensa española las ayuda mucho, les da casi la poca vida que tienen; esto es natural en un país que lee poco, no estudia apenas nada y es muy aficionado a enterarse de todo sin esfuerzo", por eso "cuando la prensa se tuerce y olvida o menosprecia su misión literaria, el daño que causa es grande"; "Hoy en general, comienza a decaer la literatura periodística, por el excesivo afán de seguir los gustos y los vicios del público en vez de guiarle, por culpas de orden económico y por otras causas" [7].

A examinar el papel que desempeñan las revistas literarias y su situación en España dedicó Clarín un largo artículo, aparecido

---

[6] *P.*, págs. 27 y ss. Recogido en *Crítica Popular*, bajo el título *La prensa y los cuentos.*

[7] *P.*, págs. 27-28.

en *La Publicidad* el 14 de mayo de 1889. Al principio defiende a
este tipo de publicaciones de la acusación de dar tinte de super-
ficialidad al lector moderno y de matar el libro, a continuación
se refiere a España, donde "la revista no presenta grandes peligros... porque no sólo no se abusa de ella, sino que apenas se usa".
En nuestro país no hay ninguna revista científica, y en el campo
de literatura sólo una permite tener esperanzas. El núcleo del artículo lo dedica al examen de las cuatro revistas españolas que
poseían cierta importancia: *Revista de España*, "la de más historia", "que algo valió algún día, hoy agoniza. Tal vez haya muerto"; *Revista Contemporánea*, "representaba la juventud filosófica
y literaria", pero pasó a manos conservadoras y vive "como la
momia de Ramsés, hábil y solemne y horrorosamente embalsama-
da"; *El Ateneo*, que aunque con colaboradores de mérito, no puede salvarse del lastre canovista de la Asociación; *La España Moderna* que "desde su segundo número saltó muy encima de lo vulgar". Esta última es la única, según Clarín, que se esfuerza por
llegar a desempeñar, dentro de nuestra cultura, un papel parecido
al que han desempeñado la *Edinburgh Review* en Inglaterra, la
Revue des Deux Mondes en Francia, o la *Deutsche Rundchau* en
Alemania; a su director le aconseja que pague bien y rechace con
energía a los aficionados de escasas aptitudes. Parte del comentario
dedicado a *La España Moderna* se transforma en una alabanza de
los críticos catalanes Sardá e Yxart.

Admira el interés que Alas sintió por esta revista en los pri-
merios días de su publicación; en cartas a Oller e Yxart les ani-
maba a colaborar, y a este último le dice que por la prosperidad
de *La España Moderna* "debemos alegrarnos, pues es la única de
Madrid que permite algo. No sea usted perezoso y trabaje para
ella" [8]. Aun después de la rotura de sus relaciones con el director
y propietario, Lázaro Galdiano, siguió alabando a la revista; así
el 22 de abril de 1894 escribía, en *La Publicidad*, que *La España
Moderna* era la "única revista que hoy en Madrid tiene fama, por
otros respectos muy merecida". Al año siguiente, en una "revista
literaria" aparecida en *El Imparcial*, el 21 de octubre, insiste más

---

[8] *Siete...*, carta del 31 de marzo de 1889.

detenidamente en los méritos de aquella publicación. Parecido entusiasmo sintió hacia la revista *Arte y Letras,* publicada en Barcelona entre julio de 1882 y diciembre de 1883, de cuyo consejo de redacción formó parte en compañía de Pérez Galdós, Sellés, Palacio Valdés e Yxart. De ella dijo que la estimaba "más que mi pan. Me enamora su belleza formal, quiero y admiro a los habituales colaboradores, me encanta la independencia y distinción con que en ella se trabaja" [9].

Leopoldo Alas se quejará varias veces de que ninguna revista española pueda colocarse a la altura de las grandes publicaciones europeas, alrededor de las cuales se agrupa el pensamiento de un país. Un deseo constante en él será la creación de una revista que desempeñe, dentro de la cultura española, un papel parecido al que tienen aquéllas en sus países; al final del prólogo a *Un viaje a Madrid,* escribe: "Tal vez algún día no lejano, estos folletos dejen de publicarse por entrar su autor a formar parte de una empresa parecida, pero mucho más importante, en la que trabajen escritores de verdadero mérito y nombradía indisputable; y entonces se mostrará orgulloso, siendo cola de león, quien ahora se contenta con ser cabeza de ratoncillo" [10]. Aunque tomó parte activa en la fundación y dirección de varias publicaciones periódicas [11], son más significativos sus proyectos de crear esa gran revista de categoría internacional; en el verano de 1885 planeaba, con Pérez Galdós, una publicación bajo el posible título *La República de las Letras,* en la que sólo colaborarían las grandes figuras: Pardo Bazán, Picón, Pereda, Palacio Valdés, Valera, Menéndez Pelayo, ellos dos, ... El 2 de enero de 1892 propone, en las páginas de *La Ilustración Ibérica,* la fundación de una revista científica y literaria; siete años más tarde, también un 2 de enero, escribe en *El*

---

9 *Siete...,* carta I.

10 *Un v.,* pág. 13.

11 En 1872, junto con sus amigos Palacio Valdés, Tuero y Rubín, fundaba el periódico *Rabagás,* del que sólo aparecieron tres números; el título procedía de una obra de V. Sardou. Martínez Cachero, en el prólogo a la edición de *La Regenta,* afirma que, para el último domingo de marzo de 1878, se anunciaba la aparición de *El Domingo,* revista literaria semanal dirigida por L. Alas.

Imparcial que él dio la falsa noticia de la aparición de una revista, titulada *Filosofía y Letras,* y mucha gente la había solicitado en la librería madrileña de Fe.

El nombre de Leopoldo Alas va íntimamente unido a algunas empresas periodísticas, entre ellas al semanario *Madrid Cómico* y al diario, también madrileño, *El Solfeo;* mientras vivieron él o las publicaciones, su colaboración fue constante. En *El Solfeo* nació el seudónimo de Clarín [12]; en *Madrid Cómico,* del que fue asiduo colaborador hasta su muerte, publicó la mayoría de sus "paliques". *El Solfeo* apareció a principios del año 1875 con el lema: "Oposición constante e imparcialidad absoluta. Justicia seca y caiga el que caiga"; Leopoldo Alas formaba parte de la redacción. Diario republicano, dirigido por Sánchez Pérez, defendía la unificación de las distintas fracciones del partido demócrata; esta posición política le lleva, el 27 de julio de 1878, a cambiar su título por el de *La Unión,* que el 14 de agosto de 1879 aparece con el subtítulo de "Diario democrático...", pues el adjetivo "federalista"

---

[12] El 11 de abril de 1875 firma con este seudónimo un poema satírico publicado en *El Solfeo.* La colección de este periódico conservada en la Hemeroteca Municipal de Madrid, única que he consultado, se inicia precisamente con ese número, que es el sexto de la publicación. No sé, por tanto, si utilizó ya el seudónimo en algunos de los ejemplares anteriores. Durante cierto tiempo lo alternó con otros —Zoilito, Maestoso, y supongo que será el escritor que se esconde tras Clarinete— y con su propio nombre o iniciales. Seguramente escogió el seudónimo, con que pasaría a la historia de la literatura, por la relación que tenía con el título del periódico; quizás influyese también el recuerdo del gracioso de *La vida es sueño,* al menos Alas se refiere a él en un artículo publicado el 5 de marzo de 1876. Las palabras del Clarín calderoniano, en la tercera jornada de la obra —"pues para mí este silencio / no conforma con el nombre / Clarín, y callar no puedo"—, podrían presentarse como lema de la actitud crítica de Alas frente al quietismo de la sociedad de la Restauración borbónica.
Al principio Alas sólo usa el seudónimo Clarín en versos satíricos y en la sección *Azotacalles de Madrid,* para terminar por ser el único utilizado. Al ser substituido *El Solfeo* por *La Unión* desaparece también el seudónimo; en el número del 1 de agosto de 1878, quinto de la nueva publicación, escribe, en una nota, que muerto *El Solfeo* se acabó Clarín. Pero hacia diciembre de ese mismo año volvemos a encontrar el seudónimo. En 1880, los artículos que publica en *El Imparcial* van firmados por Leopoldo Alas, pero al año siguiente, y ya para siempre, se decide por la utilización de Clarín.

ha sido denunciado por el fiscal de Imprenta. El 21 de diciembre de 1880 era condenado a 20 días de suspensión; reaparecía el 14 de febrero del año 1881, con una nueva denominación, *El Mundo Moderno*. A partir de junio de ese año, Clarín dejaba de colaborar, pasando a las páginas de *El Progreso*. ¿Causas? Tal vez el haberse convertido en el órgano oficial del grupo federalista de Pi y Margall. El examen de sus colaboraciones en *El Solfeo* y *La Unión* es de gran interés, pues nos da a conocer a Leopoldo Alas en su época de formación, y nos lo presenta íntimamente relacionado e influido por el grupo krausista; al lado de artículos y versos satíricos (bastante numerosos), de gacetillas y comentarios políticos, de divertidas reseñas de las sesiones del Congreso, encontramos críticas de teatro, de literatura o de obras filosóficas, con claras muestras, principalmente en las últimas, de la ideología krausista. En estas páginas, Clarín es un joven rebelde e inconformista, que se enfrenta y ridiculiza a todos los tabús —religiosos, políticos y morales— de una sociedad conservadora. Uno de sus artículos, el titulado *Crónica de viajes. Agencia Clarín* [13], motivó la suspensión del periódico durante cincuenta días.

Madrid Cómico fue algo como su casa, o mejor la casa de sus "paliques"; es imposible separar esta publicación de la obra de Clarín. En sus páginas se formaron gran cantidad de imitadores que sólo supieron recoger del maestro lo que de más superficial y pasajero había en el "palique". Del papel que representó esta publicación satírica en la literatura española nos dará idea el que, años más tarde, Manuel Machado llamase a los dos últimos decenios del siglo XIX "la época del *Madrid Cómico*" [14]. Algunas de las colaboraciones de Clarín superan los límites de crítica social y satírica del "palique" y resultan breves ensayos literarios o filosóficos. Cuando en enero de 1899, *Madrid Cómico* se transformó en *Vida literaria*, dirigida por Jacinto Benavente, Alas continuó colaborando. Y al reaparecer, poco después, con el antiguo título, la pluma de Clarín siguió fiel a la publicación. En 1898 había sido, durante unos meses, director de este semanario.

---

13 *El S.*, 18-VII-1877.
14 *La guerra literaria*, pág. 24.

La lista de las publicaciones periódicas en que aparecieron los artículos y relatos de Leopoldo Alas es extensísima [15]. En algunas de ellas, sus escritos presentan unas notas comunes que dan a su colaboración cierta unidad, reforzada, muchas veces, por el título general que encabeza los artículos; así si el "palique" es el Clarín del *Madrid Cómico,* la "revista literaria", aunque empezada a publicar en *La España Moderna,* será el Clarín de *El Imparcial,* y la "revista mínima", el de *La Publicidad.* Creo de gran interés el estudio de su colaboración en este último periódico, pues nos presenta a un Leopoldo Alas situado, durante los doce últimos años de su vida, en posiciones políticas e ideológicas de clara radicalidad, aspecto de Clarín que no ha sido considerado por ninguno de sus críticos y biógrafos. Los artículos de *La Publicidad* tienen, por lo general, un carácter político —muchos de ellos son una defensa de las ideas republicanas y, en especial, del "castelarismo"; ideo-

---

[15] Para un perfecto conocimiento de la obra de Clarín me parece ineludible el recoger toda esa ingente producción desparramada por decenas de publicaciones o, al menos como un primer paso, la formación de un índice completo de sus colaboraciones periodísticas. Hasta ahora sólo poseemos el muy fragmentario hecho por Gómez Santos en su libro, limitado a la primera época de *Madrid Cómico, La España Moderna* y algunas publicaciones asturianas; de *Madrid Cómico* parece desconocer la última etapa, iniciada el 7 de octubre de 1899. Adolfo Posada, en su biografía de Clarín, nos da también un índice de sus colaboraciones en revistas y periódicos asturianos; García Pavón recogió, al final de su tesis doctoral, la lista de los artículos y relatos publicados en *El Imparcial.* Laureano Bonet y yo estamos preparando un índice de las colaboraciones de Clarín en publicaciones barcelonesas.

Encontramos escritos de Leopoldo Alas en *Apuntes, El Cascabel, La Correspondencia, El Día, La Diana, La España Moderna, El Español, El Globo, El Heraldo, La Ilustración Española y Americana, El Imparcial, La Justicia, La Lectura, El Liberal, Madrid Cómico, Los Madriles, El Mundo Moderno, La Opinión, El País, El Porvenir, El Progreso, Rabagás, Revista Contemporánea, Revista de España, Revista Europea, Revista Moderna, El Solfeo, La Unión, Vida Literaria,* todos ellos de Madrid. En Barcelona colaboró en *Arte y Letras, La Ilustración Artística, La Ilustración Ibérica, Pluma y Lápiz, La Publicidad* y *La Saeta.* Aparecen también escritos de Clarín en lugares alejados de la geografía peninsular como *La Nación* de Buenos Aires y *Novedades* de Nueva York. No pretendo presentar esta lista como exhaustiva, al contrario supongo que faltarán bastantes más títulos.

lógicamente se sitúan en una posición próxima a los escritos de *El Solfeo* y *La Unión* o los recogidos en el libro *Solos de Clarín.* En *El Imparcial,* por el contrario, el interés de su colaboración es casi exclusivamente literario.

Su labor periodística fue uno de los aspectos, posiblemente el más importante, de la lucha por la difusión de la cultura y el buen gusto que guió todos sus afanes de hombre comprometido con su sociedad y su tiempo. El 16 de mayo de 1882, al hablar del escritor portugués Guillermo D'Acevedo, escribía en las páginas de *La Diana:* "El periodismo, que suele ser el pan de la juventud, roba casi siempre la más rica savia de la inteligencia; no se puede decir que el trabajo del periódico se pierde por completo; la semilla es semilla, pero los que después recogen el fruto, ¡qué pocas veces piensan en el que hizo la siembra!"[16]; en estas palabras Leopoldo Alas definía desde su propia experiencia, la humilde grandeza del periodismo.

2. LIBROS DE CRÍTICA

Solos de Clarín

Su primer volumen de crítica aparecía en 1881, editado por Alfredo de Carlos Hierro. Fue su obra crítica que obtuvo mayor éxito de público; diez años después, en 1891, se publicaba, también en Madrid, la cuarta edición ilustrada por A. Pons; la segunda había aparecido el mismo año que la primera. Dentro del ambiente literario español, cuatro ediciones de un libro de crítica en diez años era, y sigue siendo, algo extraordinario que demuestra la autoridad que, desde el principio de su carrera literaria, ejerció Leopoldo Alas sobre todo el país. El libro contiene veintidós artículos de crítica, una breve colección de pensamientos, dos artículos de costumbres y cuatro cuentos (*La mosca sabia, El Doctor Pertinax, De la comisión,* y *El diablo en Semana Santa*), que pueden colocarse entre los mejores que escribió Clarín, gran maestro en este género literario. Tanto en los cuentos como en los artículos domina el radicalismo; la posición "izquierdista" del autor apa-

---

[16] *S. P.,* pág. 302.

rece clara en su ataques a la sociedad española y a las clases conservadoras en nombre de la libertad y el progreso. Esta posición
se refleja en sus valoraciones literarias, así señala en Alarcón la
defensa de "tendencias reaccionarias" que perjudican su obra artística. Tres características destacan del conjunto de la obra: la aplicación del libre examen —el pensamiento liberado de los dogmas—
a la literatura y el arte, la aparición de las primeras referencias al
naturalismo, y el continuo relacionar literatura y sociedad, viendo
el arte como educación, como utilidad, casi como propaganda de
unas ideas. En general, el libro señala y testimonia el deslizamiento de Leopoldo Alas desde una ideología idealista, muy próxima al grupo krausista, hacia el campo positivista, aunque a veces se descubre el personal espiritualismo que, años más tarde, caracterizará parte de su producción literaria. El escritor catalán J.
Torrendell vio algo de estas vacilaciones ideológicas —hay que
tener en cuenta que los artículos están escritos antes de los treinta
años— cuando señalaba que el primer volumen de Clarín estaba
formado "en su casi totalidad de críticas juveniles, harto filosóficas y sin rumbo fijo" [17]; evidentemente la opinión del crítico catalán era algo exagerada.

El libro, dedicado a Echegaray, contiene un prólogo de este
escritor, sin ningún interés, y un *Prefacio a manera de sinfonía* de
Clarín que, en la cuarta edición, añadió un nuevo prólogo, siendo
de notar ciertas diferencias ideológicas entre el prefacio y el prólogo, diferencias que aparecen también en las ocho notas añadidas
en la cuarta edición, de las cuales sólo una está dedicada a ratificar un juicio expresado allí [18]: en la crítica de *Marianela* había
afirmado que para las cuestiones sociales y naturales el arte sirve
menos que la ciencia, pero "para otras regiones de la vida y la
conciencia, que muchos llaman nebulosas" el arte es superior; en
la nota declara que estas palabras son prueba de que su ideología
de 1891 es la misma que la de 1880 [19]. En el "prefacio" señala que

---

[17] *Clarín y su ensayo*, pág. 10.
[18] *S.*, pág. 287.
[19] "Esto prueba que las tendencias actuales de mis ensayos críticos y
novelescos no obedecen a modas extranjeras, sino a sentimientos antiguos
y arraigados".

algunos de los artículos escritos como crónicas literarias han perdido interés y pone de manifiesto su imparcialidad y su independencia de criterio; los cuentos "más o menos tendenciosos", según confiesa el propio Alas, los presenta como un entreacto o entremés cuyo único mérito es el de "no ser azules". En el prólogo afirma que desde su primera edición ha variado de "opiniones y gustos" por lo que no responde de todo lo que contiene el libro, pero, añade, no está arrepentido de "haber pensado antes como pensaba"; estos cambios pues, no parecen ser ideológicos sino de valoración de autores, así algunos de los que alababa en 1881 no le merecen ya la misma admiración, el cambio contrario sólo lo ha experimentado respecto de Pereda. "De algo —afirma— estoy completamente satisfecho al repasar estos artículos para corregir las pruebas, de la absoluta lealtad, espontaneidad e imparcialidad que veo en todos ellos. En esto me reconozco siempre el mismo".

Entre todos los artículos destaca *El libre examen y nuestra literatura presente,* uno de los mejores que salió de su pluma; hace allí una revisión de la literatura española del siglo XIX, dando una gran importancia a sus relaciones con el mundo social en que se ha producido, y deteniéndose especialmente en la enorme influencia que, según él, tuvo la revolución de septiembre de 1868 en la transformación de la vida intelectual del país; de esta fecha, "cuando la conciencia nacional despertó, quizá por vez primera, de un sueño inmemorial", arranca la nueva literatura española producto del pensamiento libre. Merecen destacarse también los artículos sobre novelas de Pérez Galdós (*La familia de León Roch, Marianela* y *Gloria*) y los que tratan del arte dramático (*Del Teatro* y *Mar sin orillas*). El libro tiene las características y el entusiasmo propio de una obra juvenil y es, sin ser la mejor, su obra crítica de mayor personalidad.

La Literatura en 1881

Un año después, el 1882, aparecía este libro, editado también en Madrid por Alfredo de Carlos Hierro. Recoge una serie de artículos de Armando Palacio Valdés y Leopoldo Alas sobre los acontecimientos literarios más destacados del año; quince de ellos,

la mitad, son del autor de *La Regenta*; la casi totalidad de los
artículos de Palacio Valdés están dedicados al teatro. En el prefacio los dos autores anuncian su propósito de escribir un libro cada
año, que sería una especie de crónica de las letras españolas; re-
conocen que "de algunos años a esta parte, crece y crece el interés que inspira la literatura y adquiere cierta consideración la crítica". Presentan como condiciones comunes a los dos autores y de
ahí, según ellos, la unidad del libro: la imparcialidad más estricta,
la severidad más absoluta, y el huir de las ampulosas lucubraciones de retóricas hueras y seudocientíficas: "La verdad desnuda en
estilo llano: esta es nuestra divisa". Martínez Cachero afirma [20]
que leyendo estos artículos "se advierte una radical identificación
entre sus autores por lo que atañe a intenciones y a procedimientos, de manera que importa más, bastante más, lo común —ofensiva contra toda mediocricidad, la ironía a veces cruel— que lo
que les distingue; así: el puntillismo gramatical que asoma en
Alas y que tanto lastrará en adelante buena parte de su labor crítica". M. Gómez Santos señala [21] equivocadamente, creo, que el que
aparezca en primer lugar el nombre de Palacio Valdés, hace pensar que por aquella época tuviera más prestigio que Clarín.

Estos artículos de Alas no añaden ninguna nueva característica
a los de los *Solos* y pueden considerarse como continuación de los
de aquel libro, excepto que aquí aparece la aceptación y entusiástica defensa del naturalismo; por el contrario, ha desaparecido totalmente la exégesis de la novela tendenciosa. Todos están dedicados,
como los de *Solos de Clarín*, a la literatura española, pero dentro
de ellos encontramos referencias y paralelos con obras y autores
extranjeros. Predominan los de matiz satírico y alegre, a veces
casi cruel, contra escritores mediocres; uno de ellos lleva el título
de "palique" que habría de convertir en denominación general de
un tipo determinado de crítica mordaz. El más importante es el
que trata de *La Desheredada* de Galdós, artículo del que el escritor
uruguayo Rodó afirmaba [22] que poseía, dentro de la crítica espa-

---

[20] *Clarín crítico de su amigo Palacio Valdés*, pág. 403.
[21] *Leopoldo Alas. "Clarín"*, pág. 87.
[22] *El que vendrá*, pág. 41.

ñola y como iniciación de nuevos rumbos, la misma significación que el libro de Galdós, dentro de la novela. Debemos destacar la importancia concedida, en este y otros trabajos, al movimiento naturalista, del que trata en los artículos más valiosos del libro: el ya citado sobre *La Desheredada*; *La lírica y el naturalismo* donde, basándose en la obra de Campoamor *Los buenos y los sabios*, relaciona este movimiento con la poesía; y *Un viaje de novios*, sobre la novela del mismo título de Emilia Pardo Bazán. El libro tuvo éxito parecido al de *Solos de Clarín*, pues alcanzó tres ediciones.

Sermón Perdido

Publicado en 1885, contiene treinta y tres artículos; uno de ellos, *Don Ermeguncio o la vocación*, puede considerarse como cuento. Más de la mitad son artículos cortos y satíricos, llenos de duros ataques que, a veces, se acercan a la murmuración mal intencionada y, otras, al artículo de costumbres, así los titulados *Los señores de Casabierta* y *El poeta-buho*, en los cuales retrata y ataca a un tipo determinado de la sociedad española. Son relativamente abundantes las referencias al arte dramático. En el prólogo confiesa que "no es más que una continuación de los *Solos de Clarín* y *La literatura en 1881*", y, al pasar revista al estado de las letras en España, señala que estamos bajo "la oligarquía de las nulidades"; contra esa oligarquía reacciona él con su crítica policíaca. A lo largo de todo el libro predomina un tono de pesimismo y desencanto que se convierte en núcleo central del "epílogo que sirve de prólogo"; en uno de los artículos declara [23] que "las Batuecas empiezan en los Pirineos". Afirmaciones semejantes, incluso otras referencias a Larra, las encontramos a menudo; la frase con que se cierra el libro es parecida a la anterior [24]. En la obra abundan los ataques contra Cánovas, Pidal, los "neos", las Academias nacionales, la crítica teatral, y una serie de medianías. Dos artículos los dedica a atacar a Balaguer, al que como político afir-

---

[23] *S. P.*, pág. 108.
[24] "¡Oh Fígaro! ¡Eterno Fígaro! ¡Tus Batuecas están donde siempre, no se han movido de su sitio!", *S. P.*, pág. 355.

ma respetar. Aparecen expresiones durísimas contra la sociedad española y la religión. Sólo uno de los que podríamos llamar artículos serios está dedicado a la literatura extranjera: trata del humorista portugués Guillermo D'Acevedo a quien compara con nuestro Larra; en otro, *Los poetas en el Ateneo,* hace un examen de la poesía española del momento; otros dos de estos artículos se refieren a novelas de Palacio Valdés (*Marta y María* y *El idilio de un enfermo*) y, entre los restantes, examina *Tormento* de Galdós, *Pedro Sánchez* de Pereda, *La Tribuna* de la Pardo Bazán, la *Poética* de Campoamor y el drama de Echegaray *Conflicto entre dos deberes.* Característica de estos estudios es la importancia concedida al naturalismo, así *Tormento* es examinada desde el punto de vista y en sus relaciones con aquel movimiento literario.

En el prólogo explica los motivos del título: en España todo lo que sea defender el buen gusto y el arte es predicar en desierto, es un *sermón perdido*; pero no debió resultar así cuando en cinco años se publicaron tres ediciones del libro.

Nueva Campaña

Publicado en 1887 por Fernando Fe, contiene treinta artículos escritos en los años 1885 y 1886. Como en *Sermón perdido* encontramos dos grupos claramente diferenciados de trabajos: los de crítica seria y los satíricos, algunos de estos últimos bajo el título de "palique". Aquí parecen predominar los primeros, tres de los cuales tratan de autores extranjeros: Anthero de Quental, Daudet y Renan. En el comentario a *Los pazos de Ulloa* de Emilia Pardo Bazán, afirma que el naturalismo ha pasado ya de moda; sin embargo, al examinar *Sotileza* hace un elogio desmesurado de Zola. En otro artículo, *Los grafómanos,* pone de manifiesto la gran cantidad de escritores naturalistas mediocres que han aparecido en España. En el primer artículo del libro, que viene a ser una especie de prólogo, expone la lamentable situación de la crítica española: Valera, Menéndez Pelayo, Federico Balart, Giner de los Ríos, González Serrano han abandonado su ejercicio por diferentes motivos; en este desolador panorama se encuentra solo: "pues si no hay modelos que seguir, abnegación que imitar, esperanzas firmes que

sostener, ¿no será inútil volver a las andadas, inagurar nueva campaña, luchando cada ocho días desde un periódico, cada uno o
dos meses desde un folleto, cada año desde un libro en pro del
buen gusto literario que muere de una terrible consunción en España?" [25]. Este artículo, que lleva el mismo título que el libro, es
de gran interés para conocer el concepto que Leopoldo Alas tenía
de la crítica literaria. La literatura española se encuentra en una
época de decadencia de la que es muy difícil salir por estar producida por causas históricas, ajenas a la vida artística; "nuestra
literatura, como empresa colectiva, es deplorable; pero ofrece aquí
y allí personajes aislados de mucha fuerza, de un gran valor intrínseco, digno de formar parte de un verdadero florecimiento general". Esta "nueva campaña" irá destinada "a mostrar gráficamente, por la argumentación, por el ejemplo, por la sátira, como pueda, la pequeñez general, y a procurar que resalte lo poco bueno que
nos queda, a venerarlo y a estudiarlo con atención y defenderlo
con entusiasmo". Estos son los fines, los nervios-guía de toda la
crítica literaria de Clarín: ensalzar las obras de mérito y atacar a
los escritores y obras insignificantes, injustamente alabadas. "La
decadencia es siempre más complicada que un florecimiento", por
eso, dirá, es más necesaria la crítica. En el artículo *El cantar del
romero*, vuelve a referirse a este doble frente en que ha de luchar
la crítica: "A mí me han censurado mucho por ser claro con los
poetas y prosistas malos; pero estas censuras vienen del vulgo.
¿Sabe el lector lo que me critican muchos hombres de talento? El
entusiasmo por nuestras notabilidades ciertas" [26].

Entre los artículos satíricos encontramos uno de los más divertidos que Clarín escribió: el titulado *Suscribirme*, dirigido contra
el periódico clerical *La Unión*. La mayoría de los artículos importantes están dedicados a estudiar las novelas españolas publicadas
en aquellos dos años: *Lo prohibido* de Pérez Galdós, *Los pazos de
Ulloa* y *El cisne de Vilamorta* de doña Emilia Pardo Bazán, *Aguas
fuertes* y *Riverita* de Palacio Valdés, *Sotileza* de Pereda y *Guerra
sin cuartel* de Suárez Bravo, premiada por la Academia, de la que

---

[25] *N. C.*, págs. 8-9.
[26] *N. C.*, págs. 12, 13 y 29, respectivamente.

se burla cruelmente. Hay un grupo de cinco artículos que son críticas de poesía: *Los amores de una santa* y *Humoradas* de Campoamor, *El cantar del romero* de Zorrilla, *Blanca* de Manuel Palacio, las poesías de Menéndez Pelayo y los *Sonetos* de Anthero de Quental, este último uno de sus artículos sobre poesía más importantes. Merece destacarse el titulado *Madrileña*, sátira de la vida de la capital, por la riqueza y modernidad de sus hallazgos expresivos, cercanos a algunos aspectos de la prosa de Valle Inclán o de Gómez de la Serna. *Impresionistas*, palique publicado en *Madrid Cómico* el 25 de setiembre de 1886, es un ataque contra la nueva generación, especialmente contra su estilo "afrancesado"; esta generación, perdida para la literatura, es la que debiera ocupar el espacio que separa los escritores surgidos al principio de la Restauración, el mismo Alas entre ellos, de los hombres del 98.

Emilio Bobadilla en una "nota bibliográfica", recogida en su libro *Escaramuzas,* se queja de la poca importancia concedida por la crítica a este libro; y añade que "corre por todo el libro un aire de desdeñosa burla que constipa y hace castañear los dientes". Esa burla no aparece en ninguno de los artículos más valiosos, cuando habla de Campoamor, Zorrilla, Valera, Galdós, Pereda, la Pardo Bazán, Menéndez Pelayo, Salvador Rueda, Anthero de Quental, Daudet o Renan.

Mezclilla

Publicado en 1889 por Enrique Rubiños, contiene veinticinco artículos, cinco de ellos llevan el título de "palique". Como en las anteriores obras también encontramos un prólogo, titulado esta vez *Advertencia,* que produce la misma impresión de desencanto ante la situación de la literatura española que los prólogos de los dos libros anteriores, pero ahora señala que la decadencia es general a toda la literatura europea: "Los tiempos son tristes; la vida literaria languidece doquiera; en España apenas piensa nadie en el arte" [27]. En toda la *Advertencia* predomina un tono de humildad, con cierto aire cervantino y notas de ironía: "para mí en llegando a los treinta, la vanidad menos antipática es la del

---

[27] *M.,* pág. 5.

hombre que cree haber sido en este mundo un poco poeta por dentro" [28]. Tras señalar el triste estado de la vida literaria española nota que en esta recopilación abundan las referencias y artículos sobre escritores extranjeros, principalmente franceses (Baudelaire, Paul Bourget, Daudet, Jules Goncourt, Savine). Los móviles de la obra, afirma, son los mismos que los de *Nueva Campaña*: intransigencia con la medianía y exaltación de las figuras; encontramos también una referencia a los motivos pecuniarios que le mueven a escribir, alusión que a menudo se repite en los escritos de la segunda mitad de su producción literaria. El radicalismo aparece más atenuado que en los libros anteriores y respecto al naturalismo, aunque continúa defendiéndolo, son numerosos los ataques a los escritores mediocres que siguen este movimiento; así en el artículo *A muchos y a ninguno*. Muy a menudo encontramos referencias a Zola, por el que muestra gran entusiasmo; aparecen también algunas alusiones a Amiel. Uno de los mejores trabajos del libro es *Sobre motivos de una novela de Galdós* en el cual examina la novela *Miau*; de *Fortunata y Jacinta* trata *Una carta y muchas digresiones,* donde la verdadera crítica se pierde entre comentarios sin importancia, algunos ajenos a la obra criticada. También merecen destacarse *El teatro y la novela,* paralelo entre estos dos géneros literarios, *La Montálvez* de Pereda, *Maximina,* en el cual sitúa a su autor, Palacio Valdés, dentro de una generación joven que anuncia una vida nueva. Algunos de estos artículos serios pertenecen a un grupo denominado por su autor "lecturas" que se publicaban en *La Ilustración Ibérica* de Barcelona; el primero de los allí aparecidos se recoge bajo ese mismo título. Leopoldo Alas presentaba estos artículos como un intento de popularizar la literatura.

Menéndez Pelayo, en una carta dirigida a Clarín el 31 de enero de 1889 [29], confesaba que los artículos de *Mezclilla* le parecían magistrales, destacando el dedicado a Baudelaire y el titulado *A muchos y a ninguno.* Emilia Pardo Bazán publicó una reseña del libro en *La España Moderna,* en ella lo presentaba como "amenísi-

---

[28] *M.,* pág. 9.
[29] *E.,* pág. 50.

ma y picante miscelánea de trataditos literarios entreverados con tal cual breve desahogo humorístico" [30]; del conjunto de los artículos destacaba los mismos que Menéndez Pelayo y el titulado *Lecturas*; todo el conjunto presenta, según la novelista, cuatro ideas dominantes que dan cohesión y unidad al volumen: pesimismo intelectual absoluto con respecto a la situación de las letras; atenuación de ese pesimismo al analizar los libros de media docena de autores de mérito; desdén hacia los escritores de segunda fila; y una idea, que apenas deja entrever, religiosa y cristiana. En realidad estas cuatro notas podrían considerarse como más o menos constantes en toda la producción crítica de sus años de madurez. El 5 de enero de 1889 Fray Candil afirmaba, en las páginas de *Madrid Cómico*, que *Mezclilla* "refleja, en parte, el estado postrativo de las letras en Madrid, en estos días de luto y tristeza para los que miran con amor todo lo que dice relación con el arte literario".

Ensayos y Revistas

En 1892 aparecía en Madrid, publicado por Manuel F. Lasanta, este volumen, donde se recogen veintidós trabajos escritos entre 1888 y 1892; ninguno de ellos puede ser colocado entre los artículos satíricos. Dos, de carácter necrológico, examinan respectivamente las figuras de Camus, que fue profesor suyo de latín, y del erudito y crítico teatral Cañete, y en otros dos, los de menor importancia del libro, casi gacetillas, comenta la entrada de Silvela, Azcárate y Menéndez Pelayo en la Academia de Ciencias Morales. Contiene también ocho "revistas literarias", aparecidas las primeras en *La España Moderna* y a partir de la quinta en *El Imparcial*, en las que trata de los acontecimientos literarios del mes más interesantes; la más importante es la dedicada a *Realidad* de Pérez Galdós y a los problemas que presenta su forma dialogada, uno de los mejores estudios críticos salidos de la pluma de Clarín. De los restantes artículos los más notables son los que tratan de *La terre* y *L'argent* de Zola. La primera novela la estudia desde la concep-

---

[30] *Nota bibliográfica. Mezclilla*, en *La España Moderna*, Febrero 1889, página 185.

ción artística de la tristeza y da más importancia a las virtudes
que a los defectos; en la segunda se detiene particularmente en
estos últimos y la sitúa, tras una inteligente valoración del naturalismo de Zola, dentro de un nuevo tipo de narrativa que denomina novela de *concepto*. Aparecen las primeras alusiones claras
a las nuevas tendencias psicológicas del arte y los ataques a la
Pardo Bazán. Clarín se muestra preocupado por el futuro de la
novela y a estudiarlo dedica, además de varias referencias a este
problema, dos artículos enteros: *La novela novelesca*, publicado
en *El Heraldo* de Madrid dentro de una polémica entablada entre
los escritores más importantes de la época, y *La novela del porvenir*, donde se manifiesta de acuerdo, en gran parte, con el crítico
francés Brunetière. Hay bastantes trabajos sobre literatura extranjera; en uno de ellos, *Ibsen y Daudet*, hace un paralelo entre dos
obras de estos autores que tratan de la herencia fisiológica, demos-
trando la mayor altura literaria del escritor noruego. En general
este libro contiene los artículos de mayor extensión, escritos por
Leopoldo Alas, y en ellos hay pocas señales del radicalismo de sus
primeros escritos; en algún momento parece acercarse a cierto
espiritualismo. Se puede afirmar que esta obra representa la plena
madurez de Leopoldo Alas como hombre y escritor, y, si bien
pierde algo de su agilidad y espíritu combativo, parece ganar en
serenidad y ciertas preocupaciones transcendentes. Esta evolución
o cambio lo encontramos no sólo en Clarín sino en la época; son
los años en que Galdós, por ejemplo, publica *Ángel Guerra*, cuya
crítica recoge Alas en este libro. Uno de los estudios recopilados
en este volumen es la "revista literaria" de noviembre de 1889, en
la que habla del libro de Víctor Díaz Ordóñez, *La Unión Católica*.
Este artículo ha sido uno de los trabajos de Leopoldo Alas más
utilizado por los críticos que defienden un predominio del sentimiento religioso en los últimos años de la producción de Clarín.
El uruguayo Rodó lo ponía como ejemplo de una "crítica expan-
siva, emocional, inspirada" que "se manifiesta añadiendo nuevas
ideas, nuevas emociones a las que de ella (la obra) ha recibido" [31].

---

[31] *El que vendrá*, pág. 35.

Palique

Publicado en 1893 por Victoriano Suárez, contiene treinta y nueve trabajos. Está dividido en tres secciones, según tres tipos diferentes de artículos. La primera parte, "Revista Literaria", recoge once artículos, publicados en *El Imparcial*, de idéntico tipo a los de *Ensayos y Revistas* del mismo título. La segunda, "Satura", contiene también once artículos, varios de ellos de costumbres o festivos, algunos de gran ingenio como *La educación del rey*; en la introducción a esta sección, que convierte en un ataque a la Pardo Bazán, afirma que denomina a estos "articulejos" *sátura* y no sátira por no llamarlos ensalada, ya que son mezcla de varios ingredientes, no siempre satíricos; tres de estas "sáturas" —*Bizantinismo, A Gorgibus, Congreso pedagógico*— las dedica también a atacar a la escritora gallega. La tercera parte recoge, bajo el título del libro, artículos publicados con esta denominación; en el primero de ellos, *Palique del palique*, explica qué son estos artículos cortos y satíricos, qué finalidad tienen y se defiende de los ataques que se le hacen por cultivar este tipo de escrito.

En la primera parte, la de mayor interés literario, destacan tres "revistas", dedicadas dos al teatro y una a *Los Trofeos* de Heredia. Sus tendencias espiritualizantes se muestran en dos trabajos sobre Renan y en el palique *Diálogo edificante*; en otros aparece su posición reformista paralela a la de Larra o el 98, así las "saturas" *The dangerous life* y *La coleta nacional*. Un grupo de tres paliques tratan del centenario del descubrimiento de América que le da pie para atacar el "patriotismo arqueológico", "el casticismo", Pidal, la Pardo Bazán, etc., llegando a afirmar: "de Colón nada malo tengo que decir; pero de la compañía, francamente va uno estando harto". El "palique" *La Muñeira* es una sangrienta sátira contra el "agustinoide" P. Muiños; el siguiente, *Entre faldas*, lo es contra el también agustino P. Blanco García; en ambos hay muestras de falta de respeto hacia aspectos formales de la Iglesia. En la "satura" *Congreso de librepensadores*, de gran interés para conocer la ideología de Clarín, se declara librepensador, pero contrario a cualquier dogma tanto de signo religioso como antirreligioso. Posee un notable valor el prólogo del libro, donde se defiende de posibles ataques a su "crítica menuda", la que él llama "policíaca", y hace un brillante examen del papel y significación de la crítica literaria. Encontramos aquí muestras de su cariño y predilección por los artículos satíricos de limpieza literaria; afirma que si los suyos tienen defectos los tendrán por la pobreza de sus facultades de escritor pero no "por la intención, no por la naturaleza del género"; en este tipo de escritos ve, ante todo, una utilidad social. El prólogo contiene numerosas referencias a la situación de la literatura española, y es una de sus más explícitas defensas de una crítica "comprometida".

El libro, excepto la primera parte, parece ser anterior a *Ensayos y Revistas*; el mismo Leopoldo Alas se da cuenta de ello y afirma: "si yo mirase mi vida literaria en la perspectiva en que algunos amigos míos y condiscípulos miran su carrera de ministros o de... académicos, me abstendría de publicar este libro titulado *Palique*, porque representa, en apariencia, un salto atrás; vuelvo en él a ser el Clarín que algunos no quieren que exista... Pero yo me entiendo: y unas veces salto atrás y otras adelante" [32].

Crítica popular

Es un pequeño volumen de unas 140 páginas publicado en Valencia, el año 1896. Puede verse en él un testimonio del reinado crítico de Clarín sobre el panorama literario de la lengua castellana: se inicia una nueva colección, la "Biblioteca Mignon de vulgarización literaria"; el director de la colección escoge como primer volumen unos artículos críticos de Clarín. El libro se abre con una carta autógrafa de Leopoldo Alas y sigue una semblanza literaria escrita por el director de la colección, Antonio Sotillo, quien afirma que Leopoldo Alas es su autor predilecto, "el artista español de mis mayores simpatías"; en Clarín ve el continuador del renacimiento del pensamiento español iniciado por el krausismo; destaca su lucha constante, a través de la sátira, por la educación

---

[32] *P.*, págs. XXX-XXXI.

popular. El libro es una verdadera antología de ensayos de Clarín; todos ellos pertenecen al grupo de trabajos extensos, meditados, de notable valor crítico. De los siete que se recogen tres habían sido publicados en *Mezclilla*, uno en *Ensayos y Revistas*, y los otros tres en *Palique* [33].

Siglo pasado

En 1901, poco después de su muerte, aparecía en Madrid, publicada por Antonio R. López, esta colección de once escritos. El libro lleva un prólogo-necrología escrito por Alfonso Valdés, lleno de entusiasmo y admiración hacia la obra de Clarín pero de escaso interés; dice de él que "fue vehemente y entusiástico y sincero apóstol de una verdad, la verdad en el supremo arte de las Letras" [34]. El volumen contiene dos relatos —uno de ellos, *La contribución*, publicado en *Madrid Cómico* el año 1896 y escrito en forma dramática— y nueve artículos, la mayoría de los cuales habían aparecido en la revista *La Ilustración Española y Americana* entre los años 1896-1899; el libro no llena pues el vacío que se abre entre *Palique* (1893) y el año de su muerte (1901). Entre los artículos predominan los dedicados a obras o temas extranjeros; por lo general, todos tienden a apartarse de la crítica literaria para aproximarse a la divagación filosófica. A este respecto tiene particular interés el titulado *Cartas a Hamlet. Revista de ideas,* donde se queja del descrédito en que ha caído la filosofía; para luchar contra ese descrédito promete escribir una serie de artículos bajo el título de *Cartas a Hamlet*: "yo quisiera empezar a contribuir, en el humilde alcance de mis fuerzas, a contrarrestar estos males, y entre otros recursos he ideado estas cartas a una sombra poética y filosófica, a un soñador engendrado por otro soñador, a uno de esos mitos ya eternos, convertidos por la humanidad en *idea fija*" [35]. Pero esta empresa parece se limitó a las dos cartas recogidas en

---

[33] El titulado *La prensa y los cuentos* es la parte final de una "revista literaria", recogida en *Palique*, págs. 27 y ss.
[34] *Siglo p.,* págs. 9-10.
[35] *Siglo p.,* pág. 154.

este volumen; en ellas, especialmente en la segunda pues la primera viene a ser una presentación de la serie, encontramos una
fuerte reacción contra el positivismo y la correspondiente defensa
de un espiritualismo que se concreta en la exégesis de una vaga
metafísica, tendencia que, según Clarín, es la que en aquellos momentos predomina en toda Europa. Lo más notable de estas cartas
es la intención de popularizar la filosofía, pero una filosofía que,
como era de esperar en L. Alas, se presenta más como actitud
vital que como raciocinio. Merecen destacarse también los artículos titulados *No engendres el dolor, Del Quijote, El arte de leer,
El teatro en barbecho* y el relato *Jorge. Diálogo pero no platónico.*
En este último, bajo la forma de un diálogo entre el autor y el
personaje Jorge, nos da una interpretación de la vida como juego
de azar: "sólo el que aspira al *nirvana*, a la *abulia*, a la *apatía*,
puede decir que no es jugador. Los demás todos juegan. La vida y
la muerte son un modo de *copar* la banca" [36].

Benito Pérez Galdós

En 1889 Ricardo Fe publicaba este folleto de treinta y nueve
páginas, como subtítulo llevaba el de *Estudio crítico-biográfico.*
Ese mismo año aparecía una segunda edición. Se trataba de una
semblanza del ilustre escritor canario basada, en parte, en confesiones epistolares hechas por el propio Galdós al crítico. El folleto
está dividido en tres secciones; la primera y segunda son un intento de biografía que se desvanece entre la multiplicidad de temas
y asuntos que Clarín va examinando, dos de ellos de gran importancia: el paisaje en Galdós y su madrileñismo; la tercera parte,
afirma el mismo Clarín, trata de "*mi* Galdós, es decir del que yo
conozco, trato, quiero y admiro".

En 1912 Ediciones Renacimiento de Madrid, al iniciar la publicación de unas *Obras completas* de Leopoldo Alas, reunía en el

---

[36] Este relato y *La contribución* fueron recogidos en el volumen publicado, en 1916, por la Editorial Renacimiento, bajo el título de *Doctor
Sutilis.*

primer volumen muchos de los artículos que dedicó a la producción literaria de Galdós, encabezando el libro con este estudio. El título del volumen era *Galdós*. Muchos de los artículos habían sido recogidos en sus libros de crítica; entre los publicados aquí por primera vez en volumen, se encuentran: las críticas a la segunda parte de *Gloria*, a *Tristana*, al ciclo de Torquemada, *Nazarín, Halma, El abuelo* (dos) y a los volúmenes de la tercera serie de los *Episodios Nacionales*. Esta colección de artículos constituye, en conjunto, su mejor obra de crítica, y la aproximación actual hacia las tendencias realistas de fines del XIX, con la consiguiente revalorización de Galdós, dan a la mayoría de las afirmaciones y comentarios de Alas una vigente actualidad. Desgraciadamente el propósito de Ediciones Renacimiento de publicar una *Obras completas* de Clarín, terminó en el volumen cuarto, en que se recogían sus tres novelas cortas *Doña Berta, Cuervo* y *Superchería*; en ninguno de los otros dos volúmenes aparecían artículos de crítica. Juan Antonio Cabezas en la edición de *Obras selectas* publicó tres *Folletos literarios* y treinta y cinco artículos, pero todos estos artículos habían sido recogidos en libros por el mismo Clarín. La selección de J. A. Cabezas no es plenamente satisfactoria.

3. FOLLETOS LITERARIOS

Es una serie de ocho opúsculos, publicados entre 1886 y 1891 por Fernando Fe. En el prólogo al primero explica los motivos y características de estas publicaciones: "la variedad y la oportunidad son bases de esta publicación que emprendo animado por el buen éxito de empresas análogas antes llevadas a cabo", "si escribo con libertad en *El Globo, Madrid Cómico* y *La Ilustración Ibérica,* es claro que en ninguna parte he de ser tan independiente como en mi casa, y *mi casa* vendrá a ser estos folletos"; "saldrán a la luz cuando convenga", "no tendrán determinada cantidad de lectura", y la materia no será siempre la misma [37]. Con este tipo de publicación pretende pues, conseguir una total independencia de

---

[37] *Un v.,* **pág. 7.**

criterio, tiempo y tema; su deseo sería que esta obra fuese un día empresa de varios escritores de verdadero mérito. En las primeras páginas del séptimo de estos folletos, *Museum*, encontramos nuevas consideraciones sobre las características de tales escritos, relacionadas con su independencia crítica puesta en peligro en las páginas de la revista *La España Moderna*. Como en el primero vuelve a calificar a los folletos de "mi casa", pero indica que a partir de este número habrá un cambio en la concepción del folleto: "si hasta aquí era asunto de cada folleto una sola materia, o cuando más dos largamente tratadas, en adelante no siempre será lo mismo; y, aunque no renuncio a las monografías, (...) mezclados con los folletos de esta índole irán otros que respondan a la necesidad a que obedece el que hoy publico; y los de esta clase aparecerán, si no en día fijo, por lo menos dentro del plazo máximo de un trimestre" [38]. Su intención era publicar en forma independiente las "revistas literarias" que hasta entonces habían ido apareciendo en *La España Moderna*, pero al ser acogidas en las páginas de los "Lunes" de *El Imparcial*, resultó innecesario este tipo de folleto; tras *Museum* sólo apareció otro folleto, el titulado *Un discurso*, que no reúne ninguna de las características señaladas en el anterior. ¿Cuál fue la causa de que dejasen de publicarse? La ignoramos; la intención de Clarín, unos años más tarde, era aún la de continuarlos, pues, en una carta a Menéndez Pelayo fechada en octubre de 1892, le dice que prepara un folleto sobre Renan.

En dos de estas publicaciones prometió una segunda parte que no escribió: *Cánovas y su tiempo* y *Rafael Calvo y el teatro español*. *Mi Renan* apareció anunciado, en la cubierta de *Palique*, como folleto en prensa. En este mismo volumen, recogió una "revista literaria" titulada *Mi Renan*, que presentaba como apuntes para el folleto; allí mismo declaraba que a éste seguirían *Mi Castelar*, *Mi Zorrilla* y otros folletos. La "revista literaria" dedicada a *Tres ensayos* de Unamuno, aparecida en *El Imparcial* el 7 de marzo de 1900, terminaba declarando que tal vez ese libro del escritor vasco fuese el asunto del primer folleto con que pensaba ini-

---

[38] *Mu.*, págs. 5-6.

ciar una segunda serie de ellos. Años antes, en una carta del 28 de octubre de 1887 dirigida a José Yxart, había prometido escribir un folleto sobre los escritores catalanes.

En una reseña de *Museum*, González Serrano afirma del conjunto de los folletos literarios que "llegará a ser en la historia interna de nuestra cultura lo que la *Comedia humana* de Balzac, en la sociedad que describe; una fotografía semoviente. Ni los *Lundi* de Sainte-Beuve, ni los trabajos críticos de Daudet y los Goncourt igualan en mérito real y positivo, en talento de observación y en gracia y donosura a los *Folletos literarios*", "corre por los folletos literarios un aliento de verdad y de vida, que cuando se medita lo que en ellos se lee, se duda si el *buzo del pensamiento* que los ha escrito trata de obras y autores distintos de su propia personalidad" [39]. Si a nosotros nos parecen ahora algo exageradas las palabras de González Serrano hay que tener en cuenta que este escritor estaba considerando como inicio de una obra lo que ya era casi la obra terminada.

Los folletos podrían dividirse en dos grupos —satíricos y serios— según la actitud del autor ante el asunto tratado; uno de ellos, el titulado *Apolo en Pafos*, presenta, sin embargo, características de los dos grupos. Entre los primeros *Mis plagios*, en que se defiende de los ataques de Bonafoux, y *A 0,50 poeta*, contra M. Palacio, son muestra de dos de las numerosas polémicas que mantuvo durante su apostolado crítico.

Un viaje a Madrid

El primero de los folletos apareció el año 1886; trata en él, según confesión propia, de las obras literarias de actualidad y la impresión que le causó Madrid en su viaje a la capital, tras tres años de ausencia. Examina la *Historia de las Ideas Estéticas* de Menéndez Pelayo, *El suspiro del moro* de Castelar, *Los amores de una santa* de Campoamor, *Maruja* de Núñez de Arce y la situa-

---

[39] *Estudios críticos*, pág. 152.

ción del teatro, refiriéndose a su decadencia y a los estrenos de
De mala raza de Echegaray y *El archimillonario* de Novo y Colson
que ridiculiza. Respecto a esta última obra publicó un palique en
Madrid Cómico que estuvo a punto de ocasionarle un duelo con
su autor. Encierran particular interés sus comentarios en torno a la
vida madrileña, que forman como un breve y ágil cuadro de costumbres en el que es fácil descubrir el eco de Fígaro. "Canta,
musa, las emociones de un ex madrileño, hoy humilde provinciano,
que vuelve a la patria de su espíritu después de tres años de ausencia" [40], empieza parafraseando *La Ilíada*; pero no existen tales
emociones, o si existen se resumen en una que podríamos calificar
de azoriniana: todo sigue igual, nada ha cambiado, el tiempo parece que no pase en la villa-capital. A partir de este punto surge
el rechazo de la vida madrileña, rechazo que encontramos en otros
escritos suyos, pero que es más aparente que real como prueban
sus intentos fracasados de trasladarse a la Universidad Central.
Leopoldo Alas fue un "provinciano"; en España tal posición, entre algunas ventajas, comporta también inconvenientes nacidos del
aislamiento y la falta de alicientes; todo ello favorece una tendencia hacia la abulia y origina un determinado tipo de mentalidad.
El "provincianismo" es, sin duda alguna, uno de los problemas
más importantes de la sociología de nuestro país; Clarín, siendo
probablemente su máximo representante, consiguió salvarse de muchos de sus peligros por vivir en un centro provincial —la Universidad de Oviedo— que, hacia estos años, creó un núcleo cultural
que escapó a la *satelización* que Madrid produce respecto del resto
de la nación. Pocas calificaciones más acertadas ha recibido Leopoldo Alas que la que le dio Juan Antonio Cabezas en el subtítulo de su biografía: "provinciano universal".

En el prólogo al folleto explica los motivos que le han em-
pujado a emprender esta obra, y hace una serie de interesantes
consideraciones sobre su concepto de la crítica literaria y la independencia del crítico. Al aparecer el librito Menéndez Pelayo escribió a Valera: "Decididamente aquí no hay más crítico que

---

[40] *Un v.,* pág. 15.

Clarín. ¿Ha leído su último Folleto *Viaje literario a Madrid* (sic)? Salvo los inmoderados elogios a Campoamor y los míos propios, que atribuyo a su buena amistad, todo lo restante me parece bien".

Cánovas y su tiempo

El segundo de los folletos fue publicado el año siguiente, 1887, y es una de las sátiras más sangrientas salidas de la pluma de Clarín. El político conservador, encarnación de la España de la Restauración, mortalmente herido por la ironía de Alas, se hunde en el mayor de los ridículos. Clarín lo examina en todas sus características de títere presuntuoso, cabeza visible de la mentalidad conservadora, dueño omnipotente de la España de fines de siglo; y lo hace desfilar ante nuestros ojos como don Juan, poeta, pensador, novelista, historiador, orador, pacificador y prologuista. En ninguno de tales aspectos logra salvarse; sus novelas serán las más latosas, sus versos "los peores que se han escrito en España en todo el siglo", hasta su religiosidad vacilará: "Tal es el sistema de Cánovas, hay Dios porque si no los socialistas se nos meten en casa".

El folleto es una verdadera obra maestra del libelo y uno de los escritos de mayor gracia que nos dejó Clarín; todos los recursos estilísticos de Alas aparecen aquí utilizados hasta el límite de sus valores expresivos; los alardes de ingenio se superan; paráfrasis, antítesis, metáforas de gran brillantez, hipérboles, se encadenan, se entrecruzan, con el único fin de ridiculizar la figura del político. La obrita llega así a alcanzar verdadero valor literario independientemente del motivo satírico que la origina. El lector se olvida del político y se recrea en el extraordinario poder de creación lingüística que muestra el autor. La prosa de Cánovas es "una Valpurgis de palabras abstractas, un aquelarre de ripios en prosa, algo como la fiebre del hambre debe ser en el delirio de un maestro de escuela: ensueños como el de un amigo mío, abogado y jurisconsulto, que soñó una vez, con gran remordimiento, ser autor del delito de estupro consumado en una virginal raíz cuadrada" [41]. Clarín llega a provocar una verdadera torsión del lenguaje, en algunos momentos nos hace pensar en la prosa de Quevedo, Enríquez Gómez, Valle Inclán o Gómez de la Serna: "Cánovas ripia la vida como los versos. El ripio es, a su modo, una falsedad. Es lo opaco pasando plaza de transparente; es la piedra haciendo veces de pensamiento, la nada dándose aire de Creador. Ripiar la vida es llenar el alma de cascajo para hacerse hombre de peso; es llegar a cierta estatura, añadiéndose un suplemento de cal y canto; es ser un lisiado y convertirse en un hombre completo de palo. Cánovas a pesar de su egoísmo está lleno de cuerpos extraños. El estilo es el hombre; pero cuando el hombre es un barro cocido, el estilo es terroso" [42]. Al final del folleto concluye por darnos las medidas de Cánovas: "es estrecho y mucho más largo que profundo".

En este folleto prometía una continuación que no llegó a escribir; tal vez pensó que había ido demasiado lejos en sus burlas. En *Apolo en Pafos*, Apolo llama a Clarín para pedirle que no continúe escribiendo sobre Cánovas. Menéndez Pelayo, en carta del 13 de mayo de 1887, defendía al político conservador de algunos de estos ataques y señalaba a Alas que creía que en el opúsculo había excesiva pasión, añadiendo que el único defecto que le encontraba como crítico era que no sabía vencer sus antipatías. En 1890 y en el folleto *Museum*, Clarín volvía a prometer la segunda parte de *Cánovas y su tiempo*.

Las referencias a Cánovas son una constante a lo largo de toda la producción de Leopoldo Alas y poseen siempre el mismo tono de burlesca violencia; algunas veces llegan a transformarse en un leit-motiv cómico. Con motivo de la vuelta al poder del político conservador, publicó en *La Publicidad*, el 9 de febrero de 1897, un durísimo ataque sin la ironía que suaviza las páginas del folleto: "Cánovas se cree el Mahoma del dios-monarca y considera al país como una *herencia real*", "A mí ver, más triste que la guerra cubana es el espectáculo que ofrece la Península entregando, sin protesta, al arbitrio de un setentón cansado, reaccionario,

---

[41] *Oo. Ss.,* pág. 1.298.
[42] *Oo. Ss.,* págs. 1.278-1.279.

neurasténico, con el *tic* de la manía de ser genio, la solución del conflicto más delicado que se nos ha presentado en lo que va de restauración".

Apolo en Pafos

Apareció el mismo año, 1887, que el anterior folleto; es una invención mitológica con la que pretende hacer una crítica a la vez humorística y seria. Mercurio acompaña a Clarín hasta Apolo que lo ha citado para pedirle que no continúe escribiendo sobre Cánovas. Sainz Rodríguez [43] lo considera "de lo más fino y exquisito que salió de la pluma de Clarín" y lo entronca con el género fantástico-crítico de *Los sueños*, las *Exequias de la lengua castellana* y *La derrota de los pedantes* [44]. Literariamente es tal vez el folleto de mayor valor. Tuvo un merecido éxito que, por lo que se desprende de una carta de Alas a Yxart, extrañó a su propio autor, el cual lo escribió como un "divertimento": "lo escribí este verano en la aldea, sin libros, sin diccionario siquiera, remitiéndolo casi todo a la memoria, y no creía que semejante folleto tuviera el buen éxito que tuvo. Por casualidad se ha hablado tanto de él, que al mismo autor le parece demasiado. Lo que usted me dice es de lo que más me lisonjea, por ser el voto de persona a quien yo estimo tan competente. Por lo demás, ni usted ni yo, ni nadie, debe darle más valor que el de un *pasacalle,* que es el que le corresponde" [45]. En el breve trabajo Alas combina las ironías, los rasgos humorísticos y la parodia mitológica con las referencias a problemas literarios y humanos. Contiene ataques a la Academia y a los académicos, particularmente contra Pidal y Balaguer; un diálogo con la musa Erato sobre la situación de la poesía lírica; una discusión entre Calíope y Clío, musas respectivamente de la poesía épica y la historia, sobre a cual de las dos pertenece la novela; y una conversación entre Apolo y San Pablo, en la que este último

---

[43] *La obra de Clarín,* págs. 56-57.
[44] También Bobadilla había afirmado que le recordaba *La derrota de los pedantes* (*Escaramuzas,* pág. 207).
[45] *Siete...,* carta III, 28-III-1887.

afirma que hay que volver a predicar el amor de Cristo porque la otra vez no lo entendieron. En el estudio que Clarín dedicó a *Ariel*, declaraba que en *Apolo en Pafos* había sostenido que el ideal clásico y el cristiano se oponen a la barbarie utilitaria [46]. El librito termina con la afirmación de Apolo de que él es la poesía, y la réplica de San Pablo: "También yo".

Mis plagios. Un discurso de Núñez de Arce

Se publicó en 1888. Dividido en dos partes independientes, en la primera se defiende de las acusaciones, hechas por el puertorriqueño Bonafoux, de plagiar, en *La Regenta* y en el relato *Zurita*, a *Madame Bovary*, y en *Pipá*, el cuento *Periquín* de Fernanflor. Afirma que *Pipá* está tomado del natural y que no conoce la narración de Fernanflor; respecto a *La Regenta*, es muy diferente la forma de tratar la escena del teatro en que se basa Bonafoux; la relación entre Zurita y Carlos Bovary es mínima, tan sólo la entrada en el colegio. Con esta defensa de la originalidad de sus obras mezcla ataques y burlas contra Bonafoux de una terrible dureza. Lo más interesante son, tal vez, las referencias a cómo ha adaptado en sus obras material que proviene de hechos reales, y a su concepto del plagio. Las acusaciones de Bonafoux debieron tener cierta transcendencia, pues siete años más tarde, el 21 de mayo de 1895, en una "revista mínima" publicada en *La Publicidad*, Clarín amenaza a un tal Balsa de la Vega con llevarlo a los tribunales si no prueba su afirmación de que era coautor de *La Regenta*. Bonafoux replicó al folleto de Clarín en artículos posteriores, pero no supo ver en ninguno de sus trabajos la profunda impregnación de "bovarismo" que se encuentra en la obra narrativa de Clarín; él perseguía el plagio a través de coincidencias aisladas que no indicaban nada.

Mayor interés tiene para el examen de las ideas literarias de Clarín la segunda parte del folleto, en que replica al discurso sobre la poesía pronunciado por Núñez de Arce, en la inauguración

---

[46] *Ariel*, Valencia, 1912, pág. **XI**.

del curso 1887-1888 en el Ateneo de Madrid. Toda esta parte es una reacción contra las palabras del poeta y principalmente contra su menosprecio de la novela; González Serrano [47] la consideró como una prueba de la falsedad de la general opinión de que Clarín sólo se atrevía con las medianías; en este folleto Clarín "tritura los escarceos que se permitiera el gran poeta contra la novela y su innegable influencia en la vida y cultura sociales". En cualquier antología de nuestra crítica literaria deberán figurar, en lugar destacado, alguna de las páginas de esta segunda parte.

A 0,50 poeta

El quinto folleto es de 1889 y lleva por subtítulo *Epístola en versos malos con notas en prosa clara*. Es una réplica a una epístola poética [48] que escribió contra él Manuel del Palacio, dolido por la afirmación, hecha por Clarín en uno de sus "paliques", de que en España teníamos sólo dos poetas y medio: Núñez de Arce y Campoamor eran los dos poetas enteros; Palacio, el medio poeta. Esta frase que Alas había dejado ir en uno de sus intrascendentes paliques tuvo una gran resonancia en el ambiente literario español; él mismo se dio cuenta de ello y volvió a referirse a ella en numerosos artículos posteriores. En la carta-prólogo a *Cantos de la vendimia* de Salvador Rueda, publicada primero en las páginas de *La Correspondencia*, afirma que "lo que no era más que una *manera de decir*, una *boutade*, se convirtió en fórmula de mi juicio acerca de los poetas españoles del día; y mientras no se olvide por completo lo de los *dos poetas y medio*, conténtese usted con figurar en mi aritmética crítica entre las cantidades fraccionarias" [49]. La polémica entre Clarín y M. del Palacio llegó a alcanzar límites desagradables. Menéndez Pelayo en una carta a Valera se dolía de ello, pero reconocía que la culpa principal era del poeta: "Es vanidad, a mi ver, monstruosa, darse por ofendido de que

---

[47] *Estudios críticos*, pág. 153.
[48] *Clarín entre dos platos*, Madrid, 1899.
[49] Citado por Alonso Cortés, en *Armonía y emoción en Salvador Rueda*, página 44.

sólo le tenga por medio poeta. Cuánto más ofendidos pudiéramos estar usted, Ferrari, Velarde y yo, que sin duda, no somos para Clarín ni décimos ni céntimos de poetas".

La mitad del folleto es una epístola en versos bastante malos, con duros ataques contra Palacio y al final interesantes confesiones personales; en el resto un personaje fantástico, don Mamerto Cabranes, hace una crítica de la epístola de Palacio, "de lo peorcito que ha escrito 0,50". Todo el folleto es una prueba más de la facilidad satírica que a veces arrastraba a su autor hasta límites a los que seguramente no hubiera querido llegar; por eso, tras los duros y divertidos ataques y burlas, se descubre una rectificación al afirmar que Manuel del Palacio "no sólo tiene fama, sino que, relativamente la merece". Es tal vez el folleto de menos interés literario y puede situarse, junto al dedicado a Cánovas y la réplica a Bonafoux, dentro de un grupo predominantemente satírico.

Rafael Calvo y el teatro español

Publicado en 1890, este sexto folleto es una semblanza del actor fallecido el año anterior; en él estudia lo que Calvo aportó al teatro español, señalando la decadencia de este género literario. Una larga biografía, entreverada de recuerdos personales, ocupa casi todo el opúsculo; el cuarto capítulo, sin embargo, está dedicado a examinar la situación del teatro español en el siglo XIX. Abundan las evocaciones personales del autor que, en sus años de estudiante, se entusiasmaba desde el "paraíso" con las interpretaciones de Calvo. El uruguayo Rodó, en un largo artículo dedicado a la crítica de Clarín, señalaba a este folleto como representativo de uno de los tipos de crítica utilizados por Clarín; "crítica subjetiva, de impresión personal, que participa de la intimidad de la confidencia y el sentimiento de lirismo", "subordinándose (...) a la confesión general el comentario crítico, que semeja en ellos una glosa puesta a las páginas de la propia historia individual" [50].

---

[50] *Ob. cit.,* pág. 34.

Museum

Subtitulado *Mi revista,* apareció el mismo año que el anterior. Ya he indicado anteriormente que en él cambia la intención y el concepto del "folleto literario": "en adelante en cada folleto trataré de dos o más materias, cada dos o tres meses por lo menos se publicará uno de estos opúsculos, que se subtitulará *Mi revista".* Uno de los motivos de este cambio, confiesa, ha sido su rotura con *La España Moderna* por negarse a escribir artículos de encargo. El título de este grupo de folletos, "Museum", lo presenta como un homenaje al escritor alemán Juan Pablo Richter, del que confiesa haberlo tomado. Examina la *Poética* de Campoamor y las últimas novelas —*Morriña* e *Insolación*— de Emilia Pardo Bazán, uniendo las insinuaciones malévolas contra la escritora gallega a ataques declarados. Pero bajo estas censuras, también las hay a Campoamor, se encuentra cierto aire de respeto y el reconocimiento de que se trata de una escritora de evidentes dotes literarias. Es el único folleto que presenta un interés limitado sólo a lo literario. González Serrano le dedicó un largo comentario, recogido en su libro *Estudios críticos,* en que examina y valoriza los folletos literarios. En el *Epistolario de Valera y Menéndez Pelayo* encontramos una carta de este último [51] en la que comenta la idea de estas "revistas críticas", con la cual el escritor asturiano se adelantaba a una que proyectaban ellos dos; en la carta se descubre cierto matiz de frialdad hacia Clarín. Al final del folleto una lista de 98 libros remitidos a Leopoldo Alas desde toda la geografía española e hispanoamericana nos muestra la trascendencia que había llegado a alcanzar su actividad crítica.

Un discurso

El último folleto, publicado en 1891, es la impresión de *El utilitarismo en la enseñanza,* discurso leído en la Universidad de Oviedo con motivo de la apertura del curso 1891-1892. Lo había

---

[51] Pág. 305.

escrito durante el verano [52]. La evocación de un discípulo fallecido
aquel mismo año, al cual dedica el discurso, le lleva a hablar de
la muerte, "episodio siempre ∨erosímil"; a continuación pide que
la enseñanza sea ante todo una amistad entre profesor y alumno
y, al reconocer una tendencia universal hacia el utilitarismo, pun-
tualiza que no hay que olvidar ninguna parte del hombre, el cual
podrá tener una idealidad negativa pero no menos idealidad; la
idea de la muerte nos ayudará a dar un valor substantivo a toda la
realidad que no vivimos. En las últimas páginas del discurso defiende la enseñanza del latín, el griego y una idea religiosa. Acaba
con un panegírico de la enseñanza [53]. El discurso contiene pues una
idea central, el ataque a las tendencias utilitaristas en la enseñanza
y, relacionada con ella, la defensa de las lenguas clásicas y la religión como materias formativas del hombre. Respecto a esta última
hay que tener presente, como ya señaló Sainz Rodríguez, que "no
se declara partidario dogmático de ninguna religión" [54]. Clarín, al
escribir este discurso, cuenta treinta y nueve años; ha llegado a
su plena madurez, madurez que por ciertas notas de agotamiento,
de cansancio, que a veces se descubren en sus escritos, y también
por la perspectiva que nos da su corta vida, tiene algo de vejez. La
preocupación por el hombre, que encontramos en otros escritos,
aquí se transforma en la idea motora del opúsculo.

Un discurso ha sido el folleto que ha tenido mayor número de
comentarios, todos ellos laudatorios. Menéndez Pelayo, después de
leerlo, escribió a Alas felicitándole y mostrándose de acuerdo con
lo allí afirmado [55]: "es —afirmaba— de lo más valiente, sincero y
ponderado que he visto en materia de pedagogía". Para Rodó era:
"acaso el más hermoso y sugestivo de todos los folletos" [56]. Álvarez

---

[52] *Siete...*, carta VII, 9-XI-1891.

[53] "Volver los ojos a la juventud, cuidar de su educación, es un consuelo y una esperanza, sobre todo en esta España".

[54] *Ob. cit.*, pág. 43. Cuatro años después, en un artículo publicado en
La Publicidad el 30 de noviembre, parece sostener lo contrario, pues, al
referirse al nombramiento de sacerdotes como profesores de religión, afirma: "Esto es como la vainilla: a la vuelta de cinco años, cosecha de vol-
terianos segura".

[55] *E.*, carta del 26-X-1891, pág. 56.

[56] *Ob. cit.*, pág. 45.

Buylla en el discurso de apertura del curso 1901-1902, pronunciado en la Universidad de Oviedo y dedicado al estudio de las ideas pedagógicas del compañero fallecido, se basa principalmente en este trabajo que examina detenidamente. Parecida importancia le conceden otros críticos de Clarín. También J. A. Cabezas le da una gran importancia en su libro *"Clarín"*. *El provinciano universal,* aunque lo considera escrito en 1892.

Álvarez Buylla afirmaba, en su discurso, que, aunque Clarín menciona a varios escritores —Buylla cita a Breal, Lavisse, Guyau, Gabelli, Villani— en el folleto "brilla la originalidad, producto de la labor reflexiva" [57]. Su origen tal vez haya que buscarlo, sin embargo, en la lectura del crítico y poeta inglés Matthew Arnold al que se refiere explícitamente: "podemos decir, con Matthew Arnold, que es el utilitarismo lo que da el tono a la corriente general de la vida moderna" [58]; a continuación presenta a ese utilitarismo como tendencia casi universal del espíritu inglés contra el que Arnold reaccionó. El año anterior, en la última página de *Museum,* acusaba a Emilia Pardo Bazán de profesar un "sanchopancismo ilustrado", y añadía que "su moral se confunde con aquel benthamismo que Matthew Arnold echa en cara a la *Saturday Review* y que es una gloria nacional para muchos ingleses". Este texto es revelador pues prueba que, un año antes de escribir el discurso, se sentía ya preocupado por el problema de la mentalidad "utilitarista" y lo relacionaba con los escritos del crítico inglés. Todo el discurso está de acuerdo con las ideas de M. Arnold, pero más que de una influencia creo se trata del eco de una lectura en que encontró ideas paralelas a las suyas.

4. LA CRÍTICA EN SU OBRA NARRATIVA

Resulta muy difícil separar o estudiar independientemente la obra crítica y la narrativa de Leopoldo por las numerosas implicaciones que presentan entre sí; su obra de creación es siempre tes-

---

[57] *Discurso leído en la apertura del curso académico 1901-1902,* página 15.

[58] *Un d.,* pág. 11.

timonio de las ideas que defiende en sus artículos, pero igual importancia tiene la presencia de aspectos críticos en sus novelas y relatos. Como base de la personalidad de Clarín encontramos el criticismo; este criticismo al expresarse en las narraciones lo hará mediante el humorismo, visión del mundo que ofrece mayores posibilidades a una crítica o juicio valorativo. Su actitud personal ante la realidad es una actitud de crítica, cuyo panorama se extiende desde el *"lapsus linguae* hasta las alzadas esferas del alma individual y colectiva"[59]; esta crítica tiene siempre, incluso al anotar o destacar una expresión verbal incorrecta, una base ética. Sus artículos literarios eran la manifestación de ese "criticismo" en el examen de las obras literarias; su narrativa, en el examen de la sociedad en que vivía.

Aunque la corriente literaria en que Clarín se inserta es el realismo, el espejo con que refleja la sociedad no es totalmente plano; el humorismo, la visión crítica del mundo tenderán a ensanchar algunos rasgos y adelgazar otros; al mismo tiempo dará mayor importancia a aquellos temas o problemas que a él le interesan personalmente, es decir, transformará las proporciones de los objetos reflejados. La literatura tendrá por este motivo, dentro de sus relatos, una gran importancia; casi siempre al lado de un personaje encontraremos una noticia de sus lecturas. Algunos de estos personajes tenderán a escaparse del mundo en que viven, creando otro mundo en su imaginación en el que podrán satisfacer sus frustraciones; este segundo mundo lo alcanzarán siempre a través de la literatura. Tal es el caso en *La Regenta* no sólo de Ana Ozores y su esposo, sino también de seres ridículos como Saturnino Bermúdez y el poeta Trifón Cármenes. Brent, en su estudio *Leopoldo Alas and "La Regenta"*, vio acertadamente la importancia que la lectura tenía dentro de la narrativa de Alas e hizo un perfecto examen del papel que la literatura jugaba en *La Regenta*. El apéndice en que recoge las referencias de Alas a lo que los personajes leen o escriben, las alusiones literarias contenidas en algunas frases y la lista de autores citados, resulta impresionan-

---

[59] García Pavón, *Clarín crítico en su obra narrativa,* en *Ínsula,* núm. 76.

te. Algo parecido podría hacerse con *Su único hijo* y el resto de los relatos.

A los aspectos señalados por Brent en *La Regenta* añadiremos otro que tal vez manifiesta aún más claramente la importancia de lo literario: los personajes centrales, siendo plenamente reales, son reflejo de una actitud literaria determinada; todos ellos tienen algo de nueva versión, de recreación de personajes artísticos que han ido transformándose en mitos literarios, habiendo llegado a representar o simbolizar una actitud determinada ante la vida: Ana Ozores o el bovarismo, Víctor Quintanar o el quijotismo, Fermín de Pas o el "sorelianismo", y Álvaro de Mesía o el don-juanismo. De la conjunción de estas cuatro tipologías surge el argumento central de la novela; dos de ellas —la de Ana y don Víctor— representan una actitud de evasión, las otras dos —la de don Fermín y don Álvaro— una actitud de dominio. El don-juanismo y el bovarismo parecen nacidos especialmente para enfrentarse entre sí y producir una víctima en la mujer. A través de Álvaro de Mesía, y de una manera consciente, Leopoldo Alas realiza un verdadero estudio interpretativo del tipo del Don Juan. La novela vista desde la perspectiva de don Álvaro se transforma en una recreación del mito del burlador. Esta idea se halla fortalecida por el papel que juega en el argumento la representación del drama de Zorrilla. También en otros personajes secundarios la literatura desempeña un papel importantísimo. Tal es el caso de Trifón Cármenes, en quien el autor parece simbolizar a los poetastros contra los que tan duros ataques escribió, o el del canónigo Ripamilán.

Es curioso el distinto carácter que en los personajes de su gran novela, presentan las lecturas teatrales y poéticas por un lado y, por otro, las novelísticas. Mientras las primeras son escasas y siempre obras consideradas por Clarín de mérito y de su agrado, la lectura de novelas parece señalar que se haya transformado en un hábito de la sociedad burguesa de su época; da la impresión de que es el medio con que esa sociedad llena sus horas de aburrimiento; sin tener en cuenta para nada los valores artísticos, los lectores buscan en ellas temas que les interesen. La lectura se transforma para el escritor en un medio de caracterizar a sus personajes. Cuando en uno de ellos predominan las lecturas poéticas o teatrales, se trata de un ser curioso o raro en quien la afición a la lectura presenta características de manía. Tal es el caso de Víctor Quintanar, devorador de nuestro teatro clásico.

Parecido papel juega la literatura, principalmente bajo la forma mixta de ópera, en *Su único hijo*. En la caracterización de uno de los personajes secundarios, Marta Koener, la presentación de sus lecturas tiene una gran importancia; Alas llega incluso, en las primeras páginas de la obra, a utilizar la referencia a la literatura para mostrar el alma de la sociedad en que se desenvuelve el relato [60]. Para Bonifacio Reyes el "arte" será la única posibilidad de liberarse de una sociedad que le anula. En el breve fragmento de la continuación a esta novela [61], el mundo intelectual se ha transformado en el único tema del relato; en las pocas páginas que conocemos encontramos un examen, a través del personaje central, de la serie de movimientos literarios y filosóficos que se suceden en el último tercio del siglo. Las apreciaciones del protagonista sobre estos movimientos están de acuerdo, en gran parte, con las del propio Leopoldo Alas.

Las referencias y alusiones a temas y asuntos literarios también las encontramos en sus relatos breves. Algunas veces se limitan a un recuerdo que facilita el rasgo cómico; así en *Doctor Sutilis*: "Muy buenos versos hacía Pablo; pero la niña, que había leído el *Romancero de la guerra de África*, escrito en verso por Eduardo Bustillo, había perdido el gusto en materia de versos" [62]. A menudo mira a los personajes con ojos de lector que no puede dominar su atracción por la referencia literaria: "Se acuerda cualquiera, al contemplarle en tales momentos, de Gil Blas, de don Pablos, de Patricio Rigüelta; pero como este último, todos esos personajes con un tinte aldeano, que hace de esta mezcla algo digno de la

---

[60] "Es de notar que en el pueblo de Bonifacio, como en otros muchos de los de su orden, se entendía por romanticismo leer muchas novelas, fuesen de quien fuesen, resucitar versos de Zorrilla y del duque de Rivas, de Larrañaga y de don Heriberto García de Quevedo (salvo error), y representar *El Trovador y el Paje, Zoraida* y otros dramas donde solía aparecer el moro entregado a un lirismo llorón, desenvuelto en endecasílabos del más lacrimoso efecto". (*Su único hijo*, Buenos Aires, 1944, pág. 21).

[61] Véase S. Beser, *Sinfonía de dos novelas*, en *Ínsula*, núm. 167.

[62] *Oo. Ss.*, pág. 923.

égloga picaresca, si hubiese tal género" [63]. La referencia a la literatura se convierte en característica personal de su estilo narrativo: "Arqueta no pudo conocer, de seguro, si la ministra era una de las catorce señoras malas del Padre Coloma" [64]. Algunos relatos son recreación, y a la vez examen, de antiguos temas literarios, referidos a una determinada obra; así *El viejo y la niña*, a la comedia de Moratín, y *Nuevo contrato*, al *Fausto* de Goethe. En otros simboliza y caricaturiza en el personaje central —Eufrasio Macrocéfalo [65], Zurita, el doctor Pertinax...— determinadas actitudes literarias o filosóficas.

[63] *Un candidato, P.,* pág. 214.
[64] *Doble vía, Oo. Ss.,* pág. 979.
[65] Personaje del relato *La mosca sabia,* recogido en *Solos de Clarín.*

CAPÍTULO III

CARACTERÍSTICAS DE LA CRÍTICA DE LEOPOLDO ALAS

"Cuando, buena o mala, se tiene una idea, se cree algo, es deber de todo hombre, en toda especie de trabajo social, procurar que cunda lo que él tiene por racional y justo ".

Leopoldo Alas (*Arte y Letras,* 1882).

"On exalte les petits et on rabaisse les grands; rien n'est plus bête ni plus immoral".

Gustave Flaubert (Carta a George Sand, 2-X-1862).

"I don't think that for any critic, who understands his job, there are any 'unique literary values' or any 'realm of the exclusively aesthetic'. But there *is,* for a critic, a problem of relevance: it is, in fact, his ability to be relevant in his judgements and commentaries that makes him a critic, if he deserves the name".

F. R. Leavis (*The Common Pursuit,* 1952).

1. INTERNACIONALISMO LITERARIO

Una valoración justa de la crítica de Clarín sólo puede conseguirse situando su producción dentro del panorama europeo. Alas supera la preocupación por los problemas culturales y literarios de límites estrechamente nacionales, reflejada siempre en sus escritos, y se abre a una perspectiva totalmente universal. Cuando se enfrenta a una obra lo hace teniendo tras sí la experiencia del lector formado en la meditación y estudio de lo escrito en otros países, pero consciente de las peculiaridades históricas que presenta la nación en que vive. Se puede hablar con plena razón, como ha hecho el americano W. E. Bull, del "internacionalismo" de Leopoldo Alas. Este "internacionalismo" se concreta de tres maneras distintas: como fuente de formación y enriquecimiento personal; como intención de adaptar y dar a conocer autores, obras o movimientos al público español —ejemplar modélico sería su actitud frente al naturalismo—; y, finalmente, la interpretación reveladora de autores extranjeros, en comentarios o estudios que tienen el mismo valor para el lector inglés que para el francés o español. Es en estos escritos, situados en la panorámica de la literatura continental, donde uno se da cuenta de la extraordinaria categoría de la crítica de Leopoldo Alas; pruebas de ello las encontraríamos en su actitud frente a Víctor Hugo, Renan, Baudelaire, Schopenhauer, Flaubert, Zola, Hegel, Nietzsche [1], Leopardi [2], Carlyle [3] y otros.

Las distintas literaturas nacionales eran para Clarín fragmentos de una sola unidad; ni el tiempo, ni el espacio, ni las lenguas, separan o limitan la belleza creada por los hombres; de ahí que hable de "la gran iglesia del arte universal", y pida que la enseñanza de la literatura debe tender a mostrar al estudiante "el parentesco de la poesía de todos los tiempos y de todos los pueblos" [4]. La concepción universalista de la literatura es un aspecto más de su profundo humanismo, pues en el hombre, sujeto y objeto del arte, ve la razón de su unidad.

Clarín acepta y sostiene que las obras literarias deben responder a unas exigencias propias del lugar y tiempo en que se escriben, pero considera que las grandes producciones artísticas son supe-

---

[1] Pérez de Ayala, en el prólogo a la edición argentina de *Doña Berta, Cuervo* y *Superchería* (Buenos Aires, 1942), indica que Clarín hablaba de Nietzsche a sus alumnos cuando aún era desconocido en España.

[2] Para la actitud de Clarín frente a Leopardi véase el artículo de J. Blanquat, *La sensibilité religieuse de Clarín*.

[3] Véase A. C. Taylor, *Carlyle et la pensée latine*.

[4] E. R., pág. 17.

riores a esos límites. Algunos autores llegan a adquirir carácter
nacional en otros países, gracias a la fidelidad y entusiasmo de los
lectores de aquella nación, pues, según Clarín, "en la vida intelectual de un pueblo no hay que atender sólo al que produce, sino
al que consume también; no sólo a los autores, sino al público" [5]; hablar de Zola en España es un "acto de crítica nacional"
"por lo que al público toca". Esta idea de la "nacionalización" de
las grandes obras extranjeras forma la base de los abundantes paralelos que aparecen en sus artículos, entre personajes, libros o
autores españoles y extranjeros: Marianela y Mignon, *El abuelo*
y *El rey Lear*, Ibsen y Echegaray, *La Montálvez* de Pereda con
obras de Tolstoy y Zola...

Clarín contempla siempre la literatura europea en función de
la conciencia de la decadencia cultural española. El 2 de enero
de 1892, escribe en *La Ilustración Ibérica*: "Hoy, que de nuestro
jugo tan poco podemos dar para alimento de la Cultura, es más
necesario que nunca asimilar lo extranjero, comprenderlo, sentirlo,
estudiarlo. Y quien dice lo extranjero, dice lo antiguo de todos los
países con literatura y ciencias propias". El mapa cultural europeo
se presenta a sus ojos como formado por tres potencias de "primer
orden intelectual" (Alemania, Francia e Inglaterra); y, en un segundo plano, Italia en un período de gran fecundidad, y los países
periféricos, entre los cuales la novela rusa y el teatro nórdico se
aproximan a una primera categoría intelectual. En España sólo
destaca la novela y la obra de Menéndez Pelayo; en general, la
situación de España dentro de este panorama es desoladora pues
ni siquiera estos limitados esplendores tienen resonancia europea,
además, se encuentran dentro de corrientes y tendencias nacidas
en otros países. Al examinar la historia de la cultura española, L.
Alas ha sabido ver claramente que desde finales del XVII, nuestro
arte, nuestra literatura y nuestro pensamiento se originan en movimientos surgidos en otros países europeos; España ha dejado
de intervenir en la dirección de la cultura europea, papel que, salvo
alguna excepción, están desempeñando Inglaterra, Francia y Ale-

---

[5] *E. R.*, pág. 57.

manía; "somos un pueblo —escribe Clarín— [6] que sigue impulsos extraños, corrientes de una vida que él no engendró, pero que son las que impone hoy la conciencia europea, adelantamos algo con un progreso que no se nos debe ni nos entusiasma... Nada de esto es muy alegre... pero es lo menos malo que se puede escoger". La conciencia de esta decadencia no se presenta, sin embargo, como un mal irremediable: "España puede aspirar a seguir viviendo dignamente, relativamente progresando con el movimiento general del mundo; pero ya no será original ni fuerte" [7]. Lo característico de esta decadencia cultural reside en la pérdida de la originalidad creadora. El concepto que Clarín tenía de ésta debía estar muy cercano al de su maestro don Francisco Giner, quien veía la "originalidad de un pueblo" determinada por dos elementos: "La continuidad de la tradición en cada momento de su historia y la firmeza para mantener la vocación que la inspira y hacerla efectiva en el organismo de la sociedad humana" [8]. La continuidad de la tradición se había roto ya en el siglo XVIII, al no haber podido adaptarla a los nuevos tiempos.

El conocimiento de la literatura europea se presenta a los ojos de Clarín como fuente fertilizante de la española; de ahí su fuerte reacción contra el tradicionalismo oscurantista y el cerrado nacionalismo. En el segundo artículo de la serie titulada *Lecturas*, ataca la actitud negativa de aquéllos frente a las influencias europeas; en todas las épocas, incluso en las de mayor brillantez, nota Clarín, se ha acogido a los movimientos extranjeros, porque éstos no matan la individualidad literaria de una nación sino que la vigorizan y renuevan; en el XIX, se presentan como la única posibilidad de vitalizar la cultura española: "Considerando ante todo —afirmaba en ese escrito—, que el pensamiento vive fuera de España hoy una vida mucho más fuerte y original que dentro de casa; viendo imparcialmente, aunque sea con tristeza, que lo más *actual*, lo más necesario para las presentes aspiraciones del espíritu viene de otras tierras, y que lo urgente no es quejarse en vano, sino procurar que

---

[6] *N. C.*, pág. 12.
[7] *N. C.*, pág. 11.
[8] *Estudios de literatura y arte*, pág. 177.

esas influencias, que de todos modos han de entrar y conquistar-
nos, penetren mediante nuestra voluntad, con reflexión propia,
pasando por el tamiz de la crítica nacional que puede distinguirlas
y aplicarlas como debe a los pocos elementos que quedan del antiguo vigor espiritual completamente nuestro" [9]. Una de las funciones primordiales que Clarín asignaba a la crítica, la de "policía"
y valoración, no la cumple cuando se enfrenta con la literatura
extranjera. El ojo vigilante del crítico ha de buscar, en los otros
países, escritores, obras, movimientos, que abran caminos hacia el
arte del futuro; una vez descubiertos, ha de discernir que parte de
ellos pueden ser seguidos por la tradición literaria nacional.

El conocimiento que Clarín muestra de la literatura universal
es extraordinario; estuvo al corriente de lo que ocurría en toda
Europa, especialmente en Francia. Tal vez Menéndez Pelayo o Valera tuvieron un conocimiento de la literatura extranjera igual al de
Alas, incluso respecto algunos géneros y países superior al del
catedrático de Oviedo; pero, en ninguno de los dos, este conocimiento se transforma en materia viva y polémica que intenta tras-
plantarse al ser de la cultura española. Aunque, ya en los primeros escritos de Alas aparece este mirar por encima de las fronteras
nacionales, con el tiempo aumenta la importancia que concede al
movimiento intelectual europeo, y llega a dedicarle numerosos artículos, algunos de ellos de los mejores que escribió. En *Ensayos
y Revistas* ocupan casi la tercera parte del libro; en *Mezclilla*,
señalaba él mismo que, en aquel libro, hablaba más de escritores
extranjeros que españoles, y, en el primer trabajo de este volumen,
Lecturas, al presentar una colección de artículos que habían de
llevar este título, afirmaba que su propósito es popularizar la literatura, para ello hablará sólo de las "letras clásicas", "la antigua
literatura española" y la "literatura extranjera".

El norteamericano W. E. Bull intentó, en un artículo titulado
Clarin's Literary Internationalism, valorar el conocimiento que nuestro escritor poseía de la literatura universal; Bull pretende experimentar, en este trabajo, una técnica de "análisis cuantitativo" de
los nombres de escritores extranjeros que Clarín menciona; se basa

---

[9] *M.,* pág. 18.

en la suposición de que un autor habla más de las cosas que mejor conoce y más le estimulan. Anota el texto que aparece junto a un autor u obra y, según la frecuencia de mención, si es cita directa o indirecta, si hay o no una referencia al contenido de la obra, establece una cuádruple gradación: 1 — gran familiaridad, 2 — familiaridad, 3 — conocimiento, 4 — mención. El método seguido presenta bastantes inconvenientes, aumentados por no haber examinado Bull ni los artículos no recogidos en libros, ni los prólogos, ni las obras de creación, donde cita a varios escritores europeos. Parece desconocer el libro *Mezclilla,* precisamente aquel en que las menciones de autores extranjeros tienen mayor importancia. Luis Santullano, en un artículo publicado en *Ínsula* el año 1952, *Alabanzas y vejámenes ultramarinos,* hacía una atinada crítica de este trabajo de Bull. Lo primero que destaca el investigador norteamericano es la muy frecuente mención de nombres extranjeros, lo que demuestra que Clarín miraba los problemas literarios desde una perspectiva universal. Leopoldo Alas aparece en este examen como un hombre orientado hacia su tiempo, y particularmente hacia Francia. Los norteamericanos tienen un papel poco importante, excepto el historiador de la literatura española Ticknor. De los ingleses posee un conocimiento mayor; algunos de ellos —Shakespeare, Carlyle, Spencer— se hallan entre sus lecturas preferidas. La literatura italiana está a la par con la inglesa. Del resto, excepto Alemania y Francia, da la impresión que sólo posee algún conocimiento esporádico. De Rusia siente gran interés por Tolstoy, Gogol, Turguenev, Dostoievski y Pushkin. Ibsen y Amiel están entre los autores mejor conocidos. En conjunto dominan los nombres franceses y alemanes; de estos últimos cita cuarenta y cuatro, aunque algunos de ellos son parte de un recurso cuya única finalidad parece ser impresionar al lector. No todos son literatos, hay historiadores, teólogos y tratadistas de derecho. Muestra un conocimiento bastante amplio de Goethe, Heine, Wagner, Hegel, Schopenhauer, Ihering, Richter, Schiller, Kant, Nietzsche, Haeckel, Schlegel y Freitag. Los siete escritores más veces citados son, según Bull: Zola, ciento cuarenta y siete veces; Flaubert, noventa veces; Shakespeare, ochenta y seis; Victor Hugo, setenta y cinco; Goethe, sesenta y cuatro; Renan, cincuenta; y Balzac, cuarenta y ocho. A veces

las menciones de nombres extranjeros resultan excesivas, incluso
tienen algo de exhibicionismo pueril; en *Un discurso de Núñez
de Arce,* por ejemplo, da dos largas listas de poetas alemanes, or-
denadas alfabéticamente, ninguno de los cuales vuelve a ser citado
en sus escritos. Las referencias a autores extranjeros predominan
en artículos sobre los aspectos literarios en que la cultura española se encuentra en peor situación: poesía y pensamiento particularmente. En los artículos dedicados a *Dolores* de Balart, menciona
un solo autor español, Aguilera, al lado de Dante, Shakespeare,
Goethe, Victor Hugo, Lord Byron, Leopardi, Baudelaire, Verlaine,
Bergson, Leconte de Lisle, Taine y Shelley; y, en la crítica al libro
de Unamuno, *Tres ensayos,* encontramos los nombres de Renan,
A. France, Ruskin, Schopenhauer, Nietzsche, Lachelier, Bergson,
Boutroux, Simmel, Protágoras, Montaigne, Pascal ("a quien yo
—escribe— quisiera que Unamuno estudiara mucho para... evi-
tarlo"), Couturat, Gibson, James y muchos otros.

La preocupación e interés por la literatura europea se refleja
también en las lecturas de los personajes de *La Regenta*; en el brillante estudio de Brent en torno a este tema, encontramos una extensa lista de autores extranjeros que aparecen citados en la novela:
Marcial, Homero, Teócrito, Bías, Mosco, Lucrecio, Dumas, Pigault-
Lebrun, Paul de Kock, Hugo, San Agustín, Chateaubriand, Pascal,
Renan, Lutero, Comte, La Bruyère, etc.

Particular atención merece su actitud general ante la cultura francesa. Leopoldo Alas muestra un conocimiento de su literatura comparable al que podría tener cualquier crítico francés
de la época; en sus escritos nos habla no sólo de obras y autores,
sino también de revistas, polémicas, en fin, cuanto integra la vida
literaria de una nación [10]. Tras su paciente labor de sumas y restas,
Bull llega a la conclusión de que el número de autores franceses

---

[10] A través de sus artículos se muestra como asiduo lector de estas
publicaciones: *Nouvelle Revue, Revue Britannique, Journal des Débats, Revue Politique et Littéraire, Revue du Monde Latine, Le Figaro, Revue Poé-
tique, Le Temps,* y la *Revue des Deux Mondes.* Esta última es la que,
desde sus artículos de *El Solfeo,* cita más a menudo; se encuentra incluso
en el casino de Vetusta. En sus escritos, Alas, por lo general, reacciona
contra los críticos y la mentalidad de esa revista francesa.

citados es de 782, con 35 de los cuales denota una gran familiaridad. La posición de Clarín frente a Francia y su literatura fue objeto de un meritorio estudio por parte de Hans Juretschke [11], aunque creo equivocada la insinuación final de que en el escritor asturiano se repite, frente al vecino país, un proceso idéntico al seguido por Larra: super-estimación primero, y decepción después. Para él, Francia fue siempre el centro de la cultura europea, pero su entusiasmo no le cegó en ningún momento; así tras escribir que la consideraba "el moderno *umbiculum terrae*, el centro de todas las miradas, el atractivo supremo de la civilización moderna" [12], señala en sus escritores algunos defectos, resultado de una serie de características nacionales; uno de ellos lo veía en la falta de la debida consideración hacia las literaturas no francesas. Juretschke indica que Clarín es el primer español que adopta ante Francia una actitud carente de prejuicios, presentándose como un puente entre el XIX y la generación del 98. Tal vez sea algo arriesgada la primera de estas afirmaciones, pero es evidente que Clarín rompe con las posiciones predominantes entre los españoles frente a la cultura gala: menosprecio o exagerada francofilia. En algunos de sus artículos, ataca a los "pedantes españoles" que afectan desdeñar las ciencias y letras francesas; así, en la crítica de la obra de Daudet *Numa Roumestan*, afirma: "La influencia de las letras francesas en las españolas es tan grande, que suele servir de tema a los académicos catecúmenos para probar su patriotismo literario protestando enérgicamente, y no sin algún galicismo, de este pernicioso influjo, que, según los seudoclásicos, nos trae, con la corrupción de las costumbres, la corrupción de las leyes, y otra porción de cosas podridas" [13]. Una de las notas que destacará en Camus, catedrático de latín de la Universidad Central, será su consideración de París como "centro del moderno *humanismo*" [14]. Esta actitud objetiva de Camus contrasta con la ridícula "francofobia" de los "pedantes" y "académicos catecúmenos", y con la menos explicable del grupo español de mayor altura intelectual durante la se-

---

[11] *España ante Francia*, págs. 90 y ss.
[12] *E. R.*, pág. 219.
[13] *N. C.*, pág. 359.
[14] *E. R.*, pág. 28.

gunda mitad de siglo: los krausistas, quienes unieron a su simpatía germánica el desdén hacia la cultura francesa [15]. Giner de los
Ríos dedicó gran parte de uno de sus mejores trabajos de crítica
literaria a atacar la influencia de la literatura del vecino país,
"pretender modelar —escribía— nuestra literatura sobre la suya
es empobrecernos a nosotros, sin enriquecerla a ella. Desgraciadamente, no siempre hemos resistido ese funesto poder de la imitación, de que difícilmente escapan los escritores ligeros e incapaces
de ahondar en la esencia de las cosas y expresarla libremente;
harto tiempo, llevando por guía a un ciego, ha caminado nuestra
literatura de vacilación en vacilación, de extravío en extravío, y sí
no se ha perdido para siempre, es porque nuestro pueblo tiene tradiciones y elementos de vida propia" [16]. Clarín no siguió nunca a
los krausistas en su aversión hacia lo francés, aunque heredó de
ellos el conocimiento y simpatía hacia la cultura germánica y hacia
determinados autores, Amiel por ejemplo. En Núñez de Arce, Valera y otros escritores encontramos la misma reacción antifrancesa
que en Sanz del Río y seguidores; de intentar una caracterización
de las generaciones de 1868 y de la Restauración, la actitud frente
a la cultura francesa sería una de las principales notas delimitado-
ras. Valera como Giner de los Ríos [17] reconocía a Francia, sin embargo, el poder único de difusión de la cultura; en 1876, escribía
a la adaptadora francesa de *Pepita Jiménez*: "Para un escritor
español es la coronación del éxito que en Francia se ocupen de él.
Nuestras desgracias nos tienen muy abatidos: dudamos del valer

---

15 Aspecto estudiado por López Morillas en su libro *El krausismo es-*
pañol.

16 Artículo *Consideraciones sobre el desarrollo de la Literatura moder-*
na, ob. cit., pág. 175.

17 Giner de los Ríos, en el artículo citado antes, había escrito: "Nación,
la francesa, cuyo carácter ligero y expansivo, cuyos antecedentes, cuyo idioma, cuya misma posición geográfica, hacen más propia para difundir ideas
y sistemas que para producirlos, ha ejercido un influjo casi siempre notable sobre el resto de los pueblos de Europa. La clásica Italia, la reflexiva
Inglaterra, la docta Alemania, la apartada Rusia, han sufrido o sufren
este influjo, que se determina, ya en la esfera de las relaciones sociales,
ya en la de la política, ya en el arte, ya en todas ellas a un tiempo".
(Página 174).

de nosotros mismos, y como Francia es muy admirada entre nosotros, cualquiera alabanza que nos viene de ahí nos realza y magnifica a los ojos de nuestros conciudadanos. Confieso candorosamente que nada puede serme más grato que verme traducido o comentado y extractado en francés" [18].

Clarín cree que la influencia y difusión de la literatura francesa en España es tan importante que puede considerarse, en cierta forma, como elemento de la nuestra; por eso en algunos de sus artículos interviene en polémicas que se desarrollan al otro lado de los Pirineos. El ejemplo más valioso de este "vivir en Francia" sería el estudio dedicado a Baudelaire que se presenta como una réplica a las afirmaciones de algunos críticos de aquella nación, particularmente Brunetière. Al examinar "los libros más notables de Francia —escribe en *Nueva campaña*— [19] no se hace más que apreciar uno de los datos que es preciso tener en cuenta al estudiar nuestra transformación literaria"; el motivo lo señala en la influencia que tienen "en el gusto y opinión del público y autores". Francia se presenta también como el puente a través del cual España se une a Europa; es el caso del mismo Clarín que llega a los escritores nórdicos y rusos a través del vecino país. El "afrancesamiento" de la cultura española le parece de tal grado que, en el prefacio a los *Solos de Clarín,* escribe con cierta ironía: "ahora los muchachos españoles somos como la isla de Santo Domingo, en tiempos de Iriarte: mitad franceses, mitad españoles" [20].

Su interés por la literatura gala no es, como prueba el artículo sobre Baudelaire o la oposición a Brunetière, de mera admiración; interviene en ella y la vive con una actitud polémica y crítica. En algunos escritos indica los peligros que este "afrancesamiento" comporta: la limitación de las posibles fuerzas vitalizadoras de nuestra cultura a un solo país —"aquí, en general, el hacerse europeo, es hacerse francés"— y la falta de correspondencia ente nuestra realidad histórica y los movimientos literarios o ideológicos que

---

[18] Véase Robert Pageard, *"Pepita Jiménez" en France, Bulletin Hispanique,* núms. 1-2, 1961.

[19] Pág. 360.

[20] *S.,* pág. 13.

intentan introducirse, dado el mayor adelanto de la nación francesa. A este respecto son importantísimas las manifestaciones que aparecen en un artículo publicado en *Arte y Letras,* el 1 de abril de 1883: "antes de sazón se ha criado aquí un espíritu crítico que todo lo mata en flor, lo mismo lo propio que lo ajeno. Como se lee lo que en Francia se escribe, se ha vivido con el pensamiento, por la lectura, todo lo que literariamente Francia vivió, y el cansancio que sigue a un excesivo trabajo cerebral, da por resultado ese refinamiento del gusto debido en parte a la debilidad, al agotamiento de las fuerzas. Pero lo que es más allá de los Pirineos consecuencia natural, es aquí afectación empalagosa (...). Sí, es malsano este escepticismo crítico que va siendo ya aquí patrimonio de las inteligencias más vulgares; no hay para qué darse en España por aburridos de muchas cosas que no hemos probado siquiera".

Las afirmaciones que escribió en una de sus críticas a *Los Pazos de Ulloa* —"El público español, que algo entiende de estas cosas, es *público francés* también, y compra y lee los libros franceses a los pocos días, a las pocas horas, a veces, de ser publicados (...). Los que aquí leen con algún criterio y gusto son los mismos que conocen la literatura contemporánea francesa igual o más que la de casa"— [21] podrían aplicarse con toda razón a él mismo, pero sin olvidar que la actitud crítica con que se enfrenta a la literatura francesa y el conocimiento de lo escrito en otros países, principalmente en Alemania, le salva de caer en un estéril entusiasmo imitativo [22].

---

[21] *La I. I.,* 29-I-1887.

[22] Su simpatía hacia Francia superó el campo cultural y se muestra también en la política; el 7 de julio de 1896, publicaba, en *La Publicidad,* una "revista mínima" defendiendo la necesidad de buscar un aliado en Europa, su conclusión era "Con Francia o con nadie". Ya en artículos de *El Solfeo* y *La Unión* había mostrado un gran interés por la política francesa, alegrándose de las victorias de sus grupos políticos radicales como de cosa propia.

2. LA CRÍTICA DE CLARÍN Y LA FUNCIÓN DEL CRÍTICO

Ya he indicado que Leopoldo Alas no nos dio nunca una obra
crítica sistemática o de conjunto; sus trabajos son todos artículos
más o menos largos, serios o irónicos, sobre temas, libros o autores
de actualidad. Hay que tener presente, en cualquier clase de estudio sobre su crítica, esta última característica: casi toda su producción crítica aparece en "servidumbre de actualidad". Los títulos de algunos de sus libros intentan dar idea del sentido de lucha,
de búsqueda de público y deseo de ser entendido que le dominó:
*Solos de Clarín, Nueva campaña, Sermón perdido, Crítica popu-
lar...*; otras veces el título viene dado por el contenido de la
obra, así *La literatura en 1881, Palique, Ensayos y Revistas, Siglo
pasado.*

Clarín no hizo ninguna clasificación de sus artículos, pero los
escritos, aparecidos en un mismo periódico, acostumbran a tener
unas características comunes que dan a esa serie de artículos cierta
unidad que se refleja a veces en la denominación general que reci-
ben. En las páginas de *El Solfeo* y *La Unión* encontramos ya esta
tendencia a agrupar sus escritos; así aparecen las secciones: "Azotacalles de Madrid", "Libros y Libracos", "Palique", "Teatros",
"Speculum justitiae"; la mayoría de los artículos no llevan, sin
embargo, ningún título genérico. Entre las denominaciones que pos-
teriormente utilizará, hallamos: "Ensayos", "Madrileñas", "Propaganda", "Satura", "Teatro crítico"[23], "Lecturas", "Revista mínima", "Revista literaria", "Novedades literarias"... De todas ellas
"palique" es la que presenta unas características más específicas.
Se trata, tal vez, de su tipo de crítica más personal, aunque no el
mejor. En primer lugar, es un escrito periodístico lleno de vivaci-
dad e ironía, situado, a menudo, entre la crítica satírica y el artículo de costumbres, alguno incluso bordea los límites de la narración.
Para el lector actual sus notas más importantes son la gran dosis

---

[23] En el "palique" *La Parietaria,* publicado en *Madrid Cómico,* señala
que, antes de que la Pardo renovase el título del P. Feijóo, él lo había
utilizado ya en artículos aparecidos en *La Justicia.*

de imaginación y la riqueza lingüística que contienen. A los "paliques" debió Clarín gran parte de su popularidad como crítico. Estos artículos eran esperados y temidos; escritores mediocres, Cánovas, los académicos, Pidal, el "chauvinismo", los conservadores…, eran generalmente sus víctimas, y la herida que provocaban, la más dolorosa para todos estos fantoches: el ridículo. Este tipo de crítica lo practicó durante toda su vida. A través de ella podemos seguir hoy la historia "menuda" de la literatura y de la cultura de aquella época e, incluso, de la sociedad que la producía. "¡Con qué avidez leíamos los *paliques* de Clarín! —escribe Narciso Alonso Cortés— [24]. ¡Cuánto aprendimos en ellos! ¡Cómo nos enseñaron a aquilatar los valores, a perfilar los rasgos, a distinguir lo auténtico de lo engañoso! A veces traducíamos alguna injusticia, algún exceso de violencia en el ataque; pero aun en esos casos no dejábamos de admirar el gracejo y la sutileza del crítico. Ocurría, sin embargo, que lo que más nos deleitaba era la intención y la sal de las *palizas,* sin que nos metiésemos a averiguar si eran justas o no".

La mayoría de los "paliques" no han sido recogidos en volumen, viven olvidados entre las páginas de los periódicos y revistas en que su autor los publicó. La parte más numerosa de ellos corresponde a su colaboración en el *Madrid Cómico.* Podemos afirmar que el "palique" y el *Madrid Cómico* van unidos en la producción crítica de Clarín; algunos, sin embargo, aparecieron en otras publicaciones: *El Solfeo, La Unión, El Progreso, La Ilustración Ibérica, El Día…* Clarín mismo declaró que el nombre intentaba dar idea de modestia, "porque palique vale tanto como conversación de poca importancia" [25]. En el folleto *Museum,* dice de ellos: "yo con mis *paliques* no me meto a descubrir nada, ni pretendo rozarme con los verdaderos eruditos; y en cambio tengo la pretensión de predicar el buen gusto y la lealtad y la franqueza en la crítica, y por esto me pagan de un modo decoroso" [26]. En el volumen *Palique,* recoge uno de estos escritos, titulado *Palique del palique,* que viene a ser una defensa del género; con él responde

[24] *Clarín y el "Madrid Cómico",* pág. 44.
[25] *P.,* pág. VIII.
[26] *Mu.,* pág. 12.

a las quejas de quienes le pedían dedicase sus fuerzas a la crítica tipo ensayo. Sus médicos espirituales, escribe, le dicen: "¡No trabaje usted tanto! Es decir, no escriba usted tanto, no desparrame el ingenio (muchas gracias) en multitud de articulejos... no escriba usted esas resmas de críticas al por menor; haga novelas, libros de crítica seria... de erudición... y sobre todo menos articulillos cortos... ¡Esos paliques!... ¡Pobres paliques! Como quien dice: ¡Pobres garbanzos!". A estos consejos contesta que es allí, en el "palique" donde su personalidad se desenvuelve más a gusto; ha nacido para escritor —"no sé hacer otra, aunque tampoco ésta la hago como fuera del caso"— y tras demostrar que él no sirve para notario, añade: "no sirvo más que para *paliquero* (...) al fin seré un *paliquero* más o menos disimulado. Así nací para las letras, así moriré. Desnudo nací, desnudo me hallo, ni pierdo ni gano". Pero por debajo de las numerosas ironías aparece la que tal vez era la causa principal de este tipo de escritos: "Veo que la *opinión* quiere *paliques* y hasta los paga, aunque no tanto como debiera... pues allá van ¿qué mal hay en ello? 'Que me gasto' ¿Qué me he de gastar? Más me *gastaría* si me comiera los codos de hambre". Termina el artículo con esta graciosa definición de palique; "modo de ganarse la cena que usa el autor honradamente, a falta de *pingües* rentas" [27]. En el prólogo del libro donde se recoge este artículo, no encontramos tan pobre opinión de los paliques; al contrario manifiesta que con ellos cree hacer una útil labor de crítica "higiénica y policíaca" y, al mismo tiempo, estar escribiendo la historia social de nuestra literatura; "no es el mejor tipo de una raza —afirma— el que más duró, sino el que reúne en menor proporción sus principales caracteres. Pues bueno, en esta crítica... aplicada, en que van mezclados con la pura literatura los *escombros* de las cosas extra-artísticas en que los fenómenos artísticos que se estudian se produjeron, puede haber señales de los tiempos, caracteres típicos que más adelante acaso tengan un valor que hoy no conocemos, porque no nos colocamos respecto de ellos en el punto de vista arqueológico" [28]. A lo largo de todo el prólogo pa-

---

[27] *P.,* págs. 207, 208, 209 y 212, respectivamente.
[28] *P.,* págs. XXVIII-XXIX.

rece insinuar que esta clase de crítica es precisamente aquella por
la que siente mayor cariño; "puedo decir que cuando más lucho
es cuando escribo estos *paliques* que algunos desprecian, aun apre-
ciándome a mí por otros conceptos; estos *paliques* que muchos
tachan de frívolos, malévolos, inútiles para la literatura. Son inútiles por la pobreza de mis facultades, no por la intención, no por
la naturaleza" [29].

Al lado de este tipo de crítica que caracteriza los "paliques",
encontramos los estudios serios, examen elaborado y sugerente de
una obra literaria, que son los que a nosotros nos interesan. En
estos trabajos, Leopoldo Alas muestra muy a menudo su intimidad. A través de ellos es fácil seguir sus balanceos ideológicos, relacionados con la continua elaboración de sus ideas filosóficas y
estéticas. Hans Juretschke dice de él [30] que se acerca alternativa-
mente al romanticismo, naturalismo, simbolismo, idealismo, positivismo, misticismo..., pero su eclecticismo no le permite adoptar
ninguna de esas posiciones, ni, habría que añadir, olvidarse totalmente de las otras.

Aunque Clarín da gran importancia a la forma de la obra examinada tiende en general a estudiar el contenido, intentando encontrar un punto al que referir sus juicios; de ahí que muchos de
sus estudios consistan en un paralelo, contraste o comparación con
otra obra, autor o personaje. Esta técnica de crítica, que podríamos
calificar de "comparativa" es la que utiliza, por ejemplo, en el
comentario a *El abuelo* de Galdós, donde declara "los estudios com-
parativos suelen ofrecer curiosidad y enseñanza" [31]. En este artículo
contrasta el libro de Pérez Galdós con *El rey Lear*. Otras veces el
punto de referencia alrededor del cual construye su crítica es una
característica de la propia obra examinada. Este recurso lo emplea,
por ejemplo, en varios artículos que giran alrededor del naturalismo; en el estudio dedicado a Verlaine [32] el punto de referencia
es la sinceridad, y en el examen de *La terre* de Zola, el poder del

---

[29] *P.*, págs. XXI-XXII.
[30] *España ante Francia*, pág. 100.
[31] Artículo recogido en el vol. I de las *Obras Completas*, publicadas por
Ediciones Renacimiento, Madrid, 1913.
[32] *La I. E. A.*, 30-IX-1897.

arte de comunicar la "tristeza" de la vida. El tipo más abundante
de estudio es el que se limita a examinar una obra, siguiendo, dentro de su tendencia a divagar, un orden más o menos parecido a
éste: como ha sido acogida por la crítica y el público, lo que representa dentro de la sociedad y dentro de la producción del autor,
los caracteres —a cuyo estudio acostumbra a dar gran importancia—, la acción o argumento, y el lenguaje. Según las características
de la obra estudiada da a cada uno de estos aspectos mayor o menor importancia, suprimiendo o añadiendo otros. Pero a quien no
olvida en ninguno de sus estudios es al público, la sociedad para
la cual escribe; así en el comentario dedicado a *La Fe* de Palacio
Valdés corta su examen para exclamar: "¡Qué miserable tiempo,
qué triste tierra, la tierra y el tiempo en que se puede decir, sin
que sea escándalo, que es impío un libro como *La Fe* y que es
piadosa una política como la de Pidal!" [33]. Si sostenía que "la
literatura se relacionaba estrechamente con otros muchos intereses
de la vida" [34], era imposible que al hacer crítica olvidase esos
intereses de la vida.

El eclecticismo que mostró frente a la teoría crítica se refleja
también en su producción, por eso es casi imposible descubrir un
método crítico común a todos sus artículos. La característica más
notable y la que da mayor variedad y valor a sus estudios es su
"pragmatismo"; no enfrenta a la obra estudiada un método determinado de examen, sino que lo elabora a medida que avanza el
artículo. Por eso Rodó, en el importante estudio que dedicó a la
crítica de Clarín, pudo distinguir, entre sus artículos serios, cuatro
clases distintas de críticas.

Las dos actitudes con que L. Alas se enfrenta a la obra literaria han dificultado la valoración de su producción crítica. Melchor
Fernández Almagro, por ejemplo, dice de ella que "asciende al
ensayo —en que la valoración de autores y libros se diluye— o
queda en sátira donde el vejamen, por ingenioso que sea —y nunca
deja de serlo— no aclara nada" [35]; estas palabras, que contienen

---

[33] *E. R.*, pág. 374.
[34] *Un. v.*, pág. 13.
[35] *Leopoldo Alas y Clarín* en *Ínsula*, Madrid, núm. 31, 1948. Esta actitud de cierta subestimación de la obra crítica de Clarín no aparece en su

un claro tono peyorativo, son una prueba del desconcierto que causa a un lector superficial de Clarín la diferencia de contenido e intención existente entre sus artículos. Por el contrario, Ricardo Gullón señala que no puede separarse el palique de los ensayos, pues los dos tipos de crítica están encaminados a un mismo fin, incluso en estos últimos aparecen notas de humor [36]. La misma idea sostiene E. J. Gramberg en su libro dedicado al estudio del humorismo de Clarín.

El conocimiento de la finalidad que para Leopoldo Alas tiene la crítica, el saber que le mueve a examinar las obras de otros escritores, el descubrir para quién y por qué escribe, nos ayudará a valorar su personalidad literaria. Su concepto de la función del crítico viene dado por el ansia de reforma y educación que le domina, y coincide con gran parte del pensamiento de los hombres del siglo XIX, que después recogerían entre excesos individualistas y meditaciones abúlicas los escritores del 98. Alas se situaba así dentro de una tradición que, arrancando de fines del siglo XVIII, se había ya enraizado en la cultura española, tradición que podría tener como lema el verso de Quintana: "Mente ambiciosa / vuélvete en fin a mejorar el hombre". Aribau había escrito en 1815: "El poema que no se dirija a mejorar al hombre no es poema, es un abuso de la poesía".

El fin de la crítica nos dice en los *Solos* [37] no reside en limitarse a afirmar si la obra es buena o mala; hay que examinar los problemas que contiene el asunto y ver las relaciones que presentan con la vida; hay que luchar, además, para que continúe el avance por el camino del progreso [38]. El crítico literario defenderá las obras de mérito que presenta el panorama literario del país, dedicando sus esfuerzos "a procurar que resalte lo poco bueno que nos queda, a venerarlo y estudiarlo con atención y defenderlo con entusiasmo" [39]; pero, al mismo tiempo, tendrá presente que una de

---

artículo *Crítica y sátira en "Clarín"*, publicado en 1952 en la revista *Archivum.*

[36] *Clarín, crítico literario*, en *Universidad*, Zaragoza, 1949.
[37] *S.*, pág. 125.
[38] *S.*, págs. 75-6.
[39] *N. C.*, pág. 13.

sus funciones primordiales reside en propagar el arte, popularizan-
do la literatura. Esta actuación "didáctica" del crítico viene exigida
por el concepto que Alas tiene de la literatura como parte de la
cultura colectiva [40]; el crítico será el medio que relacionará el
arte con ese enorme y vasto público, anodino y gris, que hasta entonces se había mantenido alejado de él; este papel de "interme-
diario" lo propugna con gran claridad en un párrafo de *Ensayos
y Revistas,* donde afirma que por ahora los novelistas, los poetas y
los artistas "no serán comprendidos del todo más que por otros
artistas especiales (los verdaderos críticos) que deben ser oídos por
todos los hombres" [41]. Una de sus principales intenciones, añade,
será siempre el estudio de las *personalidades* literarias, sin olvidar
el examen de los adelantos e innovaciones de los escritores jóvenes
y la decadencia de los que declinan. El crítico ha de atacar las
obras de escasa calidad; pero la censura amarga, el análisis cruel
no es su misión principal, "sino que además de esto, las pocas veces que se encuentra con algo admirable, debe emplear sus argumentos, su especial elocuencia en *desdoblar* las bellezas, en presentarlas a la atención vulgar para que ésta se fije, aprenda a ver y
acabe por comprender y gozar de lo bello" [42]. Su papel principal
es ante todo de "propagandista" de la buena literatura [43], pero esta
"propaganda" no es función específica del crítico sino reflejo, en
el plano de la crítica literaria, del compromiso del individuo con
la sociedad de que forma parte; "cuando buena o mala —escribe
el 1 de julio de 1882 en *Arte y Letras*— se tiene una idea, se cree
algo, es deber de todo hombre, en toda especie de trabajo social,
procurar que cunda lo que él tiene por racional y justo". Para
Leopoldo Alas la crítica es un oficio más dentro del engranaje social a que el hombre pertenece: "Ni el bombero ni yo miramos

---

[40] "Las letras no pueden continuar siendo lo que fueron en esas épocas intermedias, de transición, un divertimento de gente despreocupada y
erudita... pasa la literatura de ser escogidísima diversión de unos pocos,
a ser parte integrante del espíritu culto de la generalidad" (*L. 1881,* página 147).

[41] *E. R.,* págs. 311-312.

[42] *Un v.,* pág. 36.

[43] *Propaganda* es precisamente el título que Alas dio a la serie de artículos publicados en *Arte y Letras.*

nuestro oficio como los juegos del Circo. Ni el mundo es una pista, ni el fin de la vida *ganar un premio*" [44].

De todo lo que llevo dicho se desprende fácilmente que Leopoldo Alas considera la labor del crítico como vinculada al público-lector, por eso no se limita al examen aislado de la obra y en cambio, se desentiende, a menudo, de la problemática de las relaciones entre crítico y creador [45]. De ahí que la cuestión principal que, para Clarín, presenta un artículo es el encontrar una fórmula o estilo, a la vez, "útil" y "agradable"; la solución nos la da él mismo: "¡Lealtad y amenidad! éste es mi lema; la lealtad depende de mi albedrío; la amenidad no, pero sí el procurarla" [46]. La lealtad es su deseo ferviente y constante —"quiero ser justo, quiero ser franco, quiero ser imparcial"—; la posibilita la sinceridad, cualidad primordial de la crítica, para lograr la cual hay que huir de la benevolencia —"uno de los mayores males de nuestra vida literaria actual"— [47] y buscar la imparcialidad. Clarín cree cumplir todas estas condiciones: "aquí verán —decía en el prólogo a los *Solos*— una imparcialidad a prueba de bomba, a nadie se adula ni se le quitan notas". Las consideraciones que, en el relato *La Ronca*, hacía en torno a uno de sus personajes —el crítico teatral Baluarte, nombre que como ocurre en muchas narraciones de Clarín tiene cierto simbolismo—, podrían ser aplicadas a su autor; Baluarte poseía "la absoluta sinceridad literaria, que consiste en identificar nuestra moralidad con nuestra pluma, gracia suprema que supone el verdadero dominio del arte, cuando éste es reflexivo, o un candor primitivo, que sólo tuvo la poesía cuando todavía no era cosa de literatura. No escandalizar jamás, no mentir jamás, no engañarse ni engañar a los demás tenía que ser el lema de aquella sinceridad literaria, que tan pocos consiguen y que los más ni siquiera procuran" [48]. La sinceridad será una de las cualida-

---

[44] *P.*, pág. XXXI.

[45] "No me gusta decir que un artista debió tirar por aquí, y marchar por allí, en vez de emprender por donde emprendió, más sabe el loco en su casa que el cuerdo en la ajena" (*N. C.*, pág. 155).

[46] *Un v.*, pág. 12.

[47] *Un v.*, pág. 8.

[48] Cuento recogido en *El Señor y lo demás son cuentos*.

des que más alto lugar ocupa en su escala axiológica, precisamente es una de las bases de su actitud ética: "Lo moral en el arte —escribe en la crítica de *Maximina*— [49] es ser sincero principalmente".

El otro aspecto de su lema, la amenidad, lo logra aludiendo a intereses externos a la literatura y dando a sus trabajos, especialmente a los paliques, un tono alegre y satírico; por eso dirá, en el mencionado prólogo a la cuarta edición de los *Solos,* que una de las notas que considera más tolerables, en esta obra, es una "alegría que ¡ojalá Dios me conserve toda la vida!". Al encontrarse con autores y obras que carecían de valor literario se veía obligado a acudir a la sátira humorística, a la burla, para dar al artículo, a través de su forma expresiva, un interés que el tema no poseía. En sus últimos años, es este aspecto de la amenidad el que se resiente más; un ejemplo de ello lo tenemos en el artículo dedicado a Unamuno [50], que parece un memorial de pensadores europeos del momento.

La acusación hecha más a menudo a Clarín, en relación precisamente con su sinceridad, se refiere a la diferencia de trato que da, por un lado, a las figuras consagradas y, por otro, a las medianías y noveles; se ha dicho que mientras dedica a los primeros excesivos elogios, para estos últimos sólo tiene duros ataques e incomprensión. Esta idea es falsa; ni para las figuras son todo elogios, pues incluso, pese al fervor y veneración que siente por Galdós y Zola, señala defectos en ellos, ni frente a los noveles domina la incomprensión; cuantos de éstos llevaban algo nuevo y serio en su interior —Rueda, Unamuno, Azorín, Valle-Inclán...— fueron alentados por Clarín. Hay que tener presente que, si no valoró a la joven generación tanto como merecía, influyó mucho en ello que ésta se diese a conocer durante los años en que Leopoldo parecía apartarse de la Literatura; a esto, sin duda alguna, se debe que Unamuno acertase plenamente en una carta dirigida a Clarín, en que se quejaba de su silencio respecto de los jóvenes.

La acusación de apasionamiento en las alabanzas y en los dicterios fue corriente entre sus contemporáneos —Valera y Menéndez

---

[49] *M.,* pág. 210.
[50] *El I.,* 7-V-1900.

Pelayo, por ejemplo— [51], y ha llegado hasta nuestros días; así
Max Aub, en el *Discurso de la novela española contemporánea*,
declaraba: "No creo que su nombre de crítico sea duradero. Su
posición es antipática. Se ensaña con los tristes segundones sin importancia y pasa, como sobre ascuas, los defectos de los poderosos. De ambas facetas sacó fama desmesurada". Leopoldo Alas,
sin embargo, no dejó nunca de ser fiel a sus propias palabras: "yo
cuando escribo pienso en la justicia, no en la raza de pulgas que
tengan los autores" [52]; sólo en un caso, Castelar, la pasión ofus-
có sus comentarios. Si pareció que exaltaba excesivamente a algunas figuras, se trataba de una intención consciente que provenía de
la reacción ante las alabanzas dirigidas a escritores de segunda
fila; "Yo que soy demócrata de alma, en literatura creo que no he
pasado de las oligarquías", escribe en una carta a Menéndez Pelayo. Una de sus aspiraciones es imponer un orden de valoraciones
en el panorama literario español; para ello intentaba levantar, sin
cerrar los ojos ante sus defectos, las primeras figuras, de forma
que no pudiesen confundirse con el resto; en el folleto *Mis plagios*,
afirmaba: "Soy de los que creen en las jerarquías invisibles, a
venerarlas me consagro" [53]. Por el mismo motivo establece claras
diferencias con los escritores mediocres, hundiendo a los autores
de segunda fila que no aportan nada nuevo al arte, pero sin olvidar que también ellos forman parte de la literatura, y para conocer a ésta hay que tener presente "los productos de la medianía
y aun de la nulidad" [54]; el mal no está en ellos, sino en quienes les
colocan donde no merecen. Su arma frente a estos escritores será
la crítica satírica, alegre, muchas veces cruel, que busca producir
el ridículo; los ejemplos son numerosísimos, así en el libro *Solos
de Clarín* encontramos frases como estas: "lo peor que tiene el
señor Cano es que no sabe hacer comedias, y esto no es ofenderle
porque yo tampoco sé, ni mis lectores probablemente tampoco;

---

[51] A menudo se queja de que se le pida que no alabe tanto a las cele-
bridades, y que no trate de los escritores sin importancia.

[52] *Mu.*, pág. 14.

[53] *M. pp.*, pág. 131.

[54] *S.*, pág. 16.

casi nadie sabe hacer comedias" [55]. En *La literatura en 1881* utiliza parecido recurso y con la misma cruel ironía: a un poeta lo consuela, tras una durísima crítica, "vale más ser español —le dice— que poeta lírico", y le cita una serie de grandes hombres que no hicieron versos: Arquímedes, Goliat, Sansón, San Pedro, San Pablo, San Miguel Arcángel, etc.... [56]. En el folleto *Un viaje a Madrid* dice de una obra de teatro: "Tampoco me acuerdo bien de los defectos; sólo puedo asegurar así en conjunto que los había, es más, que no había otra cosa apenas" [57]. En *Sermón perdido* recogió un duro artículo contra el poeta Ferrari, al fin del cual declaraba que sus ataques no se dirigían contra aquel escritor sino contra los excesos de la crítica; entre los admiradores de Ferrari se encontraban Valera y Campoamor. Cuando hacia 1885 inicia una "nueva campaña" crítica, declara que los mayores esfuerzos los dedicará "a mostrar gráficamente, por la argumentación, por el ejemplo, por la sátira, como pueda, la pequeñez general, y a procurar que resalte lo poco bueno que nos queda, a venerarlo y estudiarlo con atención y defenderlo con entusiasmo" [58].

3. CRITICISMO, HUMANISMO Y HUMOR

La obra narrativa y crítica de Leopoldo Alas hay que verla como dos aspectos de una misma actitud ante la vida —los relatos— y ante la literatura —los artículos—; esa actitud, a la que denomino "criticismo", puede considerarse como caracterizadora de su pensamiento y producción. Incluso en los trabajos en que se aproxima a las corrientes más o menos espiritualistas o idealistas, el criticismo continúa siendo la base de su enfrentamiento a la realidad externa. L. Alas adopta, ante la sociedad en que vive, una posición crítica; no acepta las ideas, principios y lugares comunes con que esa sociedad se rige, sino que intenta desvelar los verda-

---

[55] *S.*, pág. 161.
[56] *L. 1881*, págs. 119 y ss.
[57] *Un v.*, pág. 82.
[58] *N. C.*, pág. 13.

deros fines que se esconden tras ellos. Clarín queda así inserto
dentro de la corriente racionalista que, desde el humanismo renacentista, venía siendo el núcleo de la cultura europea, corriente que
intentaba situar al hombre en una realidad conocida y gobernable.
Durante los años finales del XIX esta línea de pensamiento se enfrenta a una serie de movimientos irracionalistas, de raíz sentimental o intuitiva, que llegarán en algunos aspectos a caracterizar el
pensamiento de nuestro siglo. En Clarín, se reflejan estas dos tendencias del pensamiento europeo a través de una serie de contradicciones que enriquecen su personalidad y su obra.

La "actitud crítica" es resultado de la duda ante los valores
aceptados por la sociedad; esta duda no disminuye las posibilidades del pensar humano, sino que, por el contrario, las aumenta, al
situar al hombre en camino hacia la investigación y conocimiento
de los verdaderos valores que han de regir a la sociedad. En un
comentario al discurso de entrada de Menéndez Pelayo en la Academia de Ciencias Morales y Políticas [59], defendía el estudio del
"escepticismo y el criticismo" filosóficos —"grandes esfuerzos de
la inteligencia humana, empleados en negar o dudar, por lo menos,
del valor de nuestro conocimiento"— como lo más adecuado para
terminar con la intolerancia despótica de quienes "fundándose en
cuatro peticiones de principio, dan por hecho todo un sistema, para
explicar un *credo* político, económico o moral".

El criticismo, tanto filosófico como literario, Alas lo sabía muy
bien, no consiste en la duda del valor de nuestro conocimiento,
sino, de los conocimientos de la sociedad, y al mismo tiempo en
la búsqueda de unas bases que den seguridad a nuestros juicios.
Las preocupaciones primeras de Leopoldo Alas no están, sin embargo, en relación con los orígenes y principios de nuestro pensar
sino con su finalidad; de ahí la labor de desenmascaramiento de
todos los fines falsos que la sociedad de su tiempo propone al pensamiento, hasta quedarse con el único objetivo a que ha de aspirar el pensar humano: el hombre mismo. Toda su obra, tanto crítica como narrativa, representa a través de su "cristicismo" un enriquecimiento del hombre, es decir, una liberación del individuo

---

[59] *E. R.*, págs. 119-120.

de las fuerzas que le oprimen, liberación que se va forjando al denunciar las falsedades en que se sustentan esas opresiones.

"El crítico es ante todo un hombre", escribe en el prólogo a *Mi primera campaña* de Rafael Altamira, y como tal ninguno de los problemas que a éste atañen podrá serle ajeno. La famosa frase del *Heautontimorumenos*, "Hombre soy y nada humano me es ajeno", la encontramos citada en varios de sus artículos, y parece ser guía de todos sus escritos. El hombre se le presenta como una unidad de la que no puede separarse un solo aspecto; es una totalidad y hay que tener en cuenta todas sus características y condicionamientos; tampoco es una idea abstracta, sino todos y cada uno de los hombres: "Si amáis la democracia verdadera —declaraba en su discurso inaugural del curso universitario 1891-1892— [60] no olvidéis que todos los hombres merecen que se les tome por hombres del todo". Su problemática humanística no se refiere, pues, a una entidad mental sino al hombre de un tiempo y lugar determinado; desde ese tiempo y lugar hay que luchar para ofrecerle sus máximas posibilidades de realización. En la frase mencionada, Clarín parece adelantarse a su época para denunciar la que en nuestros días se presenta como la gran mentira de las democracias occidentales: los países cristianos con mayor grado de desarrollo económico no han sabido o no han querido tomar a todos los hombres por hombres del todo, y, aunque les han dado un bienestar material relativo, se han desinteresado de la satisfacción de aquellas facultades que Clarín consideraba las primordiales en el ser humano: las intelectuales. La cultura continúa siendo un privilegio, habiéndose impedido al pueblo que encontrara a través de ella: "Ocasión para depurar los propios sentimientos, ejercitar sus potencias anímicas todas; y aumentar el caudal de ideas nobles y desinteresadas" [61].

El "criticismo" de Leopoldo Alas no es una actitud original; ya he señalado en otro capítulo que se presenta como característica de la literatura de la burguesía ascendente. En España, el mismo Clarín lo señala en González Serrano al afirmar que tras su ini-

---

[60] *Un d.*, pág. 57.
[61] *M.*, pág. 13.

ciación krausista ha llegado "a un prudente criticismo que confieso me enamora" [62]. El "libre examen", que consideraba caracterizador de las corrientes literarias surgidas tras la revolución de Setiembre, es el aspecto bajo el cual se presenta esa actitud crítica en nuestro país; Pérez Galdós, era para Clarín, su representante más importante. En una crítica de *Lo prohibido,* encontramos un párrafo revelador, aunque algo retórico, en torno a la función del "libre examen", es decir el "criticismo", en la novela: "penetrar sin miedo en las intenciones, observar lo recóndito y arrancar a la realidad el disfraz de la abstracción, del sistema y de las clasificaciones para que se vea cómo es ella misma, no como subjetivamente aparece en la obra parcial del que la estudia interesadamente, con el propósito de arrancarle una enseñanza en determinado sentido" [63]; la novela de Galdós, la novela realista, es pues un desenmascaramiento objetivo de la realidad; parafraseando a Arnold, podríamos decir que consiste "en mostrar la realidad tal como en sí misma es".

El humanismo es también una corriente de la época: se presenta como la nota primordial en todos los pensadores más o menos próximos al krausismo, muchos de los cuales tuvieron importante influencia en la formación de Leopoldo Alas. A finales de siglo ha llegado a impregnar de tal forma algunas conciencias que se aduce, sin necesidad de justificación, como prueba del valor de una obra artística. Menéndez Pelayo, en el prólogo a la edición de *La Celestina,* se refiere a una versión teatral perdida, hecha por Calderón, y afirma que el cotejo "hubiera resultado en favor del bachiller Rojas, poeta mucho más *humano* que el brillante dramaturgo de fines del XVII" [64]. El hombre, el individuo, como principio y fin del pensar, está presente en toda nuestra literatura de mayor valor, tanto en los clásicos como en el siglo XIX. La frase citada de Terencio la encontramos repetidas veces en Larra; ya en el siglo XV, Mosén Diego de Valera la citaba como justificación, en

---

[62] *S. P.,* pág. 205.

[63] *La I. I.,* núm. 132, 1885. En la novela el "criticismo" equivale al realismo naturalista.

[64] El subrayado de humano es de Menéndez Pelayo. Prólogo a la edición de *La Celestina,* Vigo, 1899, pág. LIV.

una carta a Enrique IV: "No haya Vuestra Señoría a jactancia o loca osadía, yo hablar en cosas tan altas, que me miembro ser hombre y vuestro vasallo y no tengo olvidado a Terencio que dice 'Hombre soy y de las cosas humanas ninguna pienso ajena a mí' ".

Humanismo y criticismo ofrecen en Clarín una mutua dependencia; "El verdadero crítico —escribe en *Palique del palique*— [65] ha de ser además de un literato un hombre; y cuando los demás literatos crean que los está estudiando como tales, debe estar *analizándolos* en cuanto *hombres* también". Algunos de sus estudios, el dedicado a Baudelaire por ejemplo, son modélicos dentro de ese humanismo crítico que predicaba; todo el largo trabajo sobre el autor de *Las Flores del mal,* se transforma en la búsqueda del hombre que se esconde tras la obra poética [66]. La mentalidad historicista lleva a Alas a insertar el hombre dentro del devenir temporal, haciéndolo resultado del pasado y origen del futuro. La historia es el hombre y él es la historia. De ahí la armonía que presentan, en su ideología, tradicionalismo y progresismo. Clarín cree que el hombre cambia con el tiempo y el espacio; pero, en él, hay siempre unas cualidades constantes que son las que forjan el concepto de humanidad; por eso atacará la usual enseñanza de los clásicos latinos y griegos, ya que tiende a ver en ellos lo antiguo y no lo humano [67], y exaltará al crítico catalán Soler y Miquel, de quien escribe: "era de su tiempo pero con el *fondo perenne de la humanidad*" [68]. Este último artículo es un canto entusiasta a la

---

[65] *P.,* pág. 211.

[66] Posiblemente las páginas más notables de Clarín, surgidas de este humanismo crítico, sean las que forman la introducción al segundo volumen de la traducción castellana de *Los héroes* de Carlyle. Taylor, en el comentario que dedicó a este prólogo en *Carlyle et la pensée latine,* destacó la originalidad de la interpretación clariniana del "héroe". Clarín parte de la consideración del héroe como hombre, viendo en él "no una fórmula, no una abstracción sociológica, étnica, fisiológica, política, etc., etc.", sino "el hombre verdadero de carne y hueso, de alma y cuerpo"; reacciona contra la tendencia a hacer del "héroe" un "superhombre", considerándolo como un "hombre entero". No tiene nada de extraño su posterior rechazo de Nietzsche.

[67] *M.,* pág. 27.

[68] *L. P.,* 12-IV-1898.

persistencia del hombre a través de la historia, y al hombre como resultado de una historia que él mismo ha construido: "Por mucho que importen las grandes ventajas de un tiempo determinado de progreso, mucho más significan las cualidades perennes, el gran resultado de la historia. Es de espíritus frívolos, poco caritativos en el fondo, hacer tabla rasa del pasado", "quien no entiende la realidad así —termina afirmando—, como una continuidad metafísica, jamás podrá sentir y pensar en armonía conmigo". Suprimidas las diferencias que proceden de la perspectiva idealista de Alas y la materialista de Gramsci, esta idea del hombre coincide con la del gran pensador italiano; como él, Clarín pudo haber escrito que la "naturaleza humana" no puede encontrarse en ningún hombre en particular sino en toda la historia del género humano [69]; para los dos, la naturaleza del hombre era su historia.

Si el criticismo es la actitud que adopta su humanismo al enfrentarse a la vida y el arte, el humor es uno de los cauces expresivos, tal vez el más importante, por donde circula ese criticismo. El humorismo de Clarín, considerado por sus coetáneos como el primer humorista satírico de la época [70], equivale pues a la expresión formal de su actitud crítica ante el mundo, y es el resultado del enfrentamiento al mundo real de una concepción ideal, modélica; es decir, procede del contraste entre el mundo tal como es y tal como debiera ser. El humorista no reproduce la realidad, sino que coloca ante ella una lente crítica que la desfigura; la imagen que el lector recibe posee así una valoración ética, producto de esa comparación entre la realidad y su ideal. Palacio Valdés reconocía la íntima unión existente entre el "criticismo" y el humorismo de Clarín cuando escribía a éste en una carta: "Tú no eres un diletante del criticismo. Eres y has sido siempre un humorista-místico por el estilo de Don Francisco de Quevedo" [71]. En Leopoldo Alas existía una tendencia innata hacia lo satírico y humorís-

---

[69] Cito por la traducción francesa, *Oeuvres choisies*, págs. 55-56.

[70] En el libro *La novela en España desde el Romanticismo*, el crítico Andrés González Blanco, aun reconociendo la significación naturalista de la obra narrativa de Alas, lo colocaba en el capítulo titulado "Novela humorística".

[71] *E. a L. A.*, pág. 159.

tico; en uno de sus "paliques" escribe: "me temo que caigo otra vez en el *humorismo*. Todo me vuelvo paradojas, hipérboles y falta de orden y formalidad" [72]. Esta predisposición se vio alentada por su formación dentro de las escuelas idealistas alemanas. Toda la estética de estas escuelas, desde Kant y Hegel a Krause, concedió una gran importancia al humor: Hegel lo consideró culminación y a la vez destrucción del espíritu romántico; Krause veía en él la síntesis de lo cómico y lo trágico. Giner de los Ríos publicó, en 1872, un largo artículo, *¿Que es lo cómico?* [73], donde se presenta el contraste como base de este sentimiento, y al humor como resultado de un nuevo contraste entre lo cómico y lo trágico, los cuales, indica, nacen de la desproporción "entre lo que debiera suceder", según la intención del individuo, y "lo que sucede en realidad, merced al accidente". En la preferencia de Leopoldo Alas por la expresión humorística influyó, además de las dotes naturales del escritor y su formación en el krausismo español, la actitud conservadora de una sociedad que sólo puede aceptar lo que dice el escritor si, en apariencia, no lo dice seriamente. Gracias al humorismo, escribía Clarín, Valera "ha hablado de cosas de que jamás se había hablado en castellano, y ha hecho pensar y leer entre líneas lo que jamás autor español había sugerido a lector atento" [74]. Pero en el caso de nuestro autor, esa preferencia tiene otro motivo importante: el deseo de ser un escritor mayoritario, leído por toda nuestra sociedad. Para ello se ve obligado a atraer al lector a través de la sátira y la burla; podríamos afirmar que utiliza el humor como cebo. Hay un grupo social, al que Clarín llama "la buena burguesía literaria", que rechaza este género literario, "siempre prefirió el ingenio inflexible, que nunca se humilla al chiste y a la gracia, a la burla discreta, porque se lo impiden sus principios y la natural impotencia" [75].

La problemática y los distintos aspectos del humorismo de Leopoldo Alas han sido estudiados por E. Gramberg, basándose principalmente en los relatos, pero sin olvidar el papel de los artículos,

---

[72] *P.*, pág. 324.
[73] *Estudios de Literatura y Arte*, págs. 33-45.
[74] *S.*, pág. 71.
[75] *P.*, pág. 126.

en el libro *Fondo y forma del humorismo de Leopoldo Alas.* Gramberg no tiene en cuenta las referencias al "humorismo" contenidas en estudios de Clarín, algunas de ellas de gran interés. Todas estas referencias pueden agruparse en dos núcleos; uno de ellos formado por las que tratan de aspectos generales del humorismo; las otras se refieren a distintos aspectos del español.

El 11 de julio de 1878 escribía, en las páginas de *El Solfeo,* que el humorismo "más profundo, más alemán", el de Juan Pablo, Tieck, Heine, Sterne, Valera... procedía del "contraste entre la aspiración ideal y el ruin resultado en que a veces se quedan las cosas de la vida". Idea sobre la que he basado anteriormente el concepto de "humorismo". En uno de los artículos que Alas dedicó a las *Humoradas* de Campoamor, define a esta manifestación literaria de que hablamos, según una de las características que al principio de este apartado he señalado a la actitud crítica, pues presenta al humor como producto de la duda ante los valores comúnmente aceptados por la sociedad. Clarín afirma allí que el humorismo "es no decidirse por ningún juicio, creyendo superior a toda determinación la que llamó Amiel, en su *Journal Intime,* la determinabilidad. El humorista de pura sangre prefiere a todo partido, a toda resolución la conciencia vaga, en cierto modo, de la virtualidad de la facultad en sí, o por lo menos, si esto no es posible, de una representación sensible de esta facultad". Para Clarín el humorismo, e igual sucede con el criticismo, mira a la realidad desde un plano más elevado que el de ésta; se halla un poco "por encima de ella"; de ahí que considere que Campoamor acertó a caracterizarlo cuando escribía: "parece que domina los asuntos desde más altura y que se *hace superior a nuestras ambiciones y a nuestras finalidades*" [76].

Gramberg sitúa a Clarín dentro de una tradición de humorismo hispánico que no analiza. Esta tradición no existe como línea continuada pero sí como manifestación esporádica, aunque con momentos brillantísimos. Los recursos estilísticos con que el humorismo de Clarín se manifiesta —paráfrasis, antítesis, hipérbole y conceptismo— los utilizaron ya nuestros novelistas barrocos; y su

[76] *N. C.*, pág. 203.

concepción del humor —contraste entre dos planos, ideal y real, entre el ser y el deber ser— es la misma en que se sustenta el *Quijote*. Mucho más cercano a Clarín y con casi idénticas actitudes se halla Larra, a quien, en *Sermón perdido* [77], consideraba el primer humorista Ibérico. En los escritos de Leopoldo Alas encontramos varias referencias al "humorismo español", poseedor de notas particulares que lo individualizan. En el primero de los artículos dedicados a las *Humoradas* de Campoamor, declara que es aventurado sostener que nuestra voz *humor* y la inglesa *humour* tengan el mismo sentido [78]. En *Ensayos y Revistas*, al comentar *La vida cursi* de Taboada, sostiene que el humorismo español consiste en la sátira y la burla, aunque lo característico es su carencia de escepticismo [79]. Mucho más importantes son las manifestaciones contenidas en la "revista literaria" del 3 de agosto de 1892 [80], donde el comentario del estudio dedicado por Menéndez Pelayo al Arcipreste de Hita, en la *Antología de poetas líricos castellanos*, se transforma en un examen interpretativo del humorismo español. "Hay un modo de gracia española —empieza diciendo— de sátira y vis cómica castellana que no se parece a nada de lo que puedan ofrecernos las literaturas extranjeras"; esta "gracia", añade, la poseen muy pocos escritores españoles, y es distinta de "la gracia particularmente andaluza" y del humor inglés y alemán, aunque pueden señalarse ciertas semejanzas con el primero; el "humorismo español" "no es humorismo, sino otra cosa que aún no tiene nombre". "La pura esencia, el florecimiento más hermoso de este matiz de la gracia cómica, que llamaré humorística a mi pesar y a falta de palabra más exacta", se encuentra en el *Quijote* y algunas de las *Novelas Ejemplares*, "que aún merecen más fama de la mucha que tienen". A este respecto señala como momento más característico del *Quijote* los fragmentos finales de la estancia de Sancho en la "ínsula" y su partida de ella, hasta encontrarse con su paisano Ricote. Esta clase de humor, afirma, "la representa en general todo Sancho, de capítulo en capítulo más sublime hasta

---

[77] *S. P.,* pág. 300.
[78] *N. C.,* pág. 196.
[79] *E. R.,* pág. 401.
[80] *P.,* págs. 17 y ss.

llegar a enamorar a su mismo criador Cervantes. Mas no ha de entenderse a Sancho como él es, en sí, épicamente, como figura natural, sino en lo que representa del alma de su autor y como éste le ve, y en el contraste, y como contrapeso, con su señor amo don Quijote". Este "humorismo" español expresa la contradicción entre una tendencia epicureísta y otra metafísica y moral, "racional y sentimentalmente" admitidas; "no es un juego lírico —escribe— en que la risa y las burlas y pequeñeces se buscan para descansar de las profundidades graves que agobian, sino que es como correctivo del excesivo idealismo que el español lleva en el alma; es un miedo a *hacer la bestia* por ser demasiado ideal; no es un realismo neto (que también hay por acá, y tienen otros y es otra cosa) sino como un vejamen oportuno, medicinal, y al mismo tiempo genio satírico por el contraste inverso, a saber: por la comparación del bien ideal con que se sueña y en que se cree, con las realidades bajas, pero necesarias, con que se tropieza, para las que se tiene vista de lince y que se pintan bien para censurarlas del mejor modo, que es hacerlas ver como son ellas". Esta caracterización final del humorismo casi coincide con la que catorce años antes, el 11 de julio de 1878, hacía del humorismo alemán, en las páginas de *El Solfeo*; la única diferencia parece estar en que los escritores españoles tienden a destacar el plano de la realidad, y el contraste con la aspiración ideal tiene como finalidad el hacer un juicio ético de las cosas de esta vida. Por el contrario en el humorismo alemán, nos dice en esta misma "revista literaria" al referirse a Jean Paul, el escritor se cierra en sí mismo, despreocupándose del mundo en que vive; el humor es una actitud "egoísta", estética más que ética. Richter, declara, "busca el contraste del fondo y la expresión, de la forma y la intención inicial para satisfacer necesidades de libertad individual" [81]. A Valera, que en el citado artículo de *El Solfeo* lo situaba junto a los humoristas alemanes, lo acusa de "egoísmo" en varias de las críticas dedicadas a sus obras. Como representantes del humor español señalaba a Cervantes, Tirso, Quevedo y, entre los modernos "que abundan menos en el arte de que hablo", Larra, pero no Estébanez Calderón o Mesonero Ro-

---

[81] *P.,* pág. 22.

manos. Muchas de las cualidades de "nuestra literatura humorística *sui generis*", indica, estaban ya en el Arcipreste de Hita, "fuente original de muchas cosas castizas de nuestro espiríritu literario" [82]. Dos escritores coetáneos, Valera y Campoamor, aparecen muy a menudo calificados de humoristas, pero nunca los sitúa dentro de este humor español que no es verdadero humor. De Campoamor, que coloca junto a Jean Paul, dice explícitamente que es "lo menos español posible en este respecto" [83].

Gramberg en la conclusión a su libro afirmaba que el "satirismo clariniano pertenece a una manifestación humorística mucho más amplia y variada, toda ella resultado de la directa y continua confrontación de una visión idealista del mundo con la realidad"; el humor en Clarín es, pues, resultado de una visión crítica de base ética, que tiene como motor la liberación del hombre de las mistificaciones que lo envuelven, sean literarias o vitales.

4. VALORACIÓN DEL PÚBLICO

La obra literaria, como producto, supone un núcleo *productor* —autor— y otro *consumidor* —lector—. Sólo excepcionalmente un escritor escribe para sí mismo, pues, incluso cuando su obra no va destinada a la publicación, piensa en un lector imaginario. Como hecho histórico la importancia de la obra literaria es siempre mucho mayor dentro del plano de consumo que del de producción; sin embargo, todas las historias literarias abandonan sistemáticamente el estudio del público. El interés del crítico o historiador hacia él es paralelo, en realidad muchas veces es un aspecto más, a la corriente literaria que se interesa por las relaciones entre la sociedad y la literatura, y considera a esta última, en palabras de De Bonald, como "una expresión de la sociedad". Independientemente de esta corriente encontramos, en distintos tiempos y países, referencias por parte de los escritores a su público; ejemplo de ello lo tenemos, en nuestra literatura clásica, en numerosas afirmacio-

---

[82] *P.*, pág. 23.
[83] *P.*, pág. 22.

nes de Lope o Góngora. Clarín, dentro ya de una tradición europea
de "sociología crítica", vio y destacó el papel que el público jugaba en el hecho literario; para él este último se presenta, al menos
tal denotan sus palabras, con notas semejantes a las del producto
económico: "en la vida intelectual de un pueblo no hay que atender sólo al que produce, sino al que consume también; no sólo a
los autores, sino al público" [84]. Diez u once años antes, en el prefacio a los *Solos,* afirmaba ya que "el público es un elemento integrante de toda literatura" [85], y añadía que el observador literario
—el crítico— debía estudiar las obras mediocres y nulas porque
sólo a través de todo el conjunto de publicaciones podría conocer
"el espíritu colectivo, sus cambios, progresos y decadencias" [86]. En
un artículo del mismo libro llega a decir del público que "es la atmósfera en que toda manifestación literaria necesita vivir" [87]

En esta actitud de Clarín hacia el público debieron influir dos
motivos: por un lado, la expansión y ampliación que durante el
XIX experimenta el público-lector; por el otro, su personal concepción de la crítica. Cuando Clarín escribe continúa desarrollándose
el proceso de aumento del público lector iniciado a principios del
siglo XIX; él mismo lo reconoce varias veces: en *Un viaje a Madrid* declara que no se puede afirmar que las letras españolas val-
gan más o menos que hace veinte años, "pero sí me parece indudable que ahora hay más público que entonces para la literatura;
que se escribe más y se lee más; que interesan a muchos españoles
asuntos de arte que no ha mucho preocupaban sólo a pocos" [88]. El

---

[84] *E. R.,* pág. 57.

[85] *S.,* pág. 16.

[86] No se cierra en una actitud exclusivista, pues no defiende que sea lo
único que debe estudiar el crítico; al contrario, para él lo más importante
es siempre la obra en sí. En *Ensayo y Revistas* escribió: "El papel de gran
interés que ciertos críticos modernísimos, como el malogrado Hennequin,
quieren atribuir al público en la vida del arte es legítimo, hasta cierto
punto, en esta consideración de *pasividad* artística (que no es pasividad
sociológica); pero no hay que exagerar este sentido en que cabe tomar
la cuestión, ni, sobre todo, hay que confundirlo con el principal y directo
objeto de la producción artística" (pág. 312).

[87] *S.,* pág. 48.

[88] *Un v.,* pág. 5.

aumento del número de lectores provoca el aumento de la importancia de la literatura, que se transforma en principal vía de acceso a la cultura, y, lo que es más importante, posibilita una cultura mayoritaria, pues la literatura pasa "de ser escogidísima diversión de unos pocos, a ser parte integrante del espíritu culto de la generalidad", "al crecer en importancia, tiene que aumentar su utilidad, y el arte se pone al servicio de los grandes intereses de la vida moderna" [89]. En otras páginas tratamos del valor que concedía al teatro, a la novela y, especialmente, al periodismo como literatura mayoritaria.

Paralelo a este proceso de aumento del público-lector se desarrolla el de su especialización y estratificación, no sólo porque cada uno de los lectores prefiere géneros o materias distintas, sino porque cada uno de ellos, por motivos de formación cultural basados casi siempre en sus distintos orígenes sociales —"L'education —declara Escarpit— est le ciment du groupe social" [90]—, se sitúa en distinto nivel intelectual. La inglesa Q. D. Leavis afirmaba, en *Fiction and the Reading Public*, que, mientras en el XVIII, las lecturas de un campesino, si podía leer, eran las mismas que las de un noble, en el XIX encuentra una literatura destinada sólo a él, lo que motiva que no se pueda hablar de un público lector, sino de distintos públicos lectores. El enciclopedismo y la aparente tendencia hacia una cultura única fueron substituidos en el siglo pasado por la especialización y la estratificación de la cultura; proceso que se aceleró en nuestro siglo, y cuyo aspecto más visible corresponde a la división entre mayorías y minorías. Clarín, como crítico, se enfrenta a este desdoblamiento e intenta delimitarlo; frente a la minoría, su actitud es la de fijar claramente a quienes corresponde ese papel; para lo cual lleva a cabo una labor de depuración contra los que, apoyados en el compadrazgo o el padrinazgo político, logran, sin merecimientos, infiltrarse en ella. Frente a la "mayoría", su labor se concentra en la lucha tenaz por situarla a la altura de las minorías. Lo que intenta, pues, es terminar con la estratificación de la Cultura o al menos suavizarla. Aquí reside

---

[89] *L. 1881*, pág. 147.
[90] *Sociologie de la Littérature*, pág. 101.

una de las notas de mayor grandeza de nuestro escritor. Su justificación de los "paliques", contenida en el prólogo al libro de ese
título, es una manifestación de este deseo de aumentar el nivel cultural del gran público. Parecida actitud adoptó la mayoría de la
que podríamos llamar generación de la Restauración, en contra de
la que seguirían los grupos narcisistas del modernismo y el 98:
exaltar y aislar la minoría. No es extraño que Rubén Darío, que
no podía comprender aquella actitud, acusara a Clarín de haber
sido víctima de las imposiciones de un público "poco afecto a
producciones que exigen la menor elevación intelectual" [91]. En el
deseo primordial de llegar al "gran público" reside la "servidumbre y grandeza" de parte de los escritos de Leopoldo Alas, especialmente de su colaboración en el *Madrid Cómico*. La crítica era
para él primordialmente un magisterio pedagógico, dirigido más
a formar el lector que a consejar el autor [92]. La función del "crítico demócrata", frente a la del "crítico aristócrata", era la de
llevar a cabo esa labor: "la buena democracia en literatura consiste en querer mejorar el gusto del público *grande*; en no olvidar
que hay muchos pobres de gusto y discernimiento, que están muy
expuestos a tomar lo mediano y lo malo por bueno. El *crítico demócrata* no puede ser como el *crítico aristócrata*, campana de ca-
tedral, que sólo se toca *algún solemne día*", afirmaba el año 1897,
en un palique de *Madrid Cómico* [93].

No es de extrañar, por todo lo que llevamos dicho, la importancia que, en sus críticas, concedió al público, el cual desempeña
en ellas dos papeles distintos. Por un lado aparece como motivo
de estudio; hay que examinar sus relaciones con el escritor, sus
cambios de gusto, progresos y decadencias. Por el otro, como una
colectividad muy compleja a la que Clarín se dirige, y a la que
quiere influir y educar a través de sus artículos. En algunos momentos, el público llega a tomar casi un papel de pequeño tirano:

---

[91] *España contemporánea*, pág. 344.

[92] El pueblo debería encontrar en las letras, afirmaba el año 1886 en las
páginas de *La Ilustración Ibérica*, "ocasión para depurar los propios sentimientos, ejercitar sus potencias anímicas todas y aumentar el caudal de
ideas nobles y desinteresadas" (recogido en *M.*, pág. 13).

[93] Citado por Gullón en *Clarín, crítico literario*.

por él, nos dice en *Nueva campaña*[94], "lo hacemos todo o casi todo". Más adelante examinaremos la importancia que dio al público teatral, al espectador, que, según Clarín, formaba junto con autores, actores y crítica, los cuatro elementos teatrales. En esta exaltación del papel desempeñado por el espectador coincide con el crítico francés Sarcey y el español José Yxart, el cual llegó a afirmar: "La obra es el público y el público es la obra. Basta ver que se compenetran para afirmar por la una el valor del otro. Basta ver que se repelen para inferir del uno lo que le falta o le sobra a la otra"[95]. En la "revista literaria" del 2 de abril de 1892[96], Clarín comparaba los públicos de los distintos géneros literarios, y afirmaba que el teatral es el más fácil de estudiar, pues el autor dramático acepta mayor cantidad de convencionalismos y su público no es tan complejo como el de las novelas o la poesía.

En las referencias al público encontramos una de las numerosas contradicciones aparentes que se debaten en la idelogía y los criterios estéticos de Leopoldo Alas. Utilizando sus propios términos, pero dándoles un significado algo distinto, podemos decir que se presenta a la vez como un crítico demócrata y aristócrata. En el primer caso, nos muestra al gran público como un grupo social cuyos gustos debe seguir el escritor; así, nos dice en *Solos*[97] que si el público prefiere la novela al teatro, este último lo que debe hacer es seguir a la novela. Algunas veces presenta el consentimiento del público como prueba de acierto por parte del autor; por ejemplo, cuando propugna la novela tendenciosa declara que el público también la prefiere[98], y cada vez que su tipo de crítica es atacado, él se defiende apoyándose en la sanción de los lectores: "mi manera de entender estas cosas tiene una sanción muy respetable: la del público. No creo que por más mérito que el de mi franqueza busquen mi colaboración periódicos como *El Imparcial* y *La Correspondencia*, los de más lectores de España. Diarios como éstos no admitirían un género de crítica que el pú-

---

94 *N. C.*, pág. 265.
95 *El arte escénico en España*, vol. I, pág. 10.
96 *P.*, págs. 2-3.
97 *S.*, pág. 49.
98 *S.*, pág. 215.

blico rechazara" [99]. En diciembre de 1891 se queja, en las páginas
de *Madrid Cómico*, "de que no se respeta al público todo lo que
se le debe respetar, no se le atribuye el juicio y el gusto que se le
debe suponer" [100]. Esta es la actitud que, en general, predomina en
su obra. Por el contrario, otras veces hay cierta reacción contra el
público; la cual acostumbra a estar en relación con los peligros
que comporta el extraordinario aumento del número de lectores, y
el abandono por éstos de su papel de "receptores pasivos". Los
lectores, favorecidos por "ciertas ventajas que el hábito, la herencia y la rutina facilitan a la cultura moderna", quieran transformarse
en escritores [101]. En una "revista literaria" del 6 de enero de 1893,
afirmaba que "cierta falsa democracia ha invadido la literatura;
los autores, al recurrir, en busca de mayor gloria y más provecho,
al sufragio universal, a los grandes éxitos de las ediciones de cien
mil ejemplares, han trabajado no poco para convertir al público
vulgar en crítico y aun en *aficionado*". Este aumento del público
amenaza, según Clarín, provocar la desaparición del orden jerárquico literario; "no hay lector que no sea crítico y hay muchos
que también son autores" [102]. Tres años antes, el 1890, en otra "revista literaria", consideraba ya a ese orden jerárquico constituido
por un pequeño grupo —los autores—, por el gran público, que no
podía comprenderlos del todo, y, como unión entre los dos, aparecía otro grupo —el de los críticos— formado, igual que el primero, por artistas [103]. La reacción por consiguiente no era contra
el público, sino contra quienes quieren dejar de serlo, para tomar
una parte activa en la obra literaria sin estar preparados para ello:
"el público leyendo supone algo, mucho en cierto respecto; pero
el vulgo escribiendo no supone nada, nada bueno a lo menos" [104].

---

99 *E. R.*, pág. 333.
100 Recogido en *P.*, pág. 291.
101 *P.*, pág. 55.
102 *P.*, págs. 54 y 55, respectivamente.
103 "Por ahora y mientras el mundo siga pareciéndose un poco a lo
que hoy es, los artistas son y serán unos cuantos que no serán comprendidos del todo más que por otros artistas especiales (los verdaderos críticos),
y que deben ser oídos por todos los demás hombres" (*E. R.*, págs. 311-312).
104 *E. R.*, págs. 313-314.

En parte de esta "revista literaria" examinaba diversos aspectos del papel que juega el público moderno en el hecho literario, y se refería a los testimonios de los críticos franceses —Guyau y Hennequin— que señalaban una tendencia sociológica más marcada.

La contradicción no está, pues, entre un rechazo y una aceptación del gusto del público, sino entre la consideración de ese gusto como criterio estético y la actitud "pedagógica" respecto del público; dentro de esta última caen artículos enteros como *Lecturas* y *El Arte de leer* [105]. En la consideración de la sanción del público como criterio estético influye, entre otros motivos, el historicismo crítico de Leopoldo Alas, que le lleva a afirmar que la duración de lo bello no es intrínseca al objeto bello, "sino una relación a elementos extraños, como el público, las vicisitudes de la vida social" [106].

El público "en general" está siempre más interesado por el "objeto de la obra de arte" que por la forma, afirmaba en *El Imparcial* el 9 de abril de 1899; dieciocho años antes era éste el motivo con que explicaba el que la mayoría de lectores prefiriesen Galdós a Valera; coincidía así con Giner de los Ríos, el cual declaró que el lector poco cultivado prefería las novelas que no tenían otro movimiento que el de la vida [107]. A Galdós lo presenta Clarín como el escritor que coincide totalmente con el gran público; los *Episodios Nacionales* fueron populares en seguida porque "pudieron ser comprendidos y sentidos por el pueblo español en masa", "esa feliz concordancia con lo sano y noble del espíritu popular (...) es señal de que pertenece su ingenio a las más altas regiones del arte" [108]. Caso parecido es el de Zola. En algunos momentos señala un desacuerdo entre autor y público, así ocurre en el teatro donde el espectador no se siente satisfecho por ninguno de los dramas que se representan. En otros, indica que, por motivos sociales o culturales, el público no está preparado para determinado tipo de literatura [109]; a este respecto son interesantísimas algunas

---

[105] *M.*, págs. 11 y ss.; *Siglo p.*, págs. 129 y ss., respectivamente.
[106] *M. pp.*, pág. 93.
[107] *S.*, pág. 328.
[108] *G.*, págs. 26-27.
[109] *N. C.*, pág. 236.

afirmaciones del artículo *Lecturas*: en España poquísimos escritores se atreven a decir que no son ortodoxos, el motivo está en que
"el país podrá no ser buen creyente, pero todavía no ha soñado
con ser librepensador. De ahí que los más no se atrevan, sobre
todo los que tienen algo que perder, es decir popularidad, crédito
literario, a ser claros con el público" [110].

En un artículo publicado en *La Publicidad*, el 14 de mayo de
1890, nos habla de las lecturas que buscará el futuro gran público
que se formará cuando "millones de obreros consigan su propósito
de *descansar* algunas horas al día, y lleguen a leer, a estudiar y a
meditar". Para ese nuevo "gran público" exige una nueva literatura. Esta correspondencia entre los cambios de público y los de la
literatura la hallamos señalada en otros artículos.

5. TRISTEZA Y PESIMISMO

Una de las notas que, tras la lectura reposada de la crítica
"clariniana", queda más fuertemente grabada en nosotros es la continua tendencia de Leopoldo Alas a destacar la impresión de tristeza que las obras examinadas provocan en el lector. Esta característica la hallamos desde sus artículos de *El Solfeo*, hasta los últimos que escribió. La tristeza se encuentra también en la base de
su humorismo, y es el sentimiento que nos produce la lectura de
sus novelas y cuentos. Menéndez Pelayo lo vio así al escribirle respecto de *Su único hijo*: "por ser yo más optimista que usted
encontré la novela un poco dura y despiadada con las necedades
y torpezas del pobre género humano y excesivamente saturada de
tristeza decadentista" [111]. Pocos momentos más desconsoladores hay
en nuestra literatura que el final de *La Regenta*; aquí, como en
muchos otros de sus relatos, tiende a concentrar todo el dolor que
provoca la narración en un "motivo" final que posee algo de "boutade". El beso de Celedonio, en *La Regenta*, tiene su paralelo en
la declaración de Serafina en *Su único hijo*, en la muerte del gato
en *Doña Berta*, o el salivazo del mismo Celedonio en *Pipá*.

---

[110] *M.*, pág. 48.
[111] *E.*, pág. 53.

La insistencia con que se refiere a la tristeza llega a dar la impresión de que provocar este sentimiento, bajo las distintas manifestaciones de melancolía, pesimismo, dolor, compasión, etc., es para él la más alta aspiración estética del arte. Al preguntar, en la crítica a *Marianela* [112], por qué es tan artístico el Cristianismo, el mismo se responde: porque es la religión triste. Sus escritores preferidos son aquellos capaces de provocar ese sentimiento: Flaubert, Pereda, Fray Luis de León, Shakespeare, Balzac, Pérez Galdós, Daudet, Renan, Baudelaire, Richter, Leopardi y tantos otros. Al comentar la obra de Daudet, *Treinta años después*, se preguntaba: "¿Qué será, que apenas hay un buen libro moderno que no nos deje tristes?" [113]. Parecida idea encontramos en un artículo de Rafael Altamira, escrito en 1888 y dedicado precisamente a Leopoldo Alas; "El aspecto general de la literatura contemporánea —escribe Altamira—, el más sensible y llamativo, produce una impresión de tristeza" [114].

La valoración de las obras literarias, según la impresión de tristeza que despiertan en el lector, es una constante a lo largo de sus escritos críticos. En *Museum*, Clarín ataca la novela de Pardo Bazán, *Insolación*, porque presenta el amor como un apetito "prosaico, soso, frío", y no se desespera ni encuentra "un dejo de amargura"; "no hay pesimismo, no hay sarcasmo implícito en esta historia de aventuras indecentes y frías, sosas y apocadas; hay complacencia, casi alegría" [115]. Tras estas palabras está implícita la acusación de que la autora no ha sabido o no ha querido despertar la tristeza en el lector. Es fácil descubrir, en tales consideraciones, una actitud eminentemente ética por parte de Leopoldo Alas, de ahí la lógica conclusión que encontramos a continuación: *Insolación* es un libro inmoral. Al valorar la poesía más que del examen de los valores artísticos o estéticos, está pendiente de la búsqueda del "sentimiento de tristeza", y es posible que en ella resida parte de su problemático entusiasmo por Núñez de Arce, cuyo poema *La pesca* consideraba el "más capaz de inspirar la dulce tristeza del

---

[112] *S.*, pág. 286.
[113] *M.*, pág. 257.
[114] En *Señal de los tiempos*, artículo recogido en *Mi primera campaña*.
[115] *Mu.* pág. 81.

arte de cuantos ha escrito" [116], y por Campoamor de quien dijo: "el dejo de *toda* su poesía es una *desesperación sublime,* que ya sólo se goza en el encanto de la hermosura del dolor poético" [117]. Indudablemente ella es la explicación lógica de la desenfocada valoración que hizo de los poemas de Federico Balart, de cuyo libro *Dolores* afirmó: "Aquí hay un corazón de veras que sangra sangre verdadera en la soledad de una tristeza que no espera ni admite consuelo humano" [118].

Paul Sabatier dedica uno de los capítulos de su libro *L'Esthétique des Goncourt,* a estudiar, en estos escritores, el sentimiento de tristeza; en ellos se presenta como actitud vital y no, como en el caso de Clarín, como actitud crítica a la vez ética y estética. Casi las mismas raíces que Sabatier señala a este sentimiento en los novelistas franceses, las encontramos en Leopoldo Alas; y sus palabras pueden ser aplicadas a nuestro escritor: "La principale cause de leur tristesse réside dans leur tempérament et surtout dans cette sensibilité si quintessenciée, si raffinée, si délicate, qu'une infime imperfection la blesse, et qu'il lui faut une réunion d'éléments si rares pour jouir, qu'elle ne jouit presque jamais complètement" [119]. El mismo Clarín lo reconoció así, en 1890, cuando en el artículo titulado *Justicia de enero* escribía: "sea por haber hecho poca gimnasia, o por lo que sea, tengo mis murrias y a veces me desanimo y entristezco ante el espectáculo del mundo" [120]. Sin embargo, son totalmente distintas las características que la tristeza presenta en Clarín y los Goncourt. Si para Leopoldo Alas, como ha escrito Clocchiatti, "crear es purificarse" [121], también leer es purificarse, y esa "purificación" se logra mediante el dolor, la melancolía o tristeza que produce el espectáculo de la vida reproducido por el artista. En tal "purificación" encontramos reflejado el concepto de la "catarsis" aristotélica, pero con notas que coinciden con el valor que Gramsci ha dado a este término, al considerarlo como

---

[116] *S. P.,* pág. 32.
[117] *S.,* pág. 74.
[118] Prólogo a *Poesías completas* de F. Balart, pág. 20.
[119] *L'Esthétique des Goncourt,* pág. 160.
[120] *P.,* págs. 52-3.
[121] *Clarín y sus ideas sobre la novela,* pág. 56.

medio liberador e instrumento capaz de crear una nueva forma ético-política [122]. En los Goncourt, demuestra Sabatier en su libro, el sentimiento de la tristeza, siempre personal, subjetivo, no objetivizado como en Clarín, está en íntima relación con su pesimismo y éste con su "aristocraticismo" [123]: "forcés de vivre —escribe Sabatier— malgré eux au milieu d'une démocratie, leurs instincts froissés ont déterminé en eux l'éclosion d'un pessimisme de plus en plus sombre, d'un dégoût pour toutes choses, sauf pour l'art, leur seule satisfaction, leur seule consolation" [124]; es esta actitud aristocrática la que les lleva al rechazo de la sociedad en que viven: "Tout nous blesse, tout nous taquine les nerfs: ce que nous voyons, ce que nous lisons, ce que nous entendons" [125]; la humanidad se convierte en algo despreciable [126].

En Leopoldo Alas existen también manifestaciones de pesimismo y "aristocraticismo", pero tanto uno como otro pesentan unas características que, sin convertirles en sus contrarios, les hacen dejar de ser tales pesimismo y aristocraticismo. Es posible que Clarín poseyese la misma tendencia innata hacia la tristeza que los Goncourt, pero su ideología, totalmente distinta de la de los escritores franceses, da a su "sentimiento de la tristeza" un carácter diferente: la tristeza de los Goncourt es un pesimismo negador del progreso, la tristeza de Clarín, como veremos, es esperanza. Él mismo confesaba que de su tendencia al desánimo y al entristecerse no sacaba "ninguna consecuencia metafísica ni poética" [127]. Los

---

[122] *Oeuvres choisies*, pág. 64.

[123] *Ob. cit.*, págs. 175-178 y 394-395.

[124] *Ob. cit.*, pág. 394.

[125] *Le Journal des Goncourt*, Paris 1877-1896, vol. II, pág. 230; citado por Sabatier, pág. 162. Para los Goncourt la ciencia pierde su significación primordial de triunfo del hombre sobre la Naturaleza y se convierte en una ampliación del misterio de la vida: "Les études télescopiques et microscopiques de ce temps-ci, le creusement de l'infiniment grand et l'infiniment petit, la science de l'étoile ou du microzoaire, aboutissent pour moi, au même infini de tristesse. Cela mène la pensée de l'homme à quelque chose de plus triste pour lui que la mort, à une conviction du rien qu'il est, même vivant" (*Idées et Sensations*, 1866, pág. 168).

[126] *Ob. cit.*, pág. 93.

[127] *P.*, pág. 53.

Goncourt llegan a escribir en *Idées et Sensations* que "le péril, le gran péril de la société moderne est l'instruction" [128] ; por el contrario, gran parte de la obra crítica de Clarín, siguiendo en ello a toda la tradición progresista hispánica, es una lucha por la extensión de la cultura. La tristeza, como su origen el dolor, llegan a transformarse para Leopoldo Alas en motor del avance histórico; ésta es la razón que nos permite aproximar su teorización en torno a la tristeza al concepto de "catarsis" defendido por Gramsci. En 1878, en una réplica al libro de Palacio Valdés *Los oradores del Ateneo,* escribía : "Las naciones, como los individuos, progresan con el dolor ; es una máxima egoísta aquella de... felices los pueblos que no tienen historia, y es un sueño que ni siquiera tiene algo de generoso, la aspiración de dar a un pueblo atrasado, preocupado, viciado en la médula de su existencia, una paz eterna, una vida próspera, una salud inquebrantable, sin curarle, sin removerle, sin aplicarle todos los dolorosos remedios que necesita" [129].

Más arriba he calificado de objetivo al "sentimiento de tristeza" de Leopoldo Alas ; me baso en que, para Clarín, la tristeza que el arte origina en el lector no reside en el escritor, sino en la realidad misma. La "novela más triste" es precisamente la naturalista, aquella que tiene por dogma artístico la impersonalidad del narrador y el reflejo científico de la realidad. Del final de *Tristana* dirá que es "lo que más se parece a la tristeza real de la vida" [130]; pero ya en 1881 afirmaba que si en las novelas de Zola lo más era triste, también en la vida ocurría lo mismo [131]. Las tristezas de *La terre* "no son hijas de la hipocondría ni de un sistema de filosofía negra, sino de la observación más sincera, llana y sencilla" [132] ; en el comentario a otra novela de Zola, *L'argent,* repite la misma idea : "Las tristezas del mundo no nacen de las lamentaciones ni de las filosofías desesperadas, si no de la realidad misma" [133].

---

[128] Pág. 177.
[129] *El S.,* 28-II-1878.
[130] *G.,* pág. 252.
[131] *L. 1881,* pág. 184.
[132] *E. R.,* pág. 47.
[133] *E. R.,* pág. 73.

El sentimiento de la tristeza no es, pues, producto de una concepción filosófica. Tiene siempre como base la realidad, pero su origen "mediato" puede ser distinto: unas veces será la contemplación del espectáculo del vivir humano, otras la experiencia de ese vivir, otras su monotonía, otras la melancolía de las decepciones o el desencanto que trae consigo el tiempo, otras las deficiencias y amarguras que ofrece la sociedad [134]. La tristeza aparece, pues, relacionada siempre con una insatisfacción ante la realidad, y favorece la tendencia a buscar o creer en algo que esté más allá de la realidad. A través de la tristeza el hombre enriquece su propio conocimiento; el dejarse caer en "la tristeza reflexiva", dice en el comentario a *Le Prêtre de Nemi* de Renan, "no es al cabo más que dejarse caer en el fondo del alma" [135].

Esta tristeza no llega nunca, como ocurre en los Goncourt, al pesimismo negativo y su correspondiente rechazo del movimiento histórico; al contrario una de sus posibilidades, como he señalado antes, es la de convertirse en motor de la transformación de la realidad. En el artículo dedicado a *Marianela,* afirma que "las tristezas del arte, como las de la Naturaleza, son una forma de la esperanza" [136]; unos diez años después, confiesa que la tristeza que despierta la lectura de *La terre* "en sí misma lleva una especie de consuelo tenue, pero muy dulce a su modo". Para él, este sentimiento puede presentar muchos y distintos matices de los cuales "algunos llegan hasta la esperanza" [137], precisamente aquellos que el autor debe provocar en el lector; así lo hacen Galdós, Renan y Zola. La presentación de la realidad con sus imperfecciones, con sus defectos, incluso horrores, produce en el lector una sensación dolorosa; pero el descubrimiento de las fuerzas que dentro de ella luchan por mejorarla, lleva hasta él un aire refrescante de consuelo y esperanza. Al entristecerse, el lector adopta una actitud de "compasión" hacia el mundo social; la lectura ha desempeñado así una función dignificadora. El dolor, afirmaba Clarín en el co-

---

[134] Véase *M.,* págs. 139 y 282; *E. R.,* pág. 41; *P.,* pág. 51.
[135] *N. C.,* pág. 381.
[136] *S.,* pág. 286.
[137] *N. C.,* pág. 396.

mentario dedicado a las poesías de Balart, es "virtud medicinal, reveladora" [138].

Las raíces de esta exaltación del dolor y la tristeza, producidos por la observación literaria de la realidad, están muy próximas a la actitud con que se enfrenta al mundo la literatura comprometida actual. Para transformar una sociedad injusta, lo primero es conocer y sufrir sus injusticias; el arte literario, a través de sensaciones estéticas, puede conseguir que el lector participe de la injusticia y la brutalidad de la realidad; cuando el lector se entristece es que está compartiendo los sufrimientos y luchas de los personajes. El lector, en que piensa Clarín, adopta así ante las obras literarias una actitud sentimental, no racional, muy distinta por ejemplo a la actitud crítica racionalista que Bertold Brecht exige a su espectador.

El dolor y los sentimientos con él relacionados —melancolía, tristeza, amargura, miedo a la muerte— son para Clarín, tomando una posición que podríamos considerar como pre-existencialista, el tema principal de la filosofía y, al mismo tiempo, el motor del filosofar: "Toda filosofía que pretenda merecer que la estudie el hombre experimentado, no debe dejar entre lo accesorio la teoría del dolor. No abordar este problema o tratarle como fórmula sin fondo, es huir de la dificultad más real del objeto último, según los más, de la filosofía". En cuanto desaparezca el miedo a la muerte desaparecerá el afán de filosofar [139]. Esta defensa del dolor como motor y objeto de la filosofía, y de la tristeza como intención primera de la obra literaria, que Clarín hace en sus artículos y que se cumple en todas sus narraciones, puede hacer pensar a un lector superficial en una actitud pesimista por parte del escritor asturiano; pero la consideración de la tristeza como fuente de esperanza imposibilita apreciación de tal clase. El mismo Leopoldo Alas se da cuenta de que tal confusión podría deducirse de sus afirmaciones, por eso parece tener particular interés en negar cualquier acusación de pesimismo. A Menéndez Pelayo le escribió: "Mi modo de entender el arte y sobre todo la novela, hace pensar que me domina el pesimismo, y no hay tal cosa. No me domina, me *hante*

---

[138] Prólogo a las *Poesías completas* de Balart, pág. 28.
[139] *S.*, págs. 87 y 88.

como dicen los franceses; después viene la reacción reflexiva y sentimental, que es lo que yo espero que en el conjunto de mis pobres
libros se destaque a la larga. Pero lo primero es la sinceridad del
estado presente" [140]. El pesimismo, para él, es producto de una filosofía, de una actitud ideológica idealista que no tiene en cuenta
el progreso dialéctico de la realidad; el error del pesimismo está
en que sitúa a la realidad fuera del proceso histórico: "Los filósofos pesimistas suelen equivocarse en su sistema y en las consecuencias que deducen de los datos recogidos, pero los datos casi siempre son ciertos. Esto es lo más triste del pesimismo" [141]. Para evitar posibles confusiones casi siempre denomina a esta filosofía pesimista "pesimismo sistemático". En *Justicia de enero,* artículo
escrito en enero de 1893, habla de dos clases de pesimismo: uno
es "el quejarse de las evidentes tristezas, de los desengaños reales,
de las deficiencias y amarguras que ofrecen a montones la naturaleza y la sociedad" [142], éste es el que encontramos en él; a continuación añade que sólo tiene derecho a llamarse "pesimista", "en
el riguroso, exacto sentido de la palabra, el que haya llegado a esa
conclusión: que el mundo es de la manera más mala que cabe
imaginar"; éste es el que denomina "pesimismo sistemático". En
el artículo dedicado a *Marianela,* anterior en unos quince años a
éste, ya había escrito que "no hay más pesimismo que el sistemático, el desesperado" [143]. "Pintar las miserias de la vida —escribía
en el prólogo a *La cuestión palpitante*— no es ser pesimista",
"quien de un buen libro naturalista deduzca el pesimismo, lleva el
pesimismo en sí". En el comentario a *Le Débacle,* aparecido en *El
Imparcial* el 18 de julio de 1892, indicaba que "el pesimismo no
consiste en reconocer desgracias, miserias, dolores, males particulares; en este punto, el optimista más alegre (y los optimistas pueden ser alegres y tristes) llegará acaso tan lejos como Schopenhauer,
si es fiel observador de la vida y sabe sentir y comprender".

Los conceptos de tristeza y pesimismo tienen carácter predominante en los exámenes de novelas de Zola, al que en un mo-

---

[140] *E.,* pág. 55.
[141] *S.,* pág. 88.
[142] *P.,* pág. 51.
[143] *S.,* pág. 286.

mento determinado llega a calificar de "filósofo de la tristeza", y
afirma que eso es lo principal en él, no el naturalista, ni el pesimista [144]. Pese a esta afirmación lo acusa alguna vez de profesar
un "pesimismo sistemático", relacionado con el determinismo científico que el novelista francés defendía. El estudio de *La terre*,
uno de los mejores artículos de Clarín, está escrito todo a la luz
del sentimiento de tristeza. Es interesante destacar que, en el dedicado a *L'argent*, acusa a Zola de no haber pintado "más catástro-
fes, más tristezas, más miserias". En este mismo artículo afirma que
el escritor debe intentar en sus obras producir un "pesimismo fenomenal", "que es el que importa en un artista, y el que da fuerza
pesimista a las obras literarias cuando son realistas"; "en rigor
no es *pesimismo*, si no el mal *registrado*, lacería vista, dolor con-
firmado" [145]. En ese mismo artículo afirma que el escritor está obligado a descubrir y transmitir al lector la tristeza del vivir humano, pero "no porque el autor lo diga, sino porque lo dicen las
cosas, tal como las pinta" [146].

6. REALISMO

Los intentos de definición de este término, dentro del campo
literario, chocan con una serie de dificultades; la primera, y más
importante de ellas, surge de su aplicación a obras de tendencias y
épocas distintas. Tiene razón Karl Mannheim cuando sostiene que
"realismo significa distintas cosas en diferentes contextos"; por
eso, cuando hablamos de "realismo" lo hacemos situándolo, consciente o inconscientemente, dentro de las coordenadas históricas,
tiempo y espacio, es decir nos referimos a unas determinadas obras
o autores. Los intentos de generalización son muy escasos; uno de
ellos se encuentra en la obra de Leon Trotsky *Literatura y Revolución*. El político soviético se preguntaba allí que entendíamos bajo
el término "realismo"; "en distintos períodos —se contestaba él

---

[144] *E. R.*, pág. 44.
[145] *E. R.*, pág. 73. "Fenomenal" lo utiliza en el sentido kantiano (distinción fenómeno-noúmeno) de apariencia de la realidad.
[146] *E. R.*, págs. 74-75.

mismo— y a través de distintos medios, el realismo ha expresado sentimientos y necesidades de diferentes grupos sociales. Cada una de estas escuelas realistas está sujeta a una definición literaria y social, aislada, y a fórmulas y estimaciones literarias distintas. ¿Qué tienen en común? Un definitivo e importante sentimiento hacia el mundo. Realismo consiste en la preferencia por la vida tal como es; en la aceptación artística de la realidad, y no en su elusión; en un activo interés en la concreta estabilidad y movilidad de la vida. Es pues, un esfuerzo dirigido a reproducir la vida tal como es o a idealizarla, a justificarla o condenarla, a fotografiarla o generalizarla y simbolizarla. Pero siempre comporta una preocupación por nuestra vida de tres dimensiones como un tema suficiente e invalorable para el arte" [147]. Fijémonos que algunos de los conceptos sostenidos aquí por Trotsky —esfuerzo para idealizar la vida, o generalizarla y simbolizarla— no hubiesen sido a aceptados por la mayoría de escritores que nosotros consideramos prototipos del realismo literario.

En un intento de definición, que abarcase la mayoría de las tendencias realistas, podríamos decir que el realismo es "la reproducción de la realidad a través de la obra artística"; el problema deja entonces de ser literario para convertirse en filosófico, pues el significado de "realismo" depende, en último caso, de lo que entendamos por realidad. En la noción de realismo intervienen así el concepto de realidad y la técnica literaria con que el autor se enfrenta a ella. El crítico norteamericano Harry Levin, en su inteligente estudio *What is realism?*, destacaba la falta de fijeza semántica del término "realismo": "Art has continually adapted itself to man's changing conceptions of reality — that is to say, his successive adjustments to society and nature. In a static culture, where his position is fixed and his world-view unchanging, expression is likely to be conventionalized. But Occidental culture has been dynamic, and its arts have endeavoured to keep pace with its accelerating changes" [148].

---

[147] Cito de una edición norteamericana, *Literature and Revolution,* The University of Michigan Press, 1960, pág. 235.
[148] *Contexts of Criticism,* pág. 70.

El concepto de realismo con el cual tratamos aquí corresponde
a la corriente de la novela francesa del XIX, que se inicia en Stendhal y Balzac y culmina en Zola, y va, por tanto, desde el "Je-
prends au hasard ce qui se trouve sur ma route" de Stendhal hasta
el estudio científico de la realidad, representado por el naturalismo.
En 1826 una voz profética escribía en el *Mercure français du XIXe
siècle*: "Cette doctrine littéraire qui gagne tous les jours du terrain
et qui conduirait à une fidèle imitation non pas des chefs-d'oeuvre
de l'art mais des originaux que nous offre la nature, pourrait fort
bien s'appeler *le réalisme*: ce serait suivant quelques apparences,
la littérature dominante du XIXe siècle, la littérature du vrai" [149].
Albert B. O. Borgerhoff señala, en su estudio *"Réalisme" and Kindred Words*, que hacia 1837, por lo menos, había ya, en Francia,
una conciencia crítica de la existencia del realismo como corriente
literaria claramente delimitada ; cuando el romanticismo, añade,
dejó de ser el movimiento literario predominante, el realismo estaba ya allí dispuesto a ocupar su lugar. Su momento de triunfo podemos situarlo entre 1843, cuando Champfleury empieza a exponer sus teorías, y 1857, año de la publicación de *Mme. Bovary*.
Champfleury defiende el abandono, por parte del novelista, de los
personajes excepcionales o monstruosos en favor del hombre ordinario, que este hombre sea hermoso o feo, virtuoso o malvado,
importa poco con tal de que sea verdadero ; a la retórica opone la
lengua más sobria, la que mejor se identifique con la naturaleza
del asunto tratado ; e intenta substituir el lirismo y la efusión personal por la impersonalidad y el "effacement" del autor. El escritor, según él, debe hacer de sus obras un espejo de la vida, un
aparato reproductor de sonidos, colores y formas [150].
El "realismo" ha ido unido a la novela, no sólo en Francia y
en el XIX, sino en otras épocas y países. En el verano de 1951, la
publicación norteamericana *Comparative Literature* dedicó un volumen a un "simposium" sobre el realismo ; distintos autores estu-

---

[149] Citado por Borgerhoff, *"Réalisme" and Kindred Words*, página 839.
[150] Champfleury, *Encore quelques mots à propos de "M. de Boisdhy-
ver"*, en *Le Figaro*, Paris, 7-VIII-1856. Citado por Slavan, *L'essence du
réalisme français*, pág. 225.

diaban esta corriente literaria en Francia, Inglaterra, Rusia y Alemania, coindiciendo en identificarla con la novela y destacar el carácter nacional que poseía en cada uno de aquellos países; todos los colaboradores reconocían la influencia de la literatura española, particularmente del *Quijote,* en los orígenes de estos "realismos nacionales". H. C. Hatfield, que examinaba esta corriente dentro de la literatura alemana, escribía: "Realism is not a movement which can be restricted to two or three periods of German literary history; it is rather a tendency which appears in the German novel in the sixteenth century (of course, in other genres, it antedates the novel) and continues from that time to the present. German realism should not be as closely associated with the nineteenth-century novel as is the common practice" [151]; poco después reconoce la deuda de la primera gran novela alemana, *Simplicissimus,* a la literatura española. La novela realista y el realismo han sido, sin duda alguna, las aportaciones más importantes de nuestro país a la cultura literaria europea. En las motivaciones del realismo español tiene un carácter decisivo la protesta y rechazo de actitudes e ideologías que podríamos calificar de idealistas. En *La Celestina* frente al mundo amoroso de Calisto, el ideal, surge la realidad del sexo y la codicia presentados en sus apariencias más brutales. En el *Lazarillo* —no olvidemos que es esta obra, y no el *Quijote,* la que aparece en pleno auge de los libros de caballerías—, el héroe de estas novelas ha sido substituido por un muchacho de la más baja extracción cuyas aventuras no son combates con dragones, herejes o gigantes, sino pequeñas picardías contra una sociedad que le impide satisfacer el instinto más primario del ser humano: el hambre. En el *Quijote* la trágica grandeza de su héroe nace del choque entre dos concepciones gnoseológicas: la fantástica de los libros de caballerías, transformadora de la realidad, y la realista, aceptación de la apariencia fenomenológica como representación inmascarable e incambiable del mundo en que vivimos. La realidad se presenta, en las tres obras, como algo superior al hombre, que éste no puede transformar o dirigir. Nuestro realismo del siglo XIX,

---

[151] Pág. 235.

aunque, en algunos casos y no para bien, denota una clara influencio formal de Cervantes y otros clásicos, no proviene de los escritores españoles del XVI y XVII, sino que se origina ante el ejemplo modélico de la novela francesa y como superación del costumbrismo y el folletín románticos. Paradójicamente nuestros realistas clásicos han tenido más eco en otras literaturas —la inglesa del XVIII, la rusa del XIX, ...— que en la nuestra.

Indicaba antes que el realismo ha ido siempre íntimamente unido a la novela, en algunos momentos ha llegado incluso a identificarse con ella, así el crítico norteamericano Wayne C. Booth establece, en su obra *The Rhetoric of Fiction*, como primera regla general de la narrativa: "True novels must be realistic". Si el género novelístico es el más apto para la imitación de la realidad, el siglo XIX se presenta como la época en que esta tendencia literaria alcanza mayor importancia; los años que siguen al romanticismo llegaron a ser considerados, por algunos historiadores de las letras, como caracterizados por un nuevo movimiento literario: el realismo, actitud artística de la clase social, surgida del desarrollo del capitalismo, que luchaba por apoderarse de la dirección política e intelectual de la nueva sociedad. En nuestro país, las condiciones económicas y políticas retrasan su aparición respecto a Francia e Inglaterra. Los primeros reflejos de la polémica realista los encontramos en años posteriores a la revolución de 1868; en 1874, Blanco Asenjo publicó, en la *Revista de la Universidad de Madrid*, su trabajo *El Realismo y el idealismo en Literatura* y al año siguiente, 1875, tiene lugar en el Ateneo madrileño una serie de discusiones en torno al tema "Ventajas e inconvenientes del realismo para el arte dramático". Existió pues, en España, una polémica, que no alcanzó grandes proporciones, en torno al realismo y el idealismo, muy pronto oscurecida por las violentas discusiones provocadas por la aparición del naturalismo. Característico de estas últimas es la aceptación, por la mayoría de los que intervienen en ellas, de la "imitación de la realidad" como materia de la obra artística; por eso ha podido escribir J. F. Montesinos, en su libro *Pereda o la novela idilio*, que, en aquellos años de culminación del realismo en España, éste se nos aparece tan seguro de sí, tan persuadido de su verdad, que cree poder ahorrarse justificaciones doctrinales [152]. En esta aceptación casi unánime de unos principios más o menos realistas, fueron decisivos la exigencia de los tiempos, la obra ejemplar de los novelistas franceses y la autoridad de los clásicos españoles, novelistas y algunos dramaturgos, Tirso particularmente.

En nuestra literatura del XIX, existe una línea continua de ascenso en el estudio y reflejo de la realidad; dentro de esa línea podríamos destacar tres estadios: costumbrismo, novela de tesis o tendenciosa, y novela realista y naturalista [153]. Estos estadios son paralelos a las actitudes ideológicas predominantes: el costumbrismo corresponde a la época de evasión anterior a la revolución del 68, de aquellos años, como dirá Clarín, en que los españoles estuvieron a punto de volverse tontos; el costumbrista no busca reflejar la realidad total, y menos estudiarla y mover el lector a modificarla, se limita a recoger y destacar lo que hay en ella de pintoresco y curioso; y por eso mismo, cuando se entre en una nueva época literaria años posteriores a 1868, se limitará, por lo general, a recordar ambientes, profesiones o tipos ya desaparecidos. La novela ideológica coincide con la época de activa y violenta lucha polémica que, iniciada con el krausismo, se desarrolla tras la revolución de 1868. Hacia 1880 empieza a reflejarse, dentro del campo ideológico, la mentalidad pragmática y acomodaticia de la Restauración; la suavización de las polémicas y la influencia del naturalismo francés llevan al escritor a reproducir y estudiar la realidad sin los prejuicios que le movían en los años anteriores. Es, en esta época, cuando encontramos una concepción clara y acertada de lo que ha de ser el realismo; en 1886 y en una larga serie de artículos, publicados en *La Ilustración Ibérica*, bajo el título *El realismo y la literatura contemporánea*, casi un verdadero libro sobre el tema, Rafael Altamira lo definía como "la sujeción

---

[152] Pág. 24.

[153] Estadios, hay que tener presente, que no se siguen unos a otros, sino que en algunos momentos se superponen. Dentro de esta evolución de nuestro realismo habría que señalar un cuarto período, dentro del XIX, que se inicia con *Realidad* de Pérez Galdós. Este nuevo estadio coincide con el predominio de las tendencias ideológicas de tipo espiritualista.

del Arte a la realidad pura, actual, sin disfrazarla ni perfeccionarla, sino reflejándola con verdad".

En los personajes literarios, es donde más claramente se transparentan las diferencias entre los tres estadios del realismo. La presentación de "tipos" es la característica primordial del costumbrismo; el "tipo" posee cierto aire de resultado estadístico de una especie humana [154], no es "un médico" o "un pescador" sino "el médico", "el pescador"; en este aspecto, tiende a ser una abstracción de la realidad. Por eso, en la mencionada definición, Altamira añadía que el realismo lucha "por *individualizar* los tipos, único modo de amoldarse a lo real". En la novela de ideas o tendenciosa los personajes se convierten en símbolo o representación de actitudes ideológicas; no nos enfrentamos con "el médico", sino con "el progresista médico" o "el tradicionalista"; el autor toma al individuo de la realidad pero la carga ideológica que le coloca lo convierte, dentro de las superestructuras mentales, en un "tipo". En la novela realista-naturalista, los personajes son verdaderos caracteres, individuos independientes de la voluntad del autor; serán ingenieros o liberales, pero nunca "el liberal" o "el ingeniero". El "tipo" está desprovisto de contradicciones; en el "personaje-idea", las contradicciones son resultado del choque entre su ideología y la sociedad; en el "individuo" son una parte de él mismo, están en su interior, y se convierten en el motivo principal de nuestro interés hacia él.

También en el tratamiento del "ambiente" encontramos notables diferencias entre "costumbrismo", "novela de ideas" y "novela realista". El primero busca lo que hay en el ambiente de pintoresco y lo hace a través de la técnica del "cuadro", o sea, la realidad estática y delimitada; la "novela tendenciosa" tiende a destacar aquello que se enfrenta a la mentalidad de sus personajes, o la apoya. Para el realismo, y mucho más para el naturalismo, el ambiente es una fuerza que influye en la personalidad de los caracteres; Maupassant afirmó que el escritor realista muestra "comment les esprits se modifient sous l'influence des circonstances environnantes..., comment se développent les sentiments et les passions,

---

[154] Véase Montesinos, *Pereda o la novela idilio*, págs. 29-30.

comment on s'aime, comment on se hait, comment on se combat dans tous les milieux sociaux, comment luttent les intérêts bourgeois, les intérêts d'argent, les intérêts de famille, les intérêts politiques". Trata pues con una realidad en proceso y en lucha. La obra crítica de L. Alas se inicia cuando, en España, predominaba la novela ideológica. Toda ella se desarrolla dentro de la plena aceptación y cultivo del realismo. La literatura como imitación de la realidad es la base de todo su pensamiento crítico; esta convicción es tan firme en él y tan unánime en sus lectores que no hará ni una sola justificación de ella. Clarín representa la culminación teórica en el proceso de "redescubrimiento de la realidad española", como Galdós señala la culminación práctica de ese mismo proceso. Desde la perspectiva realista, L. Alas analiza novelas, dramas e incluso libros de poesía. "El semejar la realidad", escribe en 1881, es "el supremo mérito" de la obra literaria [155]; y, en julio de 1885, afirma, en *La Ilustración Ibérica,* que la misión del escritor es "reflejar la vida toda, sin abstracciones; no levantando un plano de la realidad, sino pintando su imagen como la pinta la superficie de un lago tranquilo". Afirmaciones parecidas abundan a lo largo de todos sus artículos, particularmente en la década de 1880. Para Clarín la realidad se presenta como la materia con que trabaja el artista; equivale, empleando una vieja terminología, al fondo o contenido de la obra literaria. En uno de los artículos dedicados a *Lo prohibido* de Galdós, comparaba a los "idealistas" con los perros que ladran a la luna [156]. En su identificación con la corriente realista llegó incluso a señalar, en nombre de ella, defectos a las obras de Zola *La Terre* y *L'Argent* [157]; en la crítica de esta última escribía: "este hombre, esa familia, aquel pueblo, son asuntos de novela más humanos, más semejantes al asunto de la vida real del hombre, que tal o cual hombre que resume o simboliza, con mayor o menor abstracción, pero siempre con abstracción, alguna fuerza social, un vicio, una tendencia o una institución". La corriente novelística, señalada por estas dos novelas, que había aparecido en Zola a partir de *Pot-Bouille,* elevaba a su autor en

---

[155] *L. 1881,* pág. 198.
[156] *N. C.,* págs. 113-114.
[157] *E. R.,* págs. 53, 64 y ss., 73 y ss.

algún aspecto a gran altura, "pero no en el puramente artístico de producir novela realista, propiamente tal" [158].

Leopoldo Alas refiere el realismo no sólo a la novela, sino a otros géneros literarios; para él, es una línea que han de seguir todas las obras artísticas, así, en 1887 declaraba, en las páginas de *La Ilustración Ibérica*, que el arte "ha de ser la realidad vista a través de un temperamento" [159]. El extenso e importante estudio *Del teatro*, recogido en *Solos de Clarín*, está dedicado totalmente a la defensa de una dramática realista; y, en la crítica de *Mar sin orillas*, afirmaba que el teatro más perfecto será aquél en que "el elemento de realidad" parezca "arrancado de la vida misma" [160]. Unos doce años después, en abril de 1892, dedicaba una "revista literaria" a los intentos dramáticos realistas de Echegaray y Pérez Galdós; defendía allí, como medio para transformar el teatro, el realismo de ambiente —"la naturalidad, la verdad mejor copiada, la imitación más fiel del mundo"— y el realismo psicológico —"el estudio más detenido y escogido de los caracteres"— [161]. En algunos artículos, dedicados a la poesía, propugna una especie de "realismo"; el más característico de ellos es el titulado *El naturalismo y la poesía*".

El paralelo entre el realismo de Leopoldo Alas y la línea seguida, durante los veinte últimos años del XIX, por esta corriente literaria en Europa —Francia especialmente— y España, ilumina algunos aspectos de las ideas de nuestro escritor. En Francia, a la victoria polémica del naturalismo, que representa el triunfo del ambiente sobre los personajes, sigue, a fines de la década del ochenta, una búsqueda de nuevos conceptos novelísticos, casi siempre fallidos; en 1887 Maupassant escribe, en el prólogo de *Pierre et Jean*, que la realidad sólo tiene valor subjetivo "puisque nous portons chacun la nôtre dans notre pensée et dans nos organs"; Bourget, tal vez como reacción frente al naturalismo, tiende a limitar su novela a los caracteres, intentando lo que podríamos denominar un "realismo psicológico"; Zola, reconoce el mismo Clarín,

---

[158] *E. R.*, pág. 66.
[159] *M.*, pág. 184.
[160] *S.*, pág. 137.
[161] *P.*, pág. 11.

abandona su manera personal de novelar, tan entusiásticamente defendida, y substituye las novelas de "organismos" por "novelas de *entidades*" [162], buscando la "transcendencia psicológica". El panorama del realismo español es más complejo, pues pasa del costumbrismo a la novela tendenciosa y de ésta a un "naturalismo" original, para seguir a partir de ahora una evolución muy próxima a la francesa.

L. Alas es consciente de los cambios y modificaciones que se desarrollan en los dos países; los acepta y defiende, adaptándolos a su modo de ser, y tendiendo en todo momento a destacar el papel de la realidad como objeto y sustancia del arte literario; es más, da la impresión que para Clarín aquella es la única materia con la que el arte puede trabajar. Al costumbrismo lo considera como un estadio ya superado del realismo, aunque ciertas características de aquella tendencia se adivinan en algunos de sus escritos, principalmente en relatos breves; por ejemplo, en el simbolismo de los nombres, y el tratamiento de "tipos". En mayo de 1885, escribe en *La Ilustración Ibérica* que "el objeto imitado" por el artista debe ser "la naturaleza directamente vista", pero ha de darnos, y ésta es la diferencia esencial entre realismo y costumbrismo, "lo sustancial en lo pasajero".

Tras defender a la novela de tesis como la más adecuada a su época y presentar a *León Roch* como ejemplo cumplido de aquélla, declara que, en esta obra, las "ideas", y ahí reside su acierto, se presentan "con la fuerza de la convicción y persuasión que tienen la realidad y el arte" [163]. En los consejos que da a Ortega Munilla, con motivo de *El tren directo*, encontramos idéntica unión entre "ideas" y "realidad" [164]. Con la aceptación del "naturalismo" francés rechazará cualquier posibilidad de transparentar una idea no surgida, en el lector, ante la contemplación de la realidad; "el novelista que quiera colocarse en la corriente del tiempo", nos dice el 1 de mayo de 1883 en la revista *Arte y Letras*, "debe estudiar determinadas relaciones de la vida, sin el propósito

---

[162] *E. R.*, págs. 65 y ss.

[163] *S.*, pág. 219.

[164] "Estudie aun más que los modelos, la vida; saque de sus entrañas los argumentos; luche en el arte por alguna idea" (*S.*, pág. 312).

de concluir tal o cual afirmación..., penetrando con observación directa en la realidad de las cosas y no más".

Clarín acepta en principio las nuevas tendencias literarias surgidas a finales de siglo, que, en cierta manera, indican una crisis del "realismo" como base del arte, pero procura presentarlas como distintos aspectos de la "imitación y reflejo de la realidad"; "las nuevas corrientes —escribe en 1890— [165] no van contra lo que el naturalismo afirmó y reformó sino contra sus negaciones, contra sus límites arbitrarios"; y, en la crítica de *Ángel Guerra* que creo es de 1891, señala que Galdós pertenece "a la tendencia realista moderna, que parece enseñoreada del mundo" [166]. Es curioso que, en estos años de búsqueda de nuevas corrientes novelísticas, su reacción más fuerte sea contra las novelas de Zola que él llama "de *concepto*"; reacción no contra las obras, sino contra la tendencia que representan, la cual, según Clarín, señala una vuelta a una clase de novela ya superada; por el contrario, la novela psicológica o la novela poética, son un reflejo de realidades antes poco estudiadas.

Al lado de los cambios de gusto literario, que ocurren en Francia y España, aparece en Clarín una nota nueva en la concepción de la realidad como materia artística: no toda ella es objeto apto a la obra literaria; en 1887, en una crítica de *Los Pazos de Ulloa*, afirma que toda realidad "se puede hacer asunto de novela" [167]; tres años después, hablando precisamente de otra novela de Pardo Bazán, *Insolación*, escribe que esta obra "sólo tiene de real lo que tiene lo real de no asimilable para el arte" [168]; al año siguiente, en la crítica de *Nubes de estío*, insiste más detenidamente en esa idea [169].

Leopoldo Alas muestra un documentado conocimiento de uno de los problemas más importantes a que hubo de enfrentarse nuestro realismo: el tratamiento de los personajes; en sus artículos, se transparenta la conciencia de las diferencias entre "tipo", "perso-

[165] *E. R.*, pág. 281.
[166] *E. R.*, pág. 340.
[167] *La I. I.*, 5-II-1887.
[168] *Mu.*, pág. 82.
[169] *E. R.*, págs. 81 y ss.

naje que representa una idea" y "carácter", haciendo una defensa entusiasta, tanto dentro del teatro como de la novela, de éste último Su concepción del "tipo" y del "carácter" coincide con la que J. F. Montesinos, el mejor conocedor actual de nuestro realismo del XIX, señala en varios de sus estudios. En el artículo *Del teatro* escribía que no había que hacerse del "carácter" un "*substractum* de propiedades", pues "no hay *tipo* que sea dramático" [170]. En la crítica de *La Desheredada*, señalaba como "defecto" "realista" de las novelas anteriores de Pérez Galdós —*Doña Perfecta, Gloria, León Roch...*— el crear "tipos, aunque verosímiles y naturales, simbólicos, con una acción determinada por un fin que responde a una tesis" [171]. Una de las notas que presenta el "tipo", y que lo hacen inadecuado a una literatura verdaderamente realista, es su inmovilidad; el tipo es un resultado, como tal no puede cambiar ni evolucionar. Por el contrario el carácter, como la realidad es un continuo proceso; en la crítica de *Torquemada en la Cruz*, escribe Clarín: "creer que la energía del carácter consiste en ser siempre el mismo, en el sentido de no ser influido por el medio ambiente es confundir la quietud del cadáver con la espontaneidad de los actos" [172]. Su rechazo del "tipo" como personaje de una novela realista es total; "no se trata de representar en los personajes el término medio de los de una clase" —es decir, de crear "tipos"— "sino de estudiar determinada personalidad, de veras, tal como es o debe ser, ya sea de comunes cualidades, ya excepcional" [173]. En el artículo *Del estilo en la novela*, afirmaba de Pereda que "al estudiar un *tipo* de sus montañas sólo como tal tipo lo estudia, muestra en él lo particular y apenas se para en lo general humano; por eso es más exacto y pintoresco que profundo el análisis de Pereda". La concepción del "carácter" novelístico, que posee Clarín,

---

[170] *S.,* pág. 60.
[171] *L. 1881,* pág. 133. En el comentario a *El buey suelto* de Pereda, aparentemente defiende lo típico; "el protagonista —afirma— a fuerza de parecerse a determinado señor se parece muy poco a los demás solterones". Hay que tener en cuenta que en esta época defendía la novela "tendenciosa", entonces cultivada por Pérez Galdós, novela que representa, en cierta forma, el triunfo de los tipos ideológicos.
[172] *G.,* pág. 258.
[173] *M.,* pág. 140.

se presenta con tal claridad en sus críticas y relatos que casi puede resumirse en una fórmula matemática: el "carácter" es igual al
temperamento o *individuo*, más la influencia del *medio ambiente*,
más su historia personal; la Regenta, Fermín de Pas, Bonifacio
Reyes... podían haber afirmado, parafraseando la conocida expresión de Ortega: "Yo soy yo, mi circunstancia y mi pasado". El
estudio del ambiente y de la historia del personaje devienen, en
Clarín, una iluminación de los caracteres. La importancia que siempre concedió a los caracteres, los cuales desde sus primeros artículos aparecen como núcleo de la novela y el drama, le permitió, sin
necesidad de forzar su teorización "naturalista", aceptar los intentos de la "novela psicológica"; ya antes de 1885 decía a Palacio
Valdés, con motivo de su obra *El idilio de un enfermo,* que los
personajes hay que "hacerlos ver por dentro" [174]; poco tiempo después, en una crítica de *El cisne de Vilamorta,* insistía en esta idea:
cualquier hombre vulgar sirve para protagonista de un libro, "pero
hay que ahondar en el hombre y traerlo y llevarlo un poco por el
mundo" [175].

El "realismo" no afecta sólo al contenido de la obra sino también a la forma y a las relaciones entre los dos; en este último
aspecto, defenderá siempre la supeditación de la forma al fondo.
Clarín se mostró muy preocupado por el problema de la expresión
literaria, prueba de ello la serie de artículos sobre *El estilo en la
novela* publicados en 1882, en las páginas de la revista barcelonesa
Arte y Letras, uno de sus mejores escritos críticos. En este trabajo, tras examinar el lenguaje de los novelistas franceses y españoles de aquel siglo, consideraba como el más adecuado a la novela
realista el de Galdós y Balzac; de este último decía que su ambición era "hacer olvidar al lector que hay una cosa especial que
se llama estilo y sirve para encantarle, artificio útil con el que se
le hace tener por fácil y corriente el placer del arte; hacerle olvidar que hay allí además del asunto, del mundo imaginado que parece real, un autor que maneja un instrumento que se llama estilo" [176]. El estilo defendido por Clarín es aquel precisamente que

174 *S. P.,* pág. 241.
175 *N. C.,* pág. 154 .
176 *A. L.,* 1-VIII-1882.

no se reconoce como tal. En la obra realista el autor debe intentar dar sensación de naturalidad [177]; por eso, declara en 1887, cuando surge un conflicto entre "el arte de componer", del cual es una
parte el estilo, y "el arte de la naturalidad en la acción" debe sacrificarse el primero [178]. La supeditación de la forma expresiva al
contenido es total. En uno de los artículos de *El estilo en la novela,* escribía: "lo mejor nunca está en la belleza que depende de
la manera de decir, sino en la belleza de lo que se ha de decir,
felizmente expresado, sin más adornos que la fidelidad, la fuerza
que da la exactitud" [179]. La exaltación del fondo representa una
actitud de "compromiso" ideológico; se puede decir, sostiene
Gramsci, que quien insiste sobre el contenido lucha por una cultura determinada, por una concepción determinada del mundo frente
a otras culturas y concepciones. Todo el "realismo" de Clarín es
una insistencia sobre el contenido, y representa una actitud paralela, dentro del campo literario, a su lucha por una cultura huma-
nista y mayoritaria. Al mismo tiempo ese "realismo" es una protesta y denuncia al descubrir, en su búsqueda de la verdad, las injusticias y contradicciones que reinan en la sociedad de la época.
Clarín pudo haber repetido, con intención algo distinta, las palabras de Keats, "Beauty is truth, truth beauty", porque el arte era
para él: "una manera irremplazable de formar conocimiento y
conciencia total del mundo bajo un aspecto especial de totalidad
y de sustantividad, que no puede darnos el estudio científico" [180].

---

[177] En numerosos artículos insiste en la necesidad de ser "natural":
S., pág. 137; *L. 1881,* pág. 181; *N. C.,* págs. 124-125, etc.

[178] *La I. I.,* 5-II-1887.

[179] *A. L.,* 1-VIII-1882. Contrasta con la opinión de Flaubert, quien afirmaba que el preocuparse del argumento más que de la forma era propio
de burgueses.

[180] *La D.,* 16-VI-1882.

CAPÍTULO IV

LA POESÍA

"La poesía verdaderamente lírica debe reflejar
los sentimientos personales del autor, en relación con
los problemas propios de su época".
Ramón de Campoamor (Prólogo a los *Pequeños
poemas,* 1879).

"Comprender la poesía no consiste sólo en descifrar sus elementos intelectuales, sino que hay que
penetrar más adentro, en la flor del alma poética".
Leopoldo Alas (*La Ilustración Ibérica,* 1887).

1. PANORAMA POÉTICO DE CLARÍN

En los libros dedicados al estudio de la obra de Alarcón, Fernán Caballero y Pereda, José F. Montesinos ha conseguido, gracias
a la utilización de un método crítico personal, darnos, por primera
vez, una valoración imparcial de aquellos escritores. Este método
consiste en proyectar, sobre el examen de la producción literaria
de los autores citados, las limitaciones que les imponían su
propia personalidad y la situación socio-cultural de la época en que
escribían. Ha sido así, teniendo en cuenta lo que no podían escribir, como nuestro primer crítico de la narrativa del XIX ha llegado
a iluminar y mostrar la importancia de la obra de aquellos novelistas. Parecida actitud crítica nos es necesaria si queremos llegar a

una comprensión correcta de los comentarios dedicados por L. Alas a la poesía.

Tras los nombres de Bécquer, Campoamor y Núñez de Arce y hasta el surgimiento del Modernismo, se abre, en la literatura española, un largo período de tiempo en que no aparece ni un solo poeta de cierta altura. La lengua castellana durante unos treinta años, tiempo que separa las fechas de nacimiento de Bécquer (1836) y Unamuno (1864), no produce un solo poeta de calidad. En Hispanoamérica el panorama es totalmente distinto, anacrónica y agotada sobrevive frondosa la poesía romántica; reaccionando frente a ella, el modernismo salvará a la poesía española que, gracias a Rubén Darío y los intentos de Rueda, abandona el callejón sin salida de unas formas y temas agotados. Unamuno, por su independencia y la falta de una tradición continua, no podrá dominar la forma poética ni lo intentará, pues para él la forma estaba representada por la cantinela de Zorrilla; Machado encontrará esa tradición en Bécquer, tan lejano en el tiempo, y en Rubén; más tarde recogería algún aspecto de Campoamor. La comparación entre tres fechas nos da una idea, más fiel que cualquier comentario, del lamentable atraso poético de nuestro país respecto de Europa: en 1857 aparecen *Las flores del mal*; en 1870 muere Bécquer, a los treinta y cuatro años de edad; y en 1875 se publican los *Gritos del combate* de Núñez de Arce, considerado por la crítica y el público coetáneo, Clarín inclusive, como una de las mejores producciones poéticas del siglo.

Al examinar el panorama literario español del último tercio del siglo XIX, nos encontramos con el fenómeno de una generación que, pese a ser una de las de mayor peso en nuestra literatura, carece de poetas, aunque tiene sobreabundancia de versificadores o "endecasilabistas", como los llamaba Rueda. Si escogemos como fechas límites de la generación de la Restauración los nacimientos de Pérez Galdós (1843) y Menéndez Pelayo (1856), veremos que entre estos años no nace ningún poeta de cierta categoría. Los escritores correspondientes a esta generación que José María Cossío cita, en el capítulo de la *Historia de las Literaturas Hispánicas* dedicado a la poesía de la segunda mitad del XIX, son: A. Fernández Grilo (1845); Manuel de Revilla (1846); Peñaranda y Escudero, R. Álvarez Sánchez Purga (1848); Cano y Cueto, José Velarde (1849); José María Bartrina (1850); Benito Más y Prat (1851); Emilio Ferrari (1853); Ricardo Gil (1855); Manuel Reina (1856). De todos ellos sólo uno, José María Bartrina, posee verdadera calidad lírica, pero una especie de fatalidad "anti-poética", que persiguió a esta generación, hizo que muriese muy joven; a parte de Bartrina sólo Gil y Reina, situados en los límites de la generación, casi fuera de ella, si consideramos que Menéndez Pelayo por empezar a escribir tan joven se adelantó a su generación, tienen cierto interés por alguna nota innovadora que se transparenta en sus composiciones [1]. De los restantes, Grilo, Ferrari y Velarde son citados muy a menudo por Alas e incluso les dedica artículos; los presenta como una especie de "prototipo" del "poeta malo" y sobre ellos descarga su desgarradora ironía. A veces aparecen citados los tres juntos, así en el *"palique"* *El certamen de San Juan de la Cruz* [2]. De Grilo, al que llama "Grilus Vastatrix", afirma que "es un poeta tan malo, que si no hubiera Velardes en el mundo, podría pasar por el peor poeta" [3]; y de Ferrari decía, en la divertida crítica que dedicó a su poema *Pedro Abelardo:* "El Sr. Ferrari es de los que dicen en verso no lo que quieren, sino lo que pueden" [4].

Los verdaderos poetas de la Restauración pertenecen a generaciones anteriores; son, en primer lugar, Campoamor (1817), Núñez de Arce (1834), y Zorrilla, el cual, aunque nacido el mismo año que Campoamor, parece un sobreviviente de la época romántica. Tras ellos, Manuel del Palacio y Federico Balart, nacidos los dos en 1831. El último se dio a conocer en 1894 con el libro *Dolores,* cuando ya había alcanzado la fama como crítico. Esta primera obra consiguió, en el momento de su aparición, un éxito excepcional; en la "revista literaria", publicada en *El Imparcial* el 12 y 19 de Febrero de 1894, y reeditada en 1929 como prólogo a una edición de las poesías de Balart, Clarín escribía: *Dolores* será "para nuestra poesía de este *último decenio* de siglo, lo que fueron décadas

---

[1] Clarín les dedicó sendos artículos: a Reina en *La I. I.,* 9-II-1895; a Gil en *La P.,* 13-III-1898.

[2] *P.,* págs. 275 y ss.

[3] *L. 1881,* pág. 91.

[4] *S. P.,* pág. 316.

atrás los *Gritos del combate* y los *Pequeños poemas*". Unos tres años antes, al anunciar la publicación de este libro, había declarado que iba a ser "el verdadero acontecimiento poético de nuestra literatura" [5]. En este mismo artículo, presentaba a Balart como el primer poeta de nuestro siglo XIX "en el gran género *realmente* religioso".

Ante el panorama que presentaba una generación de gran calidad literaria pero carente de poetas de cierto valor, no es extraño que algunos críticos y periodistas hicieran augurios sobre una posible desaparición de la poesía [6], en particular de la lírica. Leopoldo Alas se refiere varias veces a tales predicciones y, aunque se declara contrario a ellas, su defensa de la poesía no es muy entusiasta: "No soy de los que creen —escribe el 13 de Marzo de 1898 en *La Publicidad*— que en adelante no se escribirán versos"; incluso una vez esta idea, casi general, le sirve para hacer un chiste: "los españoles, si Dios —no Sagasta— no lo remedia, corremos parejos con la poesía lírica en eso de estar llamados a desaparecer" [7]. En el folleto *Apolo en Pafos,* nos habla del futuro esplendoroso que le espera; es curioso que este brillante futuro lo relacione con la transformación de la poesía en una vía de conocimiento intuitivo, superior al conocimiento científico, concepto de poesía que presenta puntos de contacto con el de Heidegger: "hay en la verdad —nos dice— un principalísimo aspecto que sólo puede ser comprendido mediante el arte, esto es: en la expresión perfecta de su poesía" [8]. La raíz de esta idea tiene orígenes germánicos, especialmente en Schelling. En una "revista mínima", publicada en *La Publicidad* el 14 de Mayo de 1890, parece augurar un futuro auge a cierta clase de poesía, pero ahora los motivos son distintos. Este artículo, pese al confusionismo que lo caracteriza, resulta de un gran interés para

---

[5] *E. R.,* pág. 397.
[6] En *E. R.,* pág. 272, escribe Clarín: "Hay muchos que anuncian el fin de la poesía, a lo menos de la poesía en verso; se le declara incompatible con la vida moderna, con la ciencia nueva, con la democracia".
[7] *La P.,* 11-VI-1897. Años antes, había afirmado en *Nueva campaña*: "La poesía ni se va, ni debe irse, cuando es buena, es decir cuando es buena poesía, es decir cuando es verdadera".
[8] *A. en P.,* pág. 95.

el estudio del cambio de mentalidad que se desarrolla entre la burguesía liberal europea, a finales de siglo. La amenaza que el movimiento socialista representa para el orden establecido, lleva a Clarín a afirmar que "la realidad está acaso ofreciéndonos las jornadas
de exposición de un drama muy complicado y cuyo desenlace no
hay quien pueda pronosticar"; en estos momentos en que la historia se transforma en drama, el público se desinteresa de "la literatura corriente, la de la actualidad, la que vive de los hechos del
día", y la literatura "de la *forma* por la *forma* puede convertirse
hasta en un crimen". El confusionismo y la ambigüedad aparecen
cuando nos habla del arte adecuado a esa época: "la poesía que
se abstiene del mundo, pero que no lo desprecia ni lo abandona"
"que parece indiferente y no lo es, que medita, siente y sueña,
que se prepara, que no es *para* todos *pero* que es *por* todos".

La concepción de la poesía como un arte minoritario se refleja
en algunos de sus comentarios, por ejemplo en la "revista literaria" de enero de 1890, *La crítica y la poesía en España*, donde
declara que "la poesía es una aristocracia, una flor del espíritu;
su enemigo es la vulgaridad, la democracia igualitaria, y el atomis-
mo individual"[9]. "La poesía —escribía en ese mismo artículo—
sólo puede salvarse insistiendo en ser quien es", para ello había
que terminar con los poetas mediocres, pues la poesía sólo puede
ser "quien es" a través de las grandes figuras. La violencia de sus
ataques a "los poetastros" posiblemente podría relacionarse con
esta concepción de la poesía como género aristocrático y minoritario[10], frente al teatro y la novela, artes mayoritarias. En la réplica
al discurso de Núñez de Arce, presenta a la poesía popular, poesía
surgida del pueblo, como estadio superado del proceso literario:
la poesía popular, afirma, no es "un género, ni un estilo, ni una

---

[9] *E. R.,* pág. 273.

[10] En una "revista mínima", publicada en *La Publicidad* de Barcelona
el 25 de julio de 1888, acusaba a la mayoría "de nuestros poetas" de deber
la fama "a su comunión con el vulgo en ideas, palabras y gustos". Parecida
actitud ante la poesía encontramos en los escritos de J. Yxart: "La poesía,
señor hidalgo —afirmaba en *El año pasado 1886*—, es una cosa tan alta
que de la mejor puede tacharse la mitad y más, porque no admite término
medio: o es cosa de muchacho o es una maravilla inexplicable hasta ahora"

tendencia, sino un momento de la vida de las literaturas; es la poesía popular a la mal llamada poesía erudita, lo que son las costumbres al derecho escrito" [11].

Clarín se da cuenta del vacío poético que existe a su alrededor, excepto Campoamor y Núñez de Arce "ni un solo nombre, ni uno solo puede hablarnos de una esperanza" [12]; de ahí que, en sus comentarios sobre la poesía española, predominen la insatisfacción y las quejas. Estas últimas alcanzan particular importancia al referirse a la juventud literaria, y llegan a transformarse en denuncia y acusación. Nos habla de que la juventud desprecia la poesía y sólo se siente atraída por la prosa [13]; constantemente repite que no hay poetas jóvenes [14]; por la poesía, declara en otro lado, nunca se podrá saber "lo que la juventud sentía en España en el último cuarto del siglo XIX" [15]. De los jóvenes poetas no se salva nadie, no hay ni una sola voz personal, se limitan a imitar a los *parnasianos*, Campoamor o Bécquer [16]. En *Apolo en Pafos,* cuando Erato le pregunta si hay en su tierra esperanza de poetas nuevos, Clarín responde: "mi esperanza son Garcilaso, Fray Luis de León, éste sobre todo", y añade "nuestra juventud no es poética". Al buscar la causa de este fenómeno, Erato señala: "tanto se habla entre vosotros de escuelas, de retórica nueva, de la prosa que mata al verso, de la verdad como inspiración única, del fin educativo del arte naturalista, etc., etc...., tanto se revuelve todo ese polvo de confusas doctrinas, de pretensiones pedantescas, que no extraña que la poesía se esconda"; para Clarín, sin embargo, la razón es mucho más sencilla: "no hay poetas nuevos... porque no los hay; porque no han nacido". En otro folleto [17] nos dará una explicación más cercana a la de Erato: el motivo no está en los autores sino en la sociedad, cuyas condiciones justifican la preferencia de la novela por el público. Su idea predominante parece ser: la poesía en

---

[11] *M. pp.,* pág. 71.
[12] *M.,* pág. 357.
[13] *N. C.,* pág. 16; *M.,* pág. 357.
[14] *E. R.,* págs. 202-203 y 246-247.
[15] *M.,* pág. 366.
[16] *E. R.,* pág. 397.
[17] *M. pp.,* pág. 129.

nuestros días no corre paralela al desarrollo histórico, pero no desaparecerá, sino que en una época futura volverá a su antiguo esplendor. Contra su defensa del desacuerdo cuyuntura histórica-poe-
sía se presenta la realidad de la poesía de otros países; él mismo
reconoce que, mientras aquí decae, en el extranjero, incluso Portugal, tiene cultivadores de gran mérito.

No estoy de acuerdo con algunas de las afirmaciones de José
María de Cossío contenidas en la introducción a su valiosa obra
Cincuenta años de poesía española. 1850-1900; aduce allí, como
una de las razones para una actitud de humildad y respeto por
parte del crítico actual frente a la poesía de aquella época, la posición que adoptaron sus críticos; "todos ellos —afirma— ejercie-
ron su menester crítico con un absoluto respeto a las direcciones
poéticas que entonces prevalecieron, colmaron de elogios a muchos
de los poetas"; tal declaración es falsa en el caso de los dos críticos de mayor calidad entre la serie que Cossío cita, Yxart y Alas;
mientras que Valera, otro crítico citado por Cossío, afirmaba de
las *Humoradas* de Campoamor, en una carta dirigida a Menéndez
Pelayo: "Es vergonzoso que semejante colección de simplezas se
aplauda", y de los *Gritos del combate*: "artículos de fondo de un
mal periódico"; en esas mismas cartas dirigidas a Menéndez Pelayo encontraremos, sin embargo, la defensa entusiasta de Velarde
y Ferrari ante los ataques de Clarín [18].

A Leopoldo Alas se le ha acusado, a menudo, de un exagerado
entusiasmo por las grandes figuras de nuestra literatura; en el
caso de la poesía, por Zorrilla, Campoamor y Núñez de Arce; ya
veremos que esta opinión sólo puede deducirse de una lectura superficial de sus artículos. Posiblemente hoy nos parecen excesivos
algunos de los elogios que dirige a estos autores, pero hay que
tener en cuenta que escritores posteriores, pertenecientes a los grupos del 98 y del Modernismo, dirigieron parecidos o mayores elogios a aquellos escritores; Rubén Darío, cabeza de la reacción con-

---

[18] El 28 de diciembre de 1885, Menéndez Pelayo escribía a Valera:
"Pienso como usted respecto a los versos de Ferrari, poeta de mérito, diga
lo que quiera Clarín, que le ha escogido por una de sus víctimas predilectas".
La misma consideración demuestran los dos escritores hacia Grilo y
Velarde.

tra la poesía española del XIX, escribió [19] que los cuatro grandes poetas de aquel siglo habían sido Campoamor, Núñez de Arce, Zorrilla, en primer término, y Bécquer; idéntica afirmación pudo haberla hecho Clarín, aunque tal vez hubiese añadido Espronceda. Rueda muestra parecido entusiasmo por Campoamor y Zorrilla, pero denota cierta frialdad frente a Núñez de Arce [20]. Manuel Machado, en una conferencia titulada *Los poetas de hoy*, recogida en 1913 en el volumen *La guerra literaria*, afirmó que los últimos años del XIX fueron "terribles" para la poesía; de la nube de poetas de aquellos años salvaba a Zorrilla, poeta olvidado "pero, poeta de veras, poeta de siempre, sus últimos versos son, si cabe, mejores que los primeros... tienen ya las auras y los matices de la nueva poesía, de que son en realidad los primeros precursores", y a Campoamor, "aquel gran cerebro, inquieto, matizado, pletórico de ideas, de dudas, de sutilezas mentales, era cosa tan exótica en la tierra del no saber y del no pensar, que casi como a extranjero se le había mirado". Idéntica valoración encontraríamos en Azorín y algunos escritos de Maeztu. Este último, en agosto de 1931, escribía, en *La Prensa* de Buenos Aires, que la generación de Palacio Valdés, Galdós, Pereda, Valera, Menéndez Pelayo, Campoamor y Núñez de Arce, no había encontrado "sucesores de altura"; afirmar, en 1931, que Núñez de Arce y Campoamor no habían tenido sucesores de altura era ya un poco fuerte. El mismo Juan Ramón Jiménez escribía, en 1904 a Rubén Darío: "Usted —ya lo dije— es el mayor poeta que ha escrito en castellano desde la muerte de Zorrilla. Campoamor era un poeta, indudablemente; pero no tenía el menor sentido de las cosas plásticas". La valoración que Clarín hizo de la poesía de sus coetáneos coincide pues, en líneas generales, con la de la generación siguiente, pese al falso aire de reacción contra todo lo anterior que esta última adoptó.

Clarín resumió su valoración de nuestra poesía con la célebre frase "dos poetas y medio" que originó la polémica con Manuel Palacio [21], el medio poeta. Esta fórmula poética se encuentra por

---

[19] *España contemporánea*, artículo *La coronación de Campoamor*.
[20] Véase el libro *El ritmo*.
[21] Sobre esta polémica consúltese Gómez Santos, *Leopoldo Alas "Clarín"*, págs. 114-115.

primera vez en el artículo *Los poetas en el Ateneo*[22], pero tuvo
tal éxito que, contra su voluntad, reconoce el mismo Clarín, la repitió numerosas veces; la encontramos, por ejemplo, en los artículos dedicados a Salvador Rueda y a *Dolores* de Balart, al que consideró como otro poeta entero. Las unidades de poeta eran Campoamor y Núñez de Arce, el medio Palacio, a ellos debía añadirse,
declaraba en el citado artículo, *Los poetas en el Ateneo*, Zorrilla
que valía por dos o por uno y medio, pero si se contaba a Zorrilla
había de contarse también "a Espronceda, y al duque de Rivas, y
a Quintana casi, casi".

Era muy difícil que, en una generación sin poetas y cuya lectura eran poetas anacrónicos y de no muy gran valor, surgiese
un espíritu crítico que se diera cuenta de ese estado, lo denun-
ciara y al mismo tiempo buscase un camino hacia la renovación.
Clarín, con su poderoso gusto innato, llevó hasta el máximo, dentro de lo posible, la denuncia de la poesía de sus contemporáneos.
Situado Zorrilla como un superviviente glorioso de otra época,
Campoamor y Núñez de Arce quedan como las dos figuras poéticas de la Restauración, pero los elogios que les dedica, particularmente a Campoamor, pues frente a Núñez de Arce denota cierta
frialdad, aparecen siempre en comparación con el resto de los poetas españoles de la época, nunca con extranjeros o clásicos; él
mismo lo reconoce: "Hay que quedar en eso: en llamar grandes
poetas o por lo menos poetas de clase, a los que no lo son com-
parados con los más célebres, con los ilustres en todo el mundo"[23].
Su valoración de estos dos escritores puede hacer pensar en el afo-
rismo entre los ciegos el tuerto es rey.

Varias veces se transparenta un desacuerdo total de Alas con
la poesía y el gusto poético de sus compatriotas, incluso con las
dos figuras, don Ramón y don Gaspar. Así respecto de Quintana
dice que su opinión "es tal, que ya me guardaré yo de decirla"[24];
de Campoamor afirma: "es uno de los literatos a quien más leo, a
quien más trato, a quien más quiero, a quien más admiro; pero

---

[22] *S. P.,* págs. 1 y ss.

[23] *E. R.,* pág. 265.

[24] *E. R.,* pág. 241. Por el contrario, Valera sentía una gran admiración
por Quintana, a quien consideraba el primer poeta español del xix.

si me preguntan ¿se salvará o no se salvará? respondo que no
tengo opinión fija acerca del particular" [25]; en la réplica al discurso
de Núñez de Arce declara: "admiró mucho la poesía lírica de España en el siglo presente (y aun caso de que no la admirase tanto
como digo, no me atrevería a confesarlo)" [26]; y, en el interesante
artículo *La crítica y la poesía en España,* nos dice: "Yo bien sé
que si vamos a apurar la cuenta con relación a los poetas mayores,
pueden considerarse aun como medianos muchos que una y otra
vez hemos alabado como primorosos" [27]; los únicos poetas que él
había elogiado eran Zorrilla, Campoamor, y Núñez de Arce. Posiblemente el desacuerdo con la poesía de su tiempo le dio cierta
inseguridad crítica; en *Nueva campaña* señaló que, en la crítica
literaria, suelen intervenir hombres de gran talento que no tienen
el gusto de la "poesía en verso" [28] y, aunque se refiere a Taine, nos
parece adivinar una tímida confesión.

Su sensibilidad poética se basó en la intuición, careciendo por
falta de ambiente de una formación estética; por ello al hablar
de poesía se refleja en sus palabras cierto desconcierto que encontramos también en los otros críticos de la época [29]. Clarín fue consciente de esa falta de preparación general para enfrentarse a la lírica; el 12 de julio de 1891 escribía, en *La Correspondencia,* que la
generación actual era muy prosaica y, añadía, "en la misma crítica,
aun en la buena, predominan las tendencias, gustos y aptitudes que
favorecen poco el culto general de la poesía". Las contradicciones,

---

[25] *S. P.,* págs. 34-35.
[26] *M. pp.,* págs. 78-79.
[27] *E. R.,* pág. 265.
[28] *N. C.,* pág. 74.
[29] Menéndez Pelayo en la carta que dirigió a Valera el 29 de julio de
1886, tras señalar la escasa calidad de los artículos dedicados por Clarín a
la poesía lírica, indicaba, como una de las causas de esa falta de calidad,
el ser poco sensible a la forma por haber tenido una educación en letras
clásicas bastante descuidada. El motivo aducido por Menéndez Pelayo es,
a todas luces, irrelevante, y prueba que tampoco él andaba muy seguro
al enfrentarse a la poesía de sus coetáneos. En el tomo IV (pág. 232) de su
Historia de las ideas estéticas, había escrito: "Todo ensayo de preceptiva
ha fracasado en este punto (la poesía lírica); esperemos que los futuros
estéticos se mostrarán más felices en aprisionar y reducir a fórmula y a
sistema una cosa tan indisciplinable y fugitiva como la inspiración lírica".

que esporádicamente se encuentran a lo largo de todo su pensamiento, se convierten, en los comentarios sobre poesía, en una
constante.

Su disconformidad respecto a la poesía española reside tanto
en el modo de decir como en lo que dice. Continuamente señala
que en nuestra poesía es superior la forma al contenido, y que su
gran defecto es la carencia de pensamiento. Al mismo tiempo cree
en la necesidad de una renovación formal tanto rítmica como de
lenguaje; por ejemplo, en el comentario al discurso de Núñez de
Arce declara: "lo que hayan podido ganar nuestros poetas modernos en pensamiento y libertad, que no ha sido mucho en general,
lo han perdido y mucho más en la hermosura de la forma" [30]. Defiende el empleo por Menéndez Pelayo [31] de versos libres y, en *Ensayos y Revistas*, pregunta en un párrafo revelador: "¿dónde están los escritores que representan un modo original, un progreso
en la perfección formal, una fecunda novedad rítmica?"; ese papel
cree que le corresponde a las figuras de segunda fila, pero "nuestras medianías no saben más que imitar (...). Han aprendido los
misterios técnicos de la métrica en el Instituto provincial y eso les
basta; no han vuelto a pensar en las profundas y complicadas leyes del ritmo en su relación con la idea bella. Todo se reduce a
escribir *como* Campoamor, *como* Bécquer, o *como* Núñez de Arce,
o *como* Quintana o *como* los traductores de los poetas clásicos o
extranjeros" [32].

En toda su crítica de poesía se refleja cierta falta de seguridad
en el juicio, cierto miedo a valorar y examinar la calidad "poética"
de la obra, lo cual lo mueve a bordear los problemas fundamentales
de la lírica. El lector obtiene a veces la impresión de que se queda
sin saber cuál era realmente la opinión de Clarín; de ahí la peti-
ción que, en 1895, le hacía el chileno Eduardo de la Barra: "Díga-
nos el hábil crítico Clarín, una por todas, qué concepto de la poesía tiene formado, y entonces veremos claramente quiénes son los
que cumplen con su ideal" [33].

---

[30] *M. pp.*, pág. 79.
[31] *N. C.*, págs. 168-9.
[32] *E. R.*, págs. 269-270.
[33] *El endecasílabo dactílico*, pág. 47.

2. EL FENÓMENO POÉTICO

Leopoldo Alas distingue tres clases de poesía: la épica, anacrónica, continuada y superada por la novela; la lírica; y otra de
la que habla en el folleto literario *Apolo en Pafos,* pero que no
define ni explica. A esta última pertenecen las creaciones de Campoamor y Núñez de Arce; parece ser se trata de aquella en que domina el pensamiento "extrapoético". Posiblemente esta división de
la poesía está relacionada con la que hizo Hegel en sus *Lecciones
de Estética*[34]; el filósofo alemán estableció allí tres géneros de poesía: la épica que representa "lo objetivo en su objetividad misma"; la lírica que "expresa lo subjetivo, el mundo interior, los
sentimientos, las contemplaciones y las emociones del alma"; al
tercero tampoco le da ningún nombre pero afirma que reúne los
caracteres de los géneros precedentes[35] y da a entender que se trata de la poesía dramática. En Clarín aquella tercera clase de poesía
no presentaba ninguna relación con lo dramático, pero insinuaba
también que reunía características de la épica y de la lírica. Creo
que fue el deseo de situar, dentro de una clasificación retórica, la
obra de Campoamor y Núñez de Arce lo que llevó a nuestro autor a hablar de esta nueva especie de poesía. Ya en 1880 señalaba
que el lirismo de Núñez de Arce y Campoamor se apartaba del
de Espronceda, pues el primero "canta de lo que más nos importa
y preocupa a la hora presente", y el segundo, en sus *Doloras,* presenta el alma del poeta como "ejemplo de todos los hechos del
siglo"[36].

En los artículos que dedicó al libro de F. Balart *Dolores*[37], nos
habla de dos clases de poesía lírica, y acepta, aunque confiesa que
no es de su agrado, la identificación de lo subjetivo con lo lírico y

[34] Vol. II, pág. 302 y ss.
[35] "El carácter *objetivo* de la acción representada ante nuestros ojos, y
el carácter *subjetivo* de los motivos interiores, que mueven a los personajes"
(*Ob. cit.,* pág. 303).
[36] *El I.,* 19-I-1880; artículo titulado *Nuestra literatura en 1879.*
[37] *El I.,* 12 y 19-II-1894. Recogido como prólogo a la edición de las
Poesías completas de F. Balart. Barcelona, 1929.

de lo épico con lo objetivo. La primera de esas dos clases de lírica, que llama "la gran lírica" y a la que pertenece *Dolores*, conserva algo de la antigua épica —"lo que de ésta cabe que hoy subsista"— y busca la expresión de los sentimientos comunes al poeta y a todo el género humano; es la lírica que toma por asunto lo que algunos, según Clarín, han llamado "los grandes lugares comunes"; es el tipo de poesía que parece preferir Núñez de Arce cuando propugna la poesía que expresa los sentimientos generales de una época. Posiblemente fuese ésta aquella tercera clase de que nos hablaba en *Apolo en Pafos* [38]. La otra especie de la lírica expresa: "lo excepcional, lo alambicado, lo enfermizo de modo singular, lo que responde a un temperamento". Dentro de esta corriente coloca a Lord Byron, Leopardi, Leconte de Lisle y Baudelaire; dentro de la primera, a Dante, parte de la obra de Goethe, y la poesía de Shakespeare y de Victor Hugo [39].

La lírica es, según Clarín [40], la verdadera poesía; su esencia consiste en ser expresión del espíritu del autor, se le ha de exigir por tanto que muestre los sentimientos e ideas del poeta; frente a la novela y el teatro, géneros objetivos, coloca a la lírica, manifestación subjetiva del interior del hombre. Lo "lírico" es el medio expresivo de la subjetividad, estando, subjetividad y lirismo, relacionados entre sí por una mutua exigencia; por eso dirá que en el monólogo o soliloquio —mostración del interior de un personaje— han de dominar las notas líricas; así ocurría en las novelas de Galdós o en los mismos relatos de Alas cuando utilizaban esos recursos literarios. Pero como el hombre-poeta no está aislado del mundo, no es un ente ideal sino un ser que vive en un lugar y tiempo determinados y forma parte de una sociedad, la poesía

---

[38] También Menéndez Pelayo acepta esta lírica de "los grandes lugares", pues en los comentarios que dedica a las teorías estéticas de Hegel leemos: "La poesía lírica es ciertamente subjetiva; pero esta *subjetividad,* que se dice tal en oposición a la *objetividad* épica o dramática, no implica el que los sentimientos sean propiedad exclusiva del poeta: basta que él participe del sentimiento colectivo" (*Historia de las ideas estéticas en España*, vol. IV, página 232).

[39] Prólogo a *Poesías completas* de Balart, pág. 18.

[40] Coincide con el proceso histórico-literario que terminó limitando la poesía a la lírica.

se acerca por ese camino —el autor— al naturalismo, y podrá expresar —tal es el mérito, según Clarín, de nuestra poesía clásica— [41] los gustos e ideas de una época. En el fondo de esas y parecidas afirmaciones se adivina el concepto actual de la poesía como testimonio. Coincidía en estas consideraciones con la definición que Campoamor daba de la poesía lírica en el prólogo a sus *Pequeños poemas* [42].

Al aceptar el valor subjetivo de la poesía, el autor con sus sentimientos e ideas pasa a formar parte de la obra; la poesía se presenta ante nosotros en profundidad y con un doble plano. El externo, el formal, el de las palabras y sus significados, es secundario y tiene por finalidad sugerir el plano verdadero, el del poeta, aquel que, al estremecerse, ha agitado la superficie del lenguaje, provocando la onda fluyente: el verso. "Comprender la poesía —escribirá Clarín— no consiste sólo en descifrar sus elementos intelectuales, sino que hay que penetrar más adentro en la flor del alma poética" [43]; los elementos expresivos son ese primer plano, o medio expresivo, y la flor del alma poética, el plano último, principio y fin de la obra lírica. Un lector, un crítico no podrá juzgar un poema y valorarlo, si no es capaz "de ese acto de abnegación que consiste en prescindir de sí mismo, en procurar hasta donde quepa, infiltrarse en el alma del poeta, ponerse en su lugar"; para leer a Leopardi, dirá, hay que hacerse ateo, como para leer a San Juan de la Cruz hay que sentirse muy cerca de Dios. La manera idónea de leer poesía lírica se logra el situarse en el lugar de su autor, de forma que lo que era subjetivo para el poeta continúe siéndolo para nosotros; por eso parecía él preferir la lírica de "los lugares comunes", puesto que, en esta clase de poesía, lo subjetivo está, en cierta manera, objetivizado, por ser problema o sentimiento del lector y del escritor; este último expresa a través de la poesía no sólo su "alma" sino también la del lector, no hay que hacer, por lo tanto, ningún esfuerzo para situarse en el lugar del autor, pues éste está "expresándonos" indirectamente.

---

[41] *M. pp.*, pág. 105.
[42] "La poesía verdaderamente lírica debe reflejar los sentimientos personales del autor, en relación con los problemas de su época".
[43] *M.*, pág. 66.

La distinción entre fondo o contenido y forma la aplica también a la poesía. La forma de la poesía es el *poema*, como la del teatro será el *drama*, y a ella corresponde el *elemento expresivo*; el contenido son las *ideas* y *sentimientos* que forman el *elemento substancial* [44], cuyo núcleo es "el alma poética". En la poesía, y principalmente en esa "flor del alma poética", hay siempre algo inasible que escapa a un proceso de investigación racional, es el "misterio poético"; por eso nos dirá que "el conocer analíticamente lo que es un buen verso es el colmo de la sabiduría" [45].

Clarín señala la existencia de un tipo de poetas que hacen problema de su propia poesía y tienen conciencia de su creación, son, repitiendo un término de Guyau, "genios parciales" que con su reflexión traen notas originales o progresos formales; estos poetas presentan dos características: "una individualidad poderosa, intensa, que significa un momento importante de la vida artística de un país y una obra reflexiva, de estudio, que acompaña a su inspiración como una especie de *interpretación auténtica* de esa misma obra" [46]. Es el caso de Banville, Sully-Prudhomme, Leconte de Lisle, etc. En España, Clarín no encuentra un solo representante de esta clase de poetas.

3.   EL LENGUAJE POÉTICO. PROSA Y VERSO

Las palabras "poesía" y "poeta" han llegado a nosotros rodeadas de cierto confusionismo, relacionado con el problema del uso y diferenciación de la "prosa" y el "verso". En su sentido más limitado es poeta quien escribe versos; en algunas épocas, sin embargo, el verso ha sido utilizado para cualquier clase de escrito. Ya Aristóteles señalaba en el Capítulo I de su *Poética* que la razón de llamar a un escritor "poeta" no puede residir en la técnica de expresión —prosa o verso— que utiliza; Homero y Empédocles escriben los dos en verso, pero entre sus obras no hay nada común, y si al primero lo llamamos poeta, al segundo hay que denominarlo

---

[44] *M.*, pág. 83 .
[45] *S. P.*, pág. 148.
[46] *E. R.*, pág. 268.

físico. El crítico norteamericano Edmond Wilson, en su estudio *¿Sucumbe la técnica del verso?* [47], señala que con el siglo XIX aparece, en relación con el movimiento romántico, un nuevo concepto de poesía; Coleridge, en 1817, negaba que toda obra excelentemente escrita en metro pudiera llamarse propiamente poema. Con el desarrollo histórico va produciéndose una restricción del concepto de poesía; esto parece que había de llevarnos a una fijación de su significado, pero no ha ocurrido así: M. Arnold, que en cierta forma puede considerarse discípulo de Coleridge, nos hablaba, hacia mediados de siglo, de la magia de la poesía de Chateaubriand. En nuestros días Wilson, en el artículo mencionado, ha llegado a preguntarse: "¿No es hora ya de descartar la palabra "poesía" o de definir a ésta de tal modo que se tenga en cuenta que las más intensas y profundas de las grandes obras del arte literario, las de más hermosa factura y de más vastos alcances fueron escritas a veces con técnica de verso y otras con técnica de prosa, lo que dependía en parte del gusto del autor y en parte de la simple moda del momento?".

En Leopoldo Alas encontramos las dos acepciones de poesía. Por un lado poesía es, para Clarín, un término que puede aplicarse a cualquier manifestación del arte literario, dándole un "sentido que se explica mal pero que todos comprenden; sentido al pensar en el cual se piensa un poco en lo *lírico* y hasta en lo *musical* en cuanto a cosa del espíritu", nos dice en el artículo *La novela novelesca* [48]. La poesía es, pues, algo superior, difícil de explicar y fácil de intuir; de ella puede participar la prosa. En el artículo *Poesías de Menéndez Pelayo*, partiendo de esta amplia concepción de poesía, llega a la acepción limitada a las obras escritas en verso. Afirma primero que hay poesía, por ejemplo, en algunos fragmentos de novelas de Valera, "casi no creo —añade— en eso de ser poeta o no ser poeta según la distinción corriente. No admito que el saber decir las cosas en forma rimada (...) divida a los hombres en castas, y unos sean poetas y otros no" [49]. A continuación se pre-

---

[47] *Literatura y sociedad,* págs. 22 y ss.
[48] *E. R.,* pág. 154.
[49] *N. C.,* pág. 164 .

gunta si es esto decir que profesa la teoría de la "poesía en prosa". La respuesta muestra el confusionismo en que se mueve, a
este respecto, el pensamiento de Clarín: "Apenas lo sé. No soy
partidario de que se llame así. Creo que en esto de las palabras lo
mejor es dejarlas como están, y llamar poesía a lo que va en verso". Más interesante es la distinción que hace tras esta declaración: aunque ha aceptado que la poesía se limita a los escritos en
verso, al enfrentarse con el término "poeta" distingue entre dos
clases, el poeta según la forma, que es el que escribe en verso, y
el poeta según el contenido que puede escribir en prosa; admite,
sin embargo, que se dé la denominación de poeta sólo al primero.

Al enfrentarse a una manera particular del lenguaje, el *verso*,
que se diferencia totalmente en la forma y en cuyo contenido dominan las impresiones poéticas, se ha visto obligado, siguiendo la
opinión general, a restringir el concepto de poesía a aquella técnica de expresión. En la crítica de *Blanca* de M. Palacio, reproduce un fragmento del prólogo de Gautier a *Les fleurs du mal*;
el poeta francés distinguía entre *lo poético* y *la poesía*; Fenelon,
Chateaubriand, G. Sand... son poéticos pero no poetas, es decir,
"son incapaces de escribir en verso, ni aun mediano, facultad especial que poseen personas de un mérito muy inferior al de esos
maestros ilustres. Querer separar el verso de la poesía es una lo-
cura moderna" [50]. Esta problemática de la poesía en verso y en prosa es un tema común a toda la crítica de la época; un escritor
francés contemporáneo de Clarín, Guyau, se preguntaba en su libro
Estética del verso moderno si "la más alta poesía ¿necesita versificación?". Clarín parece resolver el problema con una brillante
paradoja, en que se refleja su contradictorio pensamiento: "la poesía no necesita estar en verso con tal de no llamarla poesía" [51]. Esta
afirmación parece negar la mutua exigencia entre el contenido
—ideas y sentimientos— y la forma, el poema; él cree, sin embargo, que cierta clase de poesía necesita del verso para lograr su
máximo valor expresivo [52].

---

[50] *N. C.*, págs. 73-74.
[51] *S.*, pág. 324.
[52] "Hay algo esencial para cierta clase de poesía que exige la forma
rítmica" (*M. pp.*, pág. 122).

La cuestión de la diferencia entre verso y prosa la trata en un comentario a las poesías de Menéndez Pelayo [53], en un artículo de *La Ilustración Española y Americana* publicado el 15 de abril de 1888, y, con mayor extensión y profundidad, en la segunda parte del folleto *Mis plagios*. *Un discurso de Núñez de Arce*, donde ataca los puntos de vista de don Gaspar sobre la poesía y la novela. En varios artículos dedicados a Campoamor aparecen también breves referencias. Posiblemente en su actitud ante este tema influyeron las ideas del propio Campoamor. El problema primordial reside en encontrar el elemento diferenciador entre las dos técnicas de expresión; el lenguaje no lo es, por eso acepta la opinión expresada por Campoamor en su *Poética* de que "el verso debe hablar como la prosa con tal de que la prosa hable noblemente", aunque le pone la salvedad de que al verso le están prohibidas ciertas palabras, como las que expresan relaciones gramaticales. La posición de Clarín y Campoamor concuerdan, en este aspecto, con la del poeta inglés Wordsworth que, en el prólogo a la segunda edición de *Lyrical Ballads* (1800), declaraba "there neither is, nor can be, any *essential* difference between the language of prose and metrical composition" [54]; la única condición que Wordsworth exige al lenguaje del verso respecto a la prosa, muy parecida a la que defiende Clarín, es la de su selección. La solución a la diferencia entre verso y prosa la da L. Alas en el folleto *Un discurso de Núñez de Arce*: "el verso bueno debe tener todas las cualidades de la prosa buena... más las suyas especiales. El verso no es más que un modo de la prosa... el modo rítmico" [55]. El ritmo es pues, según Clarín, el elemento diferenciador del verso. Nuestro autor coincide con los más importantes críticos y tratadistas modernos: T. Navarro Tomás, en su *Arte del verso*, define al verso como "serie de palabras cuya disposición produce un determinado efecto rítmico"; el inglés Christopher Caudwell, en *Illusion and Reality*, uno de los mejores estudios de teoría literaria escritos en este siglo, considera al ritmo como fundamental a la poesía. Esta idea del ritmo como base di-

---

[53] Artículo recogido en *N. C.*, págs. 159 y ss.
[54] *English Critical Essays*, pág. 9.
[55] *M. pp.*, pág. 115.

ferenciadora del verso no puede considerarse, bajo ningún aspecto, como original de Leopoldo Alas; es un concepto que flota en el ambiente de la época; en 1894, Salvador Rueda, al defender la revolución rítmica como único camino de renovación de la poesía española, afirmaba, con la humildad modélica que le caracterizó: "lo indudable es que el tema del ritmo está ya en la atmósfera, se *masca*, como suele decirse, se siente, llega a la *conciencia colectiva ilustrada*; pero nadie se atreve a tirar de la manta, quizá por temor a que habría que echar por tierra toda nuestra retórica contemporánea" [56]. Campoamor en su *Poética* había expresado la misma idea de Clarín: "solo el ritmo —decía— debe separar el lenguaje del verso del propio de la prosa"; y en la célebre polémica que, en torno a sus plagios, libraron el poeta asturiano y los escritores Joaquín Vázquez Muñiz y José Nakens, este último acusaba a Campoamor de haber tomado aquella idea de Lamartine. También Hegel, y hay que tener siempre presente la importancia decisiva de sus *Lecciones de estética* para la teoría literaria española del xix, sostuvo que la palabra rítmica era esencial a la poesía.

Núñez de Arce, en su discurso pronunciado en el Ateneo de Madrid en 1887, había situado el verso por encima de la prosa y en un plano distinto, enfrentándolos, dice Clarín en su folleto de réplica, como si fueran dos ejércitos. Contra la opinión de Don Gaspar, Leopoldo Alas sostiene no sólo que están íntimamente unidos sino que el verso viene a ser una clase de prosa: "no caben paralelos entre la prosa y el verso como no caben entre el género y la especie", en la prosa "somos, vivimos y nos movemos" [57] y añadía que, por haberse visto siempre una oposición entre las dos formas de expresión, no se ha sabido comprender la verdadera relación que los unía. El 15 de abril de 1888 publicaba, en *La Ilustración Española y Americana,* un artículo titulado *Pequeños poemas en prosa* que creo motivado, como el folleto citado, por el discurso de Núñez de Arce; en este artículo Clarín presenta a dos ejércitos [58] —el de la poesía, rítmico y marcial, y el de la prosa, sin

---

[56] *El ritmo,* pág. 2.
[57] *M. pp.,* pág. 121.
[58] Amplía la idea de la prosa y el verso enfrentados como dos ejércitos enemigos, que ya aparecía en la réplica a Núñez de Arce.

ritmo ni marcialidad—, y defiende la superioridad de la prosa sobre la poesía: "Las más dulces palabras y las más sublimes que
suenan y sonarán en el mundo son y fueron prosa. Lo más hermoso, lo más poético no está en los poemas, está en la vida, y la
vida se habla en prosa... La imitación más perfecta de la hermosura real tiene que estar en prosa. La prosa es algo más que la
ausencia del verso, es la noble forma de la sinceridad absoluta" [59],
"El verso es la música, la voz del arte; la prosa es el sonido sin
domar, es la voz de la Naturaleza"; al final del artículo, dirigién-
dose a Campoamor y Núñez de Arce, reconoce que casi todo lo
que había escrito era pura broma "aunque burla, burlando, algo
puede ser oro en todo lo que reluce".

En distintos escritos encontramos referencias a lo que Clarín
llama "teoría del verso-prosa" de Campoamor. En *Sermón perdido*
señala que nuestro poeta coincide con Flaubert, el cual en carta
a George Sand afirmaba: "por eso cuando la idea está perfectamente expresada hemos hecho un verso sin querer" [60]; y en *Museum* resume la teoría de Campoamor, que coincide en general con
la que sostenía Clarín en otros trabajos, por ejemplo en el citado
Un discurso de Núñez de Arce. Las salvedades que pone a Campoamor están en relación con la defensa, que éste hacía, de palabras y rimas que nuestro crítico consideraba antipoéticas [61]; esta
actitud de don Ramón le llevó a calificar a su poesía de *poesía
prosaica*; en esa misma página Alas declaraba: "no toda combinación de palabras, ni aun toda palabra (diga lo que quiera Campoamor) suena bien en el verso" [62]. Su preocupación por el lenguaje
poético se refleja en otros muchos artículos; a Núñez de Arce le
aconsejó, con palabras de Menéndez Pelayo, que enriqueciera su
vocabulario "no con vulgarismos crudos e impertinentes, que le

---

[59] A partir de esta última frase, podríamos sostener que L. Alas defiende
la superioridad de la prosa sobre el verso, pues la sinceridad ocupa el plano
más elevado en su escala axiológica; J. W. Kronik, en su breve artículo
Clarín and Verlaine, escribe: "the fundamental motivational factor in all
his critical and fictional writings: his unflagging concentration on sincerity".
[60] *S. P.,* pág. 40.
[61] *S.,* págs. 276-277; *S. P.,* pág. 41; *M.,* págs. 32 y ss.
[62] *M. pp.,* pág. 126.

aplebeyen *sin fruto,* sino con lo más pintoresco, vivo y gráfico de
la lengua del pueblo, *única que puede salvar a la lengua del arte
del escollo de lo abstracto y ceremonioso a que fácilmente propen-
den las escuelas poéticas*" [63]. En otro escrito, la crítica del libro
de Balart *Dolores,* señala que el lenguaje literario al uso, por ser
excesivamente lógico y correcto, origina cierto convencionalismo
que empaña la frescura de la inspiración poética. En este interés
por el lenguaje, Clarín predice la poesía de nuestro siglo, que representa, en primer lugar, la creación de una nueva expresividad
poética.

4. LA POESÍA NATURALISTA

El carácter predominante del realismo, durante la época de Clarín, se refleja también en la poesía. En 1865, don Francisco Giner
de los Ríos indicaba, en el artículo *Del género de poesía más propio de nuestro siglo,* que para el poeta lírico el mundo objetivo,
aunque no desaparece, se subordina y muda de aspecto; la realidad
pierde su valor absoluto frente a las ideas e imaginaciones del poeta; estas últimas son "su verdadero objeto inmediato; su punto de
partida" [64]. Es precisamente la poesía lírica la forma literaria que
Giner considera más adecuada a la época de transición en que
vive [65]. Campoamor, en 1879, tiende ya a destacar la importancia
del mundo objetivo: "La poesía verdaderamente lírica —nos dice—
debe reflejar los sentimientos personales del autor en relación con
los problemas propios de su época"; y en su *Poética* añade: "el
escritor más importante en lo porvenir será aquel que llegue a ser
el más grande reflector de las ideas de sus contemporáneos" [66]. Parecida actitud encontramos en Núñez de Arce; el cual en su *Dis-*

---

[63] *S. P.,* pág. 27.

[64] *Estudios de Literatura y Arte,* pág. 59.

[65] Bécquer es, como ha señalado José Pedro Díaz en el libro que le
dedicó, el poeta que corresponde, en el plano de la creación lírica, a esta
actitud crítica de Giner.

[66] La *Poética* de Campoamor, publicada en 1883, es una reedición, con
algunas adiciones, de un discurso pronunciado en el Ateneo madrileño y
publicado el mismo año —1879— como prólogo a los *Pequeños poemas.*

curso sobre la poesía, leído en el Ateneo de Madrid en 1877, acusa
al Renacimiento de haber apartado a la poesía de la vida real. Incluso en los intentos de renovación poética de finales de siglo,
se tiene en cuenta este papel del mundo objetivo; así Salvador Rueda, en su interesante librito *El ritmo,* pedía, para salvar a la poesía española, "un Zorrilla, pero un Zorrilla que agarre la realidad" [67]. Para Giner de los Ríos, el poeta lírico debe desprenderse
de la realidad exterior y encerrarse en sí mismo; para los poetas
y críticos de la Restauración, el poeta ha de ser cantor e investigador de los problemas, dolores, sentimientos y dudas que esa
realidad provoca. Clarín, en su crítica, llega a la máxima exaltación
del valor del mundo objetivo dentro de la poesía, especialmente
en su teoría de una "poesía naturalista", recogida en un artículo de
La literatura en 1881, La lírica y el naturalismo, y en otro de
Sermón perdido, Los poetas en el Ateneo.

En el primero de estos artículos, presenta a la obra de Campoamor, *Los buenos y los sabios,* como ejemplo de una aproximación de la poesía al movimiento naturalista; Clarín se defiende de
una posible objeción afirmando que esta nueva dirección no va
contra la esencia subjetiva de la lírica; naturalismo y "lirismo"
serían incompatibles si lo que este último expresase fuera falso o
erróneo, pero no es así. Clarín ve en el naturalismo ante todo la
"interpretación, inmediata, real y sabia" [68] de la vida, y puesto que
uno de los asuntos de la poesía es la expresión de la realidad tal
como se refleja en el artista, su proximidad puede llegar a ser muy
grande; para coincidir sólo es necesario cambiar la perspectiva subjetiva por la objetiva. Lirismo y naturalismo no son sistemas contrarios como cree Zola; lo opuesto al naturalismo, según Clarín,
es el simbolismo, el cual, por influjo del cristianismo, esencialmente
simbólico, considera que ha dominado la poesía occidental desde
la *Divina Comedia.* Pese a ese acercamiento de la lírica al naturalismo, Campoamor mantiene ciertas características propias de la
poesía, como el considerar sólo el aspecto de la vida que le interesa y expresar las reflexiones y sentimientos que le sugiere, porque

---

[67] Pág. 17.
[68] *L. 1881,* págs. 145 y ss.

"no hay escuela, no hay novedad literaria, por legítimas que sean, que puedan deshacer las diferencias esenciales de los géneros". La lectura del poema de Campoamor, que dio origen a estos comentarios, nos produce ahora la sensación de encontrarnos ante una versificación prosaica de una buena novela corta, con una interesante técnica constructiva; tal vez fueron estos valores narrativos los que provocaron en Clarín esa teorización en torno a un naturalismo poético. Gifford Davis señalaba, en su artículo *The Critical Reception of Naturalism in Spain before "La cuestión palpitante"*, que al calificar de naturalista a *Los buenos y los sabios* fue engañado por el pesimismo del poema; Davis parece no tener en cuenta que para Clarín el naturalismo de un poema ha de ser totalmente distinto al de una novela.

En *Los poetas en el Ateneo* negaba que en Núñez de Arce, contra lo afirmado por la Pardo Bazán, existieran tendencias hacia el naturalismo, y añadía que el único poeta español en que existía una aproximación a ese movimiento literario era Campoamor [69]; pocas páginas después, sin embargo, dice de la composición de Núñez de Arce, *La pesca*, que no es un poema naturalista, pero sí un paso que da hacia él "uno de los dos mejores poetas españoles". En este mismo artículo señalaba que las cualidades que acercaban *Los buenos y los sabios* al naturalismo eran "la penetración psicológica" y la "sinceridad lírica", y que el paso hacia él dado por Núñez de Arce, en *La pesca*, residía en pintar "la realidad exterior por ella misma, y nada más que por ella". Si comparamos estas últimas palabras con lo afirmado en el citado artículo *La lírica y el naturalismo* —"entra en la lírica la expresión de la Naturaleza exterior tal como se refleja en la conciencia poética del artista"—, veremos que a este respecto —la expresión de la realidad exterior— era "más naturalista" *La pesca* que el poema de Campoamor; pero la primera carecía de "penetración psicológica", nota que años después vuelve a destacar en otra composición de Campoamor, *Los amores de una santa*, al señalar en el personaje Florentina que, "a pesar de estar *transportada* al lirismo, no pierde

---

[69] *S. P.*, págs. 22-23.

nada de la fuerza de la realidad que le dan la exactitud de la observación y la complejidad del carácter" [70].

Clarín, al intentar esta aproximación de la lírica al naturalismo, encuentra en ambos una serie de notas esenciales que se niegan mutuamente, entonces busca en la poesía, como notas accidentales, varios de los dogmas y tendencias básicas del naturalismo: el poeta lírico puede llevar a cabo un detenido estudio de los personajes o una verídica y detallada descripción de la naturaleza, pero entre los dos —lírica y naturalismo— subsisten, sin embargo, unos límites que no pueden cruzarse. En el magnífico estudio que dedicó a Baudelaire, señalaba que éste había hecho en la poesía algo de lo que Flaubert intentó en la novela "pero dentro de los límites de la lírica": la impasibilidad narrativa que se convierte en aparente impersonalidad, defendida por el novelista, equivalía en Baudelaire a una determinada serenidad formal. La poesía naturalista se presenta para Clarín como un intento de objetivización de la lírica; es una poesía predominantemente descriptiva, tanto del interior del hombre como de la naturaleza, una poesía que en lugar de *sentir, ve y describe* y esto lo hace, nos dirá en *Los poetas en el Ateneo*, "como artista que pinta, no como lírico que siente arrebatos más o menos histéricos". Resulta iluminador que todas sus referencias a esta poesía aparezcan en críticas de poemas que tienen "argumento", es decir, que se pueden "contar". Las consideraciones de Clarín en torno a una "lírica naturalista" marcan posiblemente uno de los puntos más altos alcanzados en Europa por la reacción antirromántica.

5. EL MODERNISMO

La posición que Clarín adoptó frente al modernismo no puede separarse de su actitud general ante la generación más joven. El escritor asturiano ha sido considerado siempre como uno de los más importantes representantes de la reacción antimodernista, como tal nos lo presenta Díaz Plaja en su libro *Modernismo frente a no-*

---

[70] *N. C.*, pág. 23.

venta y ocho [71] y como tal fue visto por varios de los componentes del grupo modernista. Intentaré demostrar aquí que Clarín estuvo lejos de negar totalmente aquel movimiento literario; pensemos que algunos de los ataques que Clarín dirigió al modernismo coinciden con los que las figuras más importantes del movimiento hacen a los seguidores de escasa altura artística; en 1902 Valle Inclán afirmaba, en las páginas de *La Ilustración Española y Americana,* que el modernismo no consistía en las extravagancias gramaticales y retóricas como creían muchos críticos, pero no negaba que esas extravagancias existieran.

Al examinar ahora la posición de Clarín frente a los escritores jóvenes la vemos caracterizada por la desconfianza y cierto intento de minimizar su valor; hay que tener en cuenta que en esta apreciación influyen, por nuestra parte, la perspectiva que nos da la obra cumplida de aquellos escritores —es muy distinto el Valle Inclán de 1900 al actual— y, por parte de Clarín, la natural predisposición contra unos escritores que intentan, o al menos eso afirman, hacer "tabla rasa" de lo anterior, y la coincidencia de su aparición con los últimos años de la vida de Leopoldo Alas, cuando éste denota un creciente desinterés por la literatura. ¿Cuántos artículos de sus últimos cinco años pueden colocarse al lado de los estudios recogidos en *Mezclilla* o *Ensayos y Revistas*? De todas formas no sólo Azorín, como afirma Díaz Plaja, fue tratado con respeto sino también Unamuno, Valle Inclán, Benavente, Marquina, los Quintero, Blasco Ibáñez, Rueda, Llanas Aguilaniedo [72], el mismo Rubén e incluso Maeztu.

En las críticas de poesía de Clarín, encontramos una serie de notas de las que cabría esperar la aceptación y apoyo del modernismo. En primer lugar, la conciencia de la necesidad de una renovación de la poesía española y la creencia en la oportunidad de las nuevas tendencias poéticas francesas; en *Apolo en Pafos*, Clarín confiesa a Erato, musa de la poesía lírica: "¿Ves ese pesimismo, ese transcendentalismo naturalista, ese orientalismo panteístico, o nihilista, todo lo que antes recordabas tú como contrario a tus

---

[71] Págs. 46 y ss.

[72] *El I.,* 8-V-1899; donde afirma que se distingue de la multitul de modernistas españoles y, en mayor número, americanos.

aspiraciones, pero reconociendo que eran fuentes de poesía a su modo? Pues todo ello lo diera yo por bien venido a España, a reserva de no tomarlo para mí, personalmente, y con gusto vería aquí extravíos de un Richepin, *satanismos* de un Baudelaire, *preciosismos* psicológicos de un Bourget, *pietismos* de un Amiel y hasta la procesión caótica de simbolistas y decadentes; porque en todo eso, entre cien errores, amaneramientos y extravíos, hay vida, fuerza, cierta sinceridad y, sobre todo, un pensamiento alerta" [73].

En segundo lugar, las referencias a la renovación rítmica y lingüística como posible salvación de la poesía española, renovación que llevaría a cabo el modernismo. Salvador Rueda subrayó esta actitud de Clarín frente al ritmo, y llegó a pedir la creación de una cátedra de Poética que debería desempeñar Leopoldo Alas [74]. El crítico asturiano coincidió también con los modernistas en la atracción por Góngora: al señalar las analogías entre el francés Heredia y algunos clásicos españoles llamaba al poeta cordobés "el mayor de todos e ilustre Góngora", y, en otro escrito, lo presenta como la culminación del proceso de la poesía española, iniciado en Berceo [75].

En los artículos de sus últimos años aparece a menudo el término "modernismo" [76], movimiento literario que tiende a situar al lado del "decadentismo" [77] o como su versión castellana; no encontramos, sin embargo, ningún examen ni explicación de las notas o características de estas tendencias, es más, el lector obtiene la impresión de que Clarín no poseía ninguna idea estructurada sobre lo

---

[73] *A. en P.*, pág. 85.
[74] *El ritmo*, pág. 32.
[75] *P.*, pág. 120; *E. R.*, pág. 319.
[76] Una de sus primeras referencias al modernismo se halla en la "revista literaria" de enero de 1891; el término, aunque referido a la poesía, no tiene relación alguna con el movimiento poético hispanoamericano: hablando de poesía italiana, Clarín afirma que no se deja engañar "ni siquiera por aquel barniz de clasicismo y sabio modernismo que no suele faltar en los poetas medianos de los bienaventurados países donde la segunda enseñanza es un hecho" (*E. R.*, pág. 247).
[77] Ya en 1886, en un "palique" publicado en el *Madrid Cómico* el 27 de noviembre, encontramos una referencia a los "decadentes" franceses.

que eran y representaban aquellos movimientos de renovación. Modernismo debía ser, para él, un adjetivo aplicable a un grupo de jóvenes poetas españoles y americanos que imitaban las últimas tendencias poéticas francesas —parnasianismo, simbolismo, decadentismo, satanismo, etc.—. A veces parece que Clarín huye de emplear el término "modernista"; así, en el "palique" del 30 de diciembre de 1899, donde hace una patética revisión de la situación de la cultura española, presenta, en una irónica alusión, a los "decadentes traducidos" como una de las posibles salvaciones de la cultura española. En este artículo encontramos una coincidencia de Clarín con los modernistas, precisamente en la nota en que se basa cualquier hipotética distinción entre la gente del 98 y el grupo modernista: la situación de los valores artísticos por encima de los políticos. En otro "palique" de *Madrid Cómico*, publicado el 24 de noviembre del año siguiente, recoge un examen y ataque al "esteticismo" de D'Annunzio que podría aplicarse, y posiblemente Clarín pensaba en ello al escribirlo, a algunos aspectos del modernismo; declara allí que al querer salvar "la sustantividad de la belleza" el arte no se hace amoral sino inmoral; la belleza pues, en contra de ciertas actitudes modernistas y decandentes, no puede ser, para Clarín, el único fin del arte porque no es la sustancia sino un accidente de la vida o de la naturaleza.

Todos los críticos, al establecer la posición de Clarín frente al modernismo, se basan primordialmente en las abundantes referencias a Rubén Darío que aparecen en sus artículos, entre 1890 y el año de su muerte, principalmente en los "paliques" de *Madrid Cómico* y las "revistas mínimas" de *La Publicidad*; carecemos, sin embargo, de un artículo dedicado enteramente al examen de la obra o la personalidad del gran escritor nicaragüense. La primera referencia a Rubén Darío, cuyo nombre no cita, se encuentra en una crítica de las *Cartas americanas* de Valera, publicada en *La Publicidad* el 30 de mayo de 1889; este libro de Valera —nos dice L. Alas— está dedicado todo a la poesía americana excepto "el examen de un libro en prosa y verso titulado *Azul*, cuyo autor es de Nicaragua". Al año siguiente, el cinco de abril de 1890, encontramos en un "palique" de *Madrid Cómico* burlas en torno al nombre de Rubén Darío, que denotan desconocer por completo su obra [78]. Mayor importancia tiene el ataque que, el 23 de diciembre de 1893, dirige al poeta americano en la semblanza de Salvador Rueda publicada en *Madrid Cómico*: "Rubén Darío no es más que un versificador sin jugo propio, como hay cientos, que tiene el *tic* de la imitación, y además escribe por falta de estudio o sobra de presunción, sin respeto de la gramática ni de la lógica, y nunca dice nada entre dos platos". Este ataque coincidía en violencia con el que le había dirigido dos meses antes en las páginas de *La Publicidad*, pero éste era de mayor interés por aparecer la acusación de galicismo que siempre dirigirá a Rubén y los otros modernistas: "El señor Darío es muy decidor, no cabe negarlo; pero es mucho más cursi que decidor y para corromper el gusto y el idioma y el verso castellano ni pintado. No tiene en la cabeza más que una indigestión cerebral de lecturas francesas y el prurito de imitar en español ciertos desvaríos de los poetas franceses de tercer orden que quieren hacerse inmortales persignándose con los pies y gracias a otras dislocaciones" [79]. Ninguno de estos comentarios denotan que su autor conociese la poesía del escritor nicaragüense. La misma opinión es sostenida por Rafael Alberto Arrieta al referirse a un "palique" reproducido, en *La Prensa* de Buenos Aires, el 29 de enero de 1894 [80]. El mismo Rubén Darío contestó a este "palique" en un artículo publicado también en *La Prensa*, y el chileno Eduardo de la Barra con el folleto *El endecasílabo dactílico. Crítica de una crítica de Clarín*. En su artículo Leopoldo Alas afirmaba: "Rubén Darío no es un buen poeta, es un poeta mediano, un medio poeta... poeta en Buenos Aires"; Eduardo de la Barra le replica: "las clarinadas podrán hacer reír un poco a costa del prójimo, producirán acaso pan y aplausos; pero nada prueban ni enseñan"; y añade: "Si Rubén Darío no es poeta ¿quién lo es? [81]. En todo el opúsculo, pese a su tono polémico,

---

[78] "El artículo de este señor poeta —un tal Gavidia— que me conoce lo bastante ha llamado la atención de Don Rubén Darío (tampoco conozco a Don Zabulón, digo a Don Rubén) que reproduce el escrito de Gavidia en otro periódico", "¿Vamos nosotros a la América Central a ver si él disputa o no con Don Simeón, digo con Rubén?".

[79] *La P.*, 26-X-1893.

[80] *Introducción al modernismo literario*, pág. 41.

[81] *El endecasílabo dactílico...*, pág. 48.

hay un evidente respeto hacia nuestro crítico: "aunque siempre leído con gusto —dice de él— y aplaudido por los más, no tiene aún crédito bastante para que su opinión personal se imponga como una verdad de fe" [82]. Hacia 1899 la actitud con que Clarín se coloca ante Rubén ha cambiado totalmente, debido seguramente a haber entrado en contacto directo con su obra [83]; persiste el reproche de excesiva atracción hacia lo francés; pero lo acepta como escritor de mérito. El 25 de noviembre de 1899 se burla de nuevo, en _Madrid Cómico_, de una poesía-prólogo de Rubén, esta vez a un libro de Alcaide de Zafra, pero declara que Rubén Darío es "mozo listo si lo hay, y que escribe perfectamente cuando quiere". El 14 de abril del año siguiente comenta, en otro "palique" del _Madrid Cómico, Cosas del Cid_, insistiendo en la influencia francesa pero reconociendo de nuevo su calidad literaria: "La poesía de Darío es hermosa, pero sí parece traducida de _La leyenda de los siglos_ o de cualquier cosa buena... pero muy francesa", "No hay galicismos gramaticales, o no hay muchos, en lo que dice... pero todo aquello parece francés" (...) "Por Dios, Rubén Darío, usted que es tan listo; y tan elegante... a la española, cuando quiere; déjese de esos _galicismos internos,_ que son los más perniciosos". El día 5 del mes siguiente, otra vez en _Madrid Cómico,_ ataca a la juventud literaria pero parece salvar a Rubén y Rueda. La última "revista mínima" que Alas publicó en _La Publicidad,_ el 7 de abril de 1901, está dedicada precisamente a un libro de crítica de Rubén Darío; la valoración de libro y de su autor es, en general, positiva: "demuestra que él (Rubén Darío), podrá dar el espaldarazo a los tontos _liliales_ pero por su cuenta, nunca veló las armas de tan disparatada caballería"; "se ve a un hombre listo [84], práctico, de gusto", "lo de hacer versos españoles que parecen traducidos del francés es broma de Darío que deja en cuanto quiere". En este libro, _España contemporánea,_ formado por una serie de cartas publicadas en _La Prensa_ de Buenos Aires, y en el artículo titulado _La crí-_

---

[82] _Ob. cit.,_ pág. 48.

[83] En el prólogo que escribió para el libro de Gómez Carrillo _Almas y cerebros,_ publicado en 1898, Clarín había escrito: "ahora estudio con atención el modernismo y me intereso por los jóvenes maestros".

[84] Es curioso el uso constante de este adjetivo al hablar de Rubén.

tica, Rubén Darío alaba al escritor asturiano colocándole como el primer crítico español.

La actitud que Clarín adoptó frente a Salvador Rueda ha sido estudiada por Narciso Alonso Cortés, en el artículo *Armonía y emoción en Salvador Rueda,* y Martínez Cachero ha presentado algún otro aspecto en su breve trabajo *Salvador Rueda escribe a Clarín.* El poeta malagueño recibió siempre el respeto y apoyo de Leopoldo Alas, aunque éste no ocultó sus reparos y objeciones. Para Rueda, Alas se transformó, según demuestra Alonso Cortés, en un verdadero "oráculo crítico", incluso es posible que los consejos de Clarín le hicieran desviarse del camino de impetuosa renovación emprendido en el libro *Sinfonía del año.* En el prólogo de *Cantos de la vendimia* (1891), Clarín declara: "mientras no se olvide por completo lo de los *dos poetas y medio* conténtese usted en figurar en mi aritmética crítica entre las cantidades fraccionarias". En diciembre de 1893, Clarín le dedicó dos "paliques" en las páginas del *Madrid Cómico,* juntos formaban la semblanza que había de ser parte de su proyectado libro *Vivos y muertos;* "Rueda —nos dice en el primero de esos paliques— es digno de estudio, de simpatía y de sanos consejos" y, en el siguiente, afirma que podrá llegar "a figurar entre los escritores españoles que honran el noble verso castellano" [85]. En una "revista mínima" del 22 de julio de 1900, aparecida en *La Publicidad,* declaraba que Rueda le atribuía una autoridad que no tenía, y que este poeta era original hasta en sus defectos: "Olvida muchas veces que nunca hay derecho para decir cosas que no tienen sentido, por el frívolo pretexto de que suenan bien. Rueda es muy efectista; por el color, por la música, por la abundancia, olvida muchas veces la sinceridad".

Las referencias a otros escritores modernistas son escasas. Al libro de don Ramón del Valle Inclán, *Epitalamio,* le dedicó un "palique" [86], donde combinaba los reparos y algún ataque con las alabanzas, destacando la sinceridad y valentía del joven escritor: Valle Inclán es "un modernista, *gente nueva,* un afrancesado franco y valiente, que no se esconde para hablar de los flancos de Ve-

---

[85] En este último "palique", aparecido el 23 de diciembre de 1893, habla del libro de Rueda *El ritmo,* cuyo pie de imprenta está fechado en 1894.
[86] *M. C.,* 25-IX-1897.

nus", "se ve que el autor tiene imaginación, es capaz de llegar a
tener estilo, no es un cualquiera, en fin, y merece que se le diga,
que hoy por hoy... está dejado de la mano de Dios"; la impresión
final es que en el gran autor gallego hay madera de verdadero escritor: "un muchacho extraviado, pero franco, decidor, de fantasía como Valle Inclán, puede arrepentirse. Y trabajar en la verdadera vía". Dos años después en las mismas páginas de *Madrid
Cómico* [87] le llama "el distinguido escritor y estimado amigo".

También recibió de Alas palabras de ánimo y alabanza Marquina, compañero suyo en las páginas de *La Publicidad*. Al libro de
Marquina *Odas* dedicó un "palique" de *Madrid Cómico*, el 10 de
febrero de 1900; afirmaba allí: "Le sucede lo contrario de lo que
puede notarse en muchos que en España cultivan el verso por el
verso. No tienen nada que decir, por eso lo dicen bien, por lo que
toca a la música de la rima; Marquina está lleno de ideas, de imágenes; es original, espontáneo, tiene mucho que decir y lo dice
bien, en cuanto al vigor y claridad de la expresión... pero escribe
casi siempre en verso libre, y más que estrofas hace períodos ro-
tundos y valientes"; meses después escribía, en *La Publicidad*,
que su peor defecto era el exceso de ideas [88]. Del guatemalteco Enrique Gómez Carrillo declaraba en 1893: "es un *modernista* de
los que no han dado en la flor de decir las cosas nuevas de modo
que no las entendamos los viejos" [89]; su libro, *Almas y cerebros*
aparecía, en 1898, con un laudatorio prólogo de Clarín. A Martínez Sierra le dirigió algunas burlas con motivo de sus obras *Flores de escarcha* [90] y *Diálogos fantásticos*, libros en prosa poética;
a este último lo calificó de "cúmulo indigesto de símbolos fríos y
vulgares" pero que demostraban en su autor "felices disposiciones
de escritor" [91]. El escritor modernista que salió peor librado fue
el poeta Francisco Villaespesa, contra el cual, con motivo de su libro *La copa del rey de Thule*, escribió un divertido y burlesco
poema en verso libre que forma parte de un artículo póstumo, apa-

[87] *M. C.*, 7-X-1899.
[88] *La P.*, 22-VII-1900.
[89] *El I.*, 11-XII-1893.
[90] *M. C.*, 30-VI-1900.
[91] *M. C.*, 18-XI-1899.

recido en la revista de Barcelona *Pluma y Lápiz,* el 7 de julio de
1901; estas burlas van acompañadas de la acusación de un neorro-
manticismo que repite lugares comunes, "todo el año 35 en malos
versos":

> Don Francisco Villaespesa, un poeta muy espeso,
> todo lleno de ataúdes, modernismos y murciélagos,
> y que escribe versos largos, largos, largos...
> y otros cortos
> como
> **éstos.**

Su posición frente al Modernismo puede resumirse, en líneas
generales, como burla y sarcasmo hacia el movimiento, pero reconocimiento de los valores artísticos de sus principales cultivadores;
de ahí que un anónimo colaborador de la publicación madrileña
Revista Nueva escribiera, en un artículo titulado *Clarín industrial*:
"Nos tiene mareados con maldecir de los *decadentes,* de los *modernistas,* de los *estetas.* Y excluye primero a Rubén Darío. Más tarde a Ramón del Valle-Inclán. Y por último a Jacinto Benavente.
¿A quién se dirigen las punzantes alusiones del bravo astur? ¿A
Martínez Sierra y a Pepe Lassalle? Si Darío no es un decadente,
ni Valle-Inclán un esteta, ni Benavente un modernista, ¿quiénes
van a llamarse aquí modernistas, estetas y decadentes?".

6. CINCO ESTUDIOS SOBRE POETAS EXTRANJEROS

Nos hemos referido, en este mismo capítulo, a la insatisfacción
de Clarín ante la poesía que escribieron sus coetáneos españoles;
insatisfacción que se adivina incluso por debajo de sus alabanzas
a algunos poetas, Núñez de Arce y Campoamor en particular. Una
prueba más de esa insatisfacción la encontramos en el hecho de
que cinco de sus mejores estudios sobre poesía tratan de escritores
extranjeros: Antero de Quental, Baudelaire, Heredia, Verlaine y Leconte de Lisle; un portugués y cuatro franceses. Al lado de estos
artículos cabría señalar las numerosas referencias que encontramos,

en distintos escritos, a otros poetas extranjeros: Leopardi [92], V.
Hugo, Carducci, Banville, Barbey d'Aurevilly, Keats, Shelley,
Sully Prudhome, Heine... En los cinco estudios mencionados se
muestra, pese a los evidentes aciertos críticos, la falta de preparación de Leopoldo Alas para enjuiciar la poesía, pues, en los cinco,
se limita a examinar distintos aspectos del contenido, siendo casi
nulas las referencias a la forma expresiva; los mismos juicios pudo
haberlos aplicado a obras escritas en prosa. De Quental le interesa su pesimismo; de Baudelaire, el concepto del mal; de Heredia, las coincidencias con los renacentistas españoles; de Verlaine,
su sinceridad; de Leconte de Lisle, diversos aspectos de su ateísmo.
En el estudio dedicado a Baudelaire, el más importante de todos
ellos, Clarín parece temeroso de demostrar su entusiasmo por el
escritor francés.

El uruguayo Rodó presentó a este último artículo como prototipo de una "crítica esclarecedora de las profundidades de la idea
y el sentimiento del artista, de determinación del más íntimo espíritu de la obra y concreción de sus más vagos efluvios ideales" [93].
Tanto los coetáneos de Clarín —Menéndez Pelayo, Pardo Bazán,
Rubén Darío, Azorín...— como escritores posteriores han considerado siempre a este artículo, publicado en siete números de *La
Ilustración Ibérica* el año 1887 [94], como uno de los estudios críticos
más importantes salidos de la pluma de Clarín. El trabajo de Alas
merece figurar en cualquier bibliografía de Baudelaire; posiblemente sea el mejor estudio dedicado por un escritor español del siglo XIX a un autor extranjero. En las páginas de la *Revue de Littérature Comparée*, Josette Blanquat examinó detenidamente el artículo de Clarín y la actitud con que el escritor asturiano se enfrenta al poeta francés. El trabajo de Leopoldo lo motivó un artículo
del crítico Brunetière, publicado en la *Revue des Deux Mondes*;
pero Clarín, como señala J. Blanquat, supera en su réplica los
límites de lo literario, y la causa de Baudelaire sirve para combatir

---

[92] Sobre la actitud de Clarín frente a Leopardi, véase el artículo de J.
Blanquat, *La sensibilité religieuse de Clarín.*
[93] *El que vendrá*, págs. 34-35.
[94] Recogido en *M.*, págs. 55 y ss.

el comportamiento humano de la mentalidad conservadora. Frente al "prudentismo" de Brunetière, Clarín hace constar que no tiene a Baudelaire "por un poeta de primer orden; ni su estilo, ni sus ideas, ni la estructura de sus versos siquiera, me son simpáticos..., pero veo su mérito" [95], por ello, para valorar la poesía de Baudelaire, Alas se ve obligado a hacer un acto de humildad y a desprenderse de todos sus prejuicios ideológicos y estéticos; "en poesía —nos dice— no hay crítico verdadero, si no es capaz de ese acto de abnegación que consiste en prescindir de sí mismo, en procurar, hasta donde quepa, infiltrarse en el alma del poeta, ponerse en su lugar" [96]. El artículo se transforma así en el examen de *Las flores del mal,* pero no desde la perspectiva del crítico o del lector, sino desde dentro del propio autor. A lo largo de los siete artículos, que forman este estudio, va examinando distintos aspectos de *Las flores del mal*; destacan las páginas que dedica al "satanismo" y al concepto del mal del poeta francés. Pese a la confesión de que Baudelaire no era escritor de su preferencia, se va transparentando el entusiasmo que despiertan en Clarín sus poesías; los defectos que le señala [97] carecen de importancia, y la conclusión que sigue a la enumeración de aquellos defectos así parece indicarlo: "Subsiste siempre la idea de que se ha tenido enfrente uno de los pocos semejantes que tenían algo nuevo que contarnos" [98]. Todo el trabajo está lleno de breves paralelos [99] con otros poetas extranjeros: Horacio, Victor Hugo, Leopardi, Gautier, Lamartine... Tras cada una de las palabras de Clarín se adivina la búsqueda afanosa del Baudelaire hombre; por eso este estudio es una de las pruebas más elevadas del humanismo crítico de Leopoldo Alas; ante una poesía que "no sentía", que no era de su

---

[95] *M.,* págs., 59-60.

[96] *M.,* pág. 67.

[97] Carece de abnegación estética; no es desapasionado, aunque anteriormente había señalado en él una impasibilidad paralela a la de Flaubert; mira el mundo a través del egoísmo; y cierta monotonía, nacida de producir siempre, en breves poesías, cuadros y más cuadros en riguroso sistema.

[98] *M.,* pág. 95.

[99] La utilización de los paralelos literarios, como medio para llegar a la apreciación de una obra literaria, es un recurso metodológico que Clarín, a partir de sus primeros artículos, utiliza muy a menudo.

predilección, ha intentado descubrir las razones que movían a Baudelaire, como hombre, a escribirla; a través de esas razones y del acto de prescindir de sí mismo, ha llegado a su personal enriquecimiento.

La valoración y comprensión de la poesía de Baudelaire por nuestro crítico, se presenta en toda su extraordinaria importancia cuando la comparamos con la casi general actitud de la crítica francesa de la época. Alas defendió al poeta de todas las acusaciones que más a menudo le hicieron sus enemigos: inmoralidad, falta de originalidad en los asuntos, escasez de ideas, estilo prosaico e incorrecto, etc. Henry Peyre ofrece, en su libro *Writers and Their Critics,* un breve y detallado panorama de la incomprensión de la crítica francesa hacía la poesía de Baudelaire [100], con el que contrasta fuertemente la posición adoptada por Clarín.

Otro de los poetas extranjeros a quienes dedicó un artículo entero fue, como he indicado, el portugués Antero de Quental; el trabajo, recogido en *Nueva campaña,* lleva el título de *Sonetos.* Clarín destaca como nota caracterizadora de Quental el escepticismo, no aprend.do en los libros sino personal: "se ve que siente lo que dice; que su amarga filosofía, que él expone como cosa amable y llena de encanto, es suya, hija de sus reflexiones y de la propia experiencia" [101]. Al libro como conjunto le señala el defecto de la monotonía, pues todas las composiciones tienen el mismo motivo: la "negación de la teología vulgar y de las afirmaciones racionalistas optimistas" [102]; el tema, aunque interesante, añade Clarín, es poco asunto para un libro entero; el que la estrofa utilizada sea siempre la misma aumenta la monotonía. A Anthero lo considera Leopoldo Alas como un hombre cuya única fe se limita a la seguridad de la muerte; el amor a la muerte, indica, es la característica de la poesía portuguesa moderna, la originalidad de Quental reside en el sentido de amargo pesimismo que toma este amor. Es posible que esta visión de Quental y de la poesía portuguesa influyese en Unamuno.

---

[100] Págs. 101-107.
[101] *N. C.,* pág. 333.
[102] *N. C.,* pág. 334.

En junio de 1893, dedicó una "revista literaria" al libro de José María Heredia *Los Trofeos* [103]. El artículo es un notable intento de trazar un paralelo entre el poeta francés y los clásicos españoles, en particular Jáuregui. Como característico de la literatura contemporánea señala una tendencia al "cosmopolitismo" que, en el caso de Heredia, según Clarín, presenta un aspecto singular: su filiación en los poetas renacentistas españoles. Indica también semejanzas entre la actitud de los parnasianos franceses y nuestros clásicos —Argensola, Jáuregui, Rioja, Arguijo, Pacheco y Góngora—; a este fin reproduce varios fragmentos del arte poética de Jáuregui y compara algunos de sus sonetos con otros de Heredia. El artículo carece de un análisis valorativo de *Los Trofeos*; se limita a destacar unas posibles raíces hispánicas de la poesía de Heredia. Al final del escrito aparece el aire polémico tan grato a su autor, pues aprovecha la calidad de *Los Trofeos,* libro perteneciente a "una escuela que agoniza", la parnasiana, y escrito unos veinte años antes, para atacar a los entusiastas de las novedades literarias.

En la lista de escritores extranjeros citados por Clarín que Bull recoge en su artículo, *Clarin's Literary Internationalism,* Leconte de Lisle es el poeta coetáneo de Clarín que aparece mencionado más veces. Bull, que limita su examen a los volúmenes de crítica, desconocía el artículo necrológico que Clarín dedicó al poeta francés el 15 de agosto de 1894, en las páginas de *La Publicidad.* En esta "revista mínima", Alas da pruebas de su entusiasmo por aquel escritor, pues declara ser el primer año que ha ido a veranear sin la compañía de un libro de Leconte de Lisle, y añade que el último verso que leyó de él, titulado *Europa,* le hizo llorar, "sólo los grandes poetas —afirma— hacen llorar de nada más que de admiración y entusiasmo". La mayor parte del artículo está dedicada a examinar diversos aspectos del ateísmo de Leconte de Lisle, que presenta bajo una perspectiva paralela a la utilizada por Moeller en algunos de los estudios de su *Literatura del siglo XX y Cristianismo*: Clarín niega que el ateísmo de Leconte de Lisle sea en rigor ateísmo, pues, aunque no cree en un Dios vivo, ama y lleva

---

[103] *P.,* págs. 109 y ss.

dentro de sí a un Dios muerto: "por muy hermosos y brillantes
que sean los cuadros de Leconte —declara—, en todos faltan
—como si faltara el aire— la alegría, la esperanza. Lo ausente es
Dios". Esta actitud de Clarín ante L. de Lisle coincide, en muchos
aspectos, con la que mantuvo frente a Leopardi. Al poeta francés
lo vio como un escritor de minorías, representante de una nueva
religión: el arte; en relación con estas consideraciones, hace una
iluminadora digresión sobre el arte minoritario y el mayoritario.

El artículo dedicado a Verlaine lo publicó, diez años después
del de Baudelaire (1897), en dos números de *La Ilustración Española y Americana* [104]. En noviembre de 1889 ya había presentado
a Verlaine como "uno de los poetas franceses de las nuevas generaciones, más seriamente inspirado, de más ideas y de más armonía" [105]. El estudio de *La Ilustración* está motivado, según declara
él mismo, por el regalo que le hizo Gómez Carrillo de un ejemplar
del libro de Verlaine *Liturgias íntimas* [106]. El segundo de los dos
artículos lo forman, en su mayor parte, una serie de divagaciones
en torno de la literatura y la filosofía; señala también que muchos
literatos buscan influir en la vida a través de uno de estos órde-
nes: el político-económico o el religioso; a Verlaine lo sitúa dentro
de este último grupo como uno de los elementos más importantes
de tal tendencia. Verlaine "ha querido —nos dice— que su literatura fuese acción; y sus versos *actos piadosos*"; en su obra *Liturgias íntimas* "cree puede purificar a los demás contando sinceramente la historia poética de su espíritu religioso". La parte más
importante del estudio la forman el examen de la sinceridad del
poeta; Clarín afirma que "un hombre de su perspicacia, de su
cultura, y en el medio en que vivía (...) es difícil que crea esas
cosas que él cree, y tan primitivamente como él dice creerlas". La
conclusión a que llega Leopoldo Alas es que en *Liturgias íntimas*

---

[104] Al final del último de los dos artículos, promete un estudio sobre el
conjunto de la obra de Verlaine, que no llegó a escribir.

[105] *E. R.*, pág. 209.

[106] Este libro era ya conocido por Leopoldo Alas, pues se refiere a él
en la "revista literaria" dedicada a *Dolores* de Balart y publicada en *El
Imparcial* del 12 y 19 de Febrero de 1894.

nada deja ver la farsa, pero nada demuestra su sinceridad. Antes
de llegar a esta conclusión había hecho una notable comparación
entre la problemática de la sinceridad en Baudelaire y en Verlaine;
en el primero, la sinceridad no sobrepasa los límites de la obra
poética, pero en el caso de Verlaine, que se presenta como un
poeta creyente, el lector no puede limitarse a "la apariencia poética", sino que ha de llegar a conocer "la sinceridad íntima, *histórica, personal*". Uno de los atractivos de este poeta, señala Clarín,
es el flujo y reflujo constante de "piedad, licencia y desenfreno"
que aparece en él; otro, el contraste entre su vida y el contenido
de los versos, contraste que Alas encuentra también en Villon y
Quevedo. Verlaine ha sido favorecido, según Clarín, por la comparación con los demás "decadentes, simbolistas, o como diablos
quieran llamarse". En todo el artículo no hay ninguna referencia
clara a las calidades de la poesía de Verlaine. Últimamente J. W.
Kronik ha reeditado este estudio en la *Revue de Littérature Comparée,* acompañándolo de un breve pero inteligente prólogo, aunque algunas de sus apreciaciones me parecen equivocadas. Creo
que la discusión de una de ellas tiene cierto interés: Kronik sostiene que de haber escrito Clarín el artículo unos años antes su
actitud habría sido distinta. Hay que tener en cuenta, en primer
lugar, que su conocimiento de Verlaine debía limitarse al libro
citado, *Liturgies intimes*; y, en segundo lugar, que la mentalidad
crítica de Alas, primordialmente ética, no podía entusiasmarse por
un escritor al que no consideraba sincero por no coincidir las ideas
que expresaba con su comportamiento [107]. En cuanto a la afirmación de que Clarín, en estos años, ha perdido su interés por las
nuevas corrientes literarias, afirmación que coincide con palabras

---

[107] Me parece ver en un fragmento de la "revista literaria", aparecida
en *El Imparcial* el 11 de diciembre de 1893, una referencia a esta actitud
de Verlaine: "Tampoco me agrada en el neo-misticismo —escribe—, algunos de cuyos corifeos hasta se llaman católicos, sus desplantes contra la
Iglesia, porque la Iglesia no entiende que ellos trabajan en la viña del
Señor. ¿Qué ha de hacer la Iglesia? Es natural que no les considere colaboradores suyos, cuando ellos mismos confiesan que lo qua hacen en la *viña
del Señor* es... emborracharse".

del propio Alas, escritas en 1898 [108], creo se trata de un problema
mucho más amplio y complejo: Leopoldo Alas se aparta, en estos
años, de la literatura para interesarse primordialmente por la filosofía y los problemas sociales, se trata de una vuelta a sus primeras
vocaciones, pero que coincide con una tendencia común a muchos
escritores europeos de la época.

---

[108] "Hace algunos años, no pocos, yo seguía con atención e interés la
vida inquieta de la literatura de los jóvenes, según era en París y sus muchas *sucursales*. Hoy confieso que he dejado por hastío, de seguir tales
cambios" (Prólogo a *Almas y cerebros* de E. Gómez Carrillo, París, 1898,
pág. VIII).

CAPÍTULO V

EL TEATRO

"J'attends enfin que l'évolution faite dans le roman s'achève au théâtre, que l'on y revienne à la
source même de la science et de l'art modernes, à
l'étude de la nature, à l'anatomie de l'homme, à la
peinture de la vie, dans un procès-verbal exact, d'au-
tant plus original et puissant, que personne encore
n'a osé le risquer sur les planches".

E. Zola (*Le roman expérimental,* 1880).

"No tengo gran interés en defender el teatro de
años atrás, sino en indicar cuáles deben ser las cualidades del teatro de ahora en adelante".

L. Alas (*Arte y Letras,* 1882).

"El fenómeno más visible de los tiempos actuales
en cosas literarias es la decadencia del teatro".

B. Pérez Galdós (*Las letras,* 1886).

1. LEOPOLDO ALAS ANTE EL TEATRO

La poesía y el teatro de los últimos veinticinco años del siglo
pasado, al contrario de lo sucedido con la novela, no alcanzaron
gran altura ni lograron vencer el paso del tiempo. En el capítulo
anterior hemos visto cómo reaccionó Leopoldo Alas ante la poesía de sus contemporáneos: por debajo de las alabanzas se adivina un desacuerdo con aquellos escritores; algo parecido ocurre

con el teatro, pero aquí Clarín, preocupado por el futuro de este género literario, busca y encuentra un camino que pueda llevar el drama español al esplendor de siglos pasados, y al mismo tiempo actualizarlo. No cree, como otros escritores, que la decadencia sea inevitable, que el gusto literario movido por causas sociológicas prefiera la novela al drama; lo defiende[1] de quienes ven en él un género secundario, y como prueba de lo contrario cita los nombres de Esquilo, Sófocles, Shakespeare, Molière, Calderón y Schiller; afirma también que no se puede prescindir de él tanto al estudiar la literatura como el público de un país determinado.

En España, como en toda Europa, el siglo XIX fue para el teatro época de grandes transformaciones, agrupadas alrededor de dos grandes cambios en la concepción del arte dramático y del arte en general. El primero se desarrolla a principios de siglo, en nuestro país algo más tarde; corresponde al romanticismo. El segundo, pasada la mitad del siglo. Como en todos los movimientos literarios no podemos hablar de una ruptura total entre estas dos concepciones, la romántica y la realista: en los años de total predominio del teatro romántico, dos géneros teatrales, el melodrama y el "vaudeville", representan una línea de teatro realista que coexiste con el triunfo romántico. Teniendo en cuenta la proximidad de Scribe a estos géneros y su influencia en Ibsen —el autor nórdico presentó en el teatro de Bergen, que dirigía, muchas obras de Scribe—, podríamos ver en ellos el origen del teatro moderno.

En 1870, señala el historiador inglés de teatro A. Nicoll, se han desarrollado ya suficientes experiencias teatrales que permitan la aparición de un gran escritor dramático dentro de la tendencia realista. Hebbel en Alemania, Augier y Dumas con su teatro de tesis, Scribe y Labiche recogiendo lenguaje y acontecimientos de la vida corriente, en Francia, han allanado el camino a ese autor. El gran dramaturgo realista no aparece en los países mediterráneos —ni en Francia, ni en Italia, ni en España, donde la mayoría de intentos renovadores son realizados por novelistas— sino en el norte de Europa. Ibsen y Björnson primero, poco después Strindberg y Hauptmann, representan el triunfo del realismo. En la épo-

---

[1] *S.*, pág. 49; *P.*, pág. 4.

ca en que Leopoldo Alas escribe sus artículos, domina en Europa
una concepción realista del teatro, pero un realismo que tiende a
imitar de la vida los conflictos que interesan al autor para defender una determinada idea. Ibsen y Björnson son testimonio de
la crisis en que viven las formas teatrales; los dos empiezan su
carrera estrenando dramas legendarios o históricos, próximos al
romanticismo alemán, para terminar representando el triunfo del
realismo. La evolución de Strindberg irá aún más lejos; pues sa-
liendo del romanticismo llegará, a través del realismo y el simbolismo, a un tipo de teatro próximo al surrealismo. Algo parecido,
pero en menor grado, encontraríamos en nuestro Echegaray. Corrientes de renovación, de búsqueda de una nueva expresividad y
también de nuevos temas recorren todo el teatro europeo del último cuarto de siglo; pero, en general, como base de ellas, está
siempre la imitación de la vida.

A. Nicoll, en su libro *The Theory of Drama*, afirma que "the
turning point in critical theory came about the eighties of the century"; años precisamente en que Clarín se convierte en el primero
de los críticos españoles. En España, pese a la supervivencia de
una fuerte corriente romántica, tanto él como José Yxart se sitúan
dentro de la perspectiva continental.

Clarín se aferra con firmeza al teatro; está convencido de que
como género literario no puede desaparecer, lo que ocurre es que
se ha atrasado respecto a su tiempo, y esa es la explicación de que
el público se haya apartado de él; "ponerlo al día" es la única
solución. En sus consideraciones sobre el drama se adelantó sino
a su tiempo sí a su país, por eso en algunos momentos vacila su
criterio, duda, no está seguro de acertar; así lo confiesa en la
crítica de la novela de Pereda, *Pedro Sánchez*[2]: en un artículo
anterior había profetizado que Cano no sería nunca un buen autor
teatral, pero ante el éxito de una obra suya se ve obligado a afirmar "lo cual demuestra que yo no sirvo para anunciar poetas, y
temiéndome estoy que no sea él sólo quien admire al mundo con
dramas y otras cosas, que a mí me parecerían malos, si me dejaran
solo y juzgando con arreglo a la pícara pasión"; en otro escrito,

---

[2] *S. P.*, pág. 79.

recogido en el mismo libro, al comentar la obra de Echegaray
Conflicto entre dos amores, manifiesta un desacuerdo entre sus
ideas literarias y su valoración crítica al decir: "si cuestión de escuela fuese, yo sería el primer enemigo de Echegaray; pero es
cuesitón de ingenio". A menudo se queja de lo difícil que le es
seguir el movimiento teatral desde Oviedo, pues cree, acertadamente, que "las obras de teatro, son para ser vistas en el teatro"[3],
aceptando la lectura sólo como mal menor; sin embargo, a las
obras clásicas, alejadas de nosotros en el tiempo, aquélla podía,
en algunos casos, valorizarlas totalmente, pues, según él, ya no hay
relación directa con el atractivo de la escenificación[4]. Estas manifestaciones están muy próximas a algunas afirmaciones de Hegel[5],
con la diferencia que entrañan las concepciones idealistas de Hegel
y el pleno realismo en que se desenvuelve Leopoldo Alas. Años
antes, en un artículo recogido en *Nueva campaña*[6], declaraba:
"Un teatro no se conserva haciendo ediciones pobres de sus obras",
"un teatro, por mucho que valga, se apolilla, si no se le saca al
aire"; pero no es una representación cualquiera la que nos mostrará todos los valores que pueda encerrar una obra teatral, sino
una buena representación, la cual no aumenta el valor teatral de
la obra sino que le da su justo valor[7]. La falta de representaciones
en su "Vetusta" no le permitía "juzgar al teatro como teatro", de
ahí que, cuando no se halla en Madrid, se abstenga, por lo general,
de examinar el movimiento de este género literario.

En el folleto *Rafael Calvo y el teatro español*, nos habla de una
época en que dudó de la efectividad del drama: "en aquel tiempo
comenzaba yo a pasar el sarampión naturalista; no creía apenas
en el teatro, *género secundario*". Pero esta posición —si no se trata de una apreciación a posteriori— debió de superarla muy pronto,
pues no aparece en ninguno de sus escritos. Su abstención ante la

---

[3] En los títulos de sus artículos se refleja a veces esta separación física
del mundo del teatro: *A Madrid me vuelvo, El teatro... de lejos.*
[4] *P.*, pág. 96.
[5] *Estética*, págs. 494-497.
[6] *N. C.*, pág. 277.
[7] *R. C.*, pág. 11.

crítica teatral, aclarará en 1892 [8], no hay que "achacarla a cierto desdén muy de moda, del género dramático". El número de artículos dedicados al teatro es bastante crecido, y sus ideas estéticas sobre el drama son las que aparecen más estructuradas; esto último tal vez estuviera facilitado por ser el género literario donde la "retórica", el modo de hacer y construir, tiene mayor importancia. Sainz Rodríguez afirmó [9], en 1921, que su estética dramática aparecía expuesta en varios lugares "con una minuciosidad poco frecuente en él". Sus ideas sobre teatro son incluso más precisas y firmes que las que se refieren a la novela. Tal vez muchas de estas ideas provienen de una reposada meditación de los escritos de Hegel sobre teatro. El filósofo alemán aparece citado en varias de sus críticas dramáticas; alguna vez incluso indica que sigue ideas de Hegel, así, en el comentario a *Mar sin orillas* de Echegaray [10], afirma que para él, como para Hegel, lo principal en el teatro es el carácter. Esta opinión no se halla expuesta con tal claridad en los escritos de Hegel, pero puede deducirse de ellos. En algunos otros puntos coincide también con el filósofo alemán; pero, en general, la distinta concepción del teatro, dominante en sus respectivas épocas, hace que se aparte de él. Con todo es indudable que una teoría teatral perfectamente estructurada, como era la de Hegel, le preparó para el desarrollo de la suya propia [11]. Sobre ella, y también sobre su concepción de la novela, tiene una influencia decisiva el artículo de Zola *Le naturalisme au théâtre*, recogido en el volumen *Le roman expérimental*; el estudio *Del teatro* es, en algunos momentos, un eco fiel del trabajo de Zola. Además de estos escritos, Alas debió conocer los artículos de Sarcey, pues en algún momento declara leer el periódico *Le Temps*, en el cual aquel escritor publicaba sus críticas dramáticas. Imposible de delimitar es la relación con Yxart; la semejanza de muchas de sus apreciaciones sobre el arte dramático nos hace pensar

---

[8] *P.*, pág. 1. A través de su crítica se pueden deducir, con cierta facilidad, sus estancias en Madrid.

[9] *La obra de Clarín*, pág. 68.

[10] *S.*, pág. 135.

[11] En su *Historia de las ideas estéticas*, Menéndez Pelayo afirmó: "La influencia estética de Hegel está en todas partes" (Vol. IV, pág. 236).

que se trata de una coincidencia junto con una mutua influencia. En el comentario que el 9 de julio de 1894 dedicó a *El arte escénico en España,* en las páginas de *El Imparcial,* Clarín señala la identidad de algunas de sus ideas: "Muchas veces me honra Yxart citando mi pseudónimo en apoyo de su doctrina, pero muchas más podía recordar textos míos que de acuerdo están con los suyos, más elocuentes, más ordenados y más ilustrados".

En el comentario a *El año pasado, 1888* del crítico catalán, afirmó que el teatro era "el género *social* por excelencia" [12]. La rotunda declaración no es comentada; ni aparece con tal claridad en ningún otro escrito. En su obra *Teresa* hay una marcada tendencia a exaltar el valor social del teatro. Pero este valor lo veía en la misma esencia del teatro —la representación— con la proximidad e intimidad que se abre, al alzarse el telón, entre lo que el autor ha escrito y el público, y en la complejidad del arte escénico que necesita de varios individuos para poder realizarse. En un artículo, publicado en *La Publicidad* de Barcelona el 31 de julio de 1895, afirmaba del dramaturgo catalán Pitarra que "representaba el alma poética de su tierra en la forma más popular, la dramática"; esta popularidad es la que, sin duda alguna, convertía al teatro en "el género social por excelencia"; en nuestros días habría podido afirmar lo mismo del cine.

En el ya citado folleto dedicado a Rafael Calvo, nos habla de sus primeros encuentros con el teatro madrileño y de su entusiasmo por este género literario, que le llevaba a asistir varias veces a las representaciones desde el lejano "paraíso". Este cariño hacia el mundo de la escena nos hace pensar en Cervantes. *Teresa* y *La millonaria,* proyecto dramático por el que se mostraba muy preocupado en sus últimos años, fueron las dos pruebas de la atracción que el arte dramático ejercía sobre él. Manifestaciones de ese entusiasmo por el teatro las encontramos a lo largo de toda su vida [13], tanto en su producción crítica como creativa. En una "revista lite-

---

[12] *E. R.,* pág. 175. R. Sumoy, en su estudio de la crítica de Yxart, afirma que el teatro es, para el escritor catalán, "el género social por excelencia".

[13] Juan Antonio Cabezas, en su biografía de Clarín, nos habla de que a los doce años había escrito ya dos obras teatrales.

raria", publicada en *El Imparcial* en febrero de 1893, recordaba
que aprendió a leer en *El zapatero y el rey* de Zorrilla; por eso no
puede juzgar la obra serenamente: "me hizo de por vida aficionado a las letras. Lo sé de memoria y cuando hace un año Vico
lo representaba en Gijón, pude advertir, con gran asombro suyo,
que se había comido una redondilla en el monólogo del primer
acto" [14]. La atracción no era sólo por la obra literaria sino también por la interpretación; Leopoldo Alas soñó incluso en ser
actor: "Si usted supiera que *acaso* era esa mi *verdadera vocación.*
En mi vida he representado en teatros caseros ni públicos después
de los doce o catorce años, pero a los diez años decían cuantos me
veían representar que era yo una maravilla y por lo que recuerdo,
y lo que más tarde he hecho yo a mis solas (sobre todo cuando
escribía dramas —más de 40, todos perdidos— y me los declamaba
a mí mismo) tenía sin duda una gran disposición y un poder de
apasionarme y exponer la pasión figurada con gran energía y verdad... Actor y autor de dramas esto creí yo que iba a ser de fijo
hasta los diez y ocho o veinte años", escribía a José Yxart en febrero de 1888. Cómo no acordarse ante estas declaraciones de don
Víctor Quintanar leyendo teatro en el lecho y gesticulando como si
lo estuviese viviendo en un escenario. No es Clarín el único narrador de la época que se siente atraído por el teatro; "lo representable es la tentación eterna de líricos y novelistas" [15], dirá él mismo.
Los ejemplos de los románticos, de Campoamor, de Núñez de Arce, de Valera, de los novelistas más o menos próximos al naturalismo, lo atestiguan. Un artículo de *Mezclilla, El teatro y la novela,*
publicado en 1884 en *La Ilustración Ibérica,* está casi por entero
dedicado a estudiar la atracción de los novelistas hacia el teatro:
Balzac, Flaubert, Daudet, Zola; el mismo Galdós, declara Clarín,
"vería con gran placer sus creaciones dramáticas y cómicas expre-
sadas en forma representable" [16]. Otra prueba de su interés por la
vida escénica la encontramos en la gran importancia que tiene
como tema en su producción narrativa. Recordemos en *La Regenta,*

---

[14] *P.,* pág. 69.
[15] *S. P.,* pág. 43.
[16] *M.,* pág. 346.

el papel que desempeñan la representación de *Don Juan Tenorio*, la recreación de este tipo literario en el personaje Álvaro de Mesía y la afición a Calderón de don Víctor de Quintanar; y, en *Su único hijo*, el grupo de cantantes de ópera que representan, para Bonifacio Reyes, la posibilidad de escapar imaginativamente a su existencia gris, llena de humillaciones y menosprecios. Entre sus cuentos hay una serie que tratan de temas teatrales o tienen por personajes centrales a actores o cantantes de ópera: *Amor' é furbo*, *El hombre de los estrenos*, *Un voto*, *Cristales*, *La Ronca*, *La reina Margarita*... Dado este cariño e interés hacia el teatro es fácil comprender lo doloroso que debió ser para él el fracaso de *Teresa*, supremo testimonio de su amor hacia el género dramático.

En toda la crítica de Clarín hay siempre la búsqueda de modelos a los que seguir y de los que sacar experiencias; cuando esos modelos no puede hallarlos en España sale fuera de sus fronteras. En su primer enfrentamiento al teatro se hallará con un teatro romántico español hacia el que siente cierta predilección, pero cuyas huellas, reconoce, ya no pueden ser seguidas; debe pues, buscar unos guías en el extranjero. Los encuentra en el teatro francés de Sardou, Dumas hijo, y Augier, pero no le satisfacen plenamente: "el teatro francés contemporáneo tiene algo de lo que el nuevo drama necesita, pero no puede, si continúa con los dogmas de su tradición, llegar a las condiciones necesarias de una obra dramática digna del tiempo" [17]. El examen y caracterización de estos autores es perfecto. En las obras de Sardou, la semejanza con la realidad es sólo superficial; se ofrece en ellas "una convencional trabazón de sucesos que, por artística combinación de fingidas casualidades", "da mucha más vida y realidad de las que cabrían naturalmente en tan estrechos límites de espacio y tiempo, si todo aquello sucediera en el mundo real". En Dumas los caracteres se hallan mejor estudiados que en Sardou, pero "el argumento es un pretexto para la tesis" y resulta, como imitación de la vida, un teatro más falso que el de Sardou o Scribe; ante sus obras el público se cree "enfrente de un mundo aparte", "que tiene leyes especiales de tiempo, espacio y combinación de sucesos". Augier es menos

---

[17] *S.*, pág. 50.

brillante que Dumas, y menos hábil de Sardou para imitar la realidad en el movimiento y en su localización escénica, pero es más actual, pues en sus obras hay a veces lo que empieza a exigir el público, cansado ya de lo convencional; en su teatro, las pasiones, los vicios, los errores suelen tener la lógica que tienen en la realidad, sus personajes no son "de una pieza, ni abstracciones semovientes" [18]. Unos diez años después, el 1 de noviembre de 1891, vuelve a referirse, en las páginas de *La Correspondencia,* a estos autores destacando la insuficiencia de su obra: "La crítica de Zola respecto a la falsedad de ese teatro queda en pie, en lo general; y si es verdad que Dumas, como pensador, escritor y artista, vale mucho más que parece reconocer el autor intransigente de los *Rougon-Macquart,* ni Dumas, ni Augier, ni menos Sardou, el más traducido en España, representan en la forma teatral lo que debe ser actualmente aspiración de una reforma, de un progreso".

En 1877 defendía, en tres artículos sobre *Lo que no puede decirse* de J. Echegaray, el teatro ideológico [19]. En el primero de ellos, confiesa: "éste es un teatro digno de nuestros tiempos, me decía, gozoso, entusiasmado"; el motivo de ello era que los personajes hablaban "un lenguaje de héroes, como los pide el siglo, héroes de la conciencia de la rectitud moral". En el estudio dedicado a Tamayo [20] puede hallarse un puente entre las dos posiciones, la del teatro de tesis y la del teatro realista. Tamayo, declara Clarín, ha intentado ser el poeta del siglo en algunas de sus obras —Alas las llama comedias éticas—; el poeta del siglo, nos aclara, es el que lleva a las tablas "la vida actual con la realidad buena o mala para sacar lecciones provechosas para el espectador". La evolución de su concepto del teatro se ha producido en el breve espacio de dos o tres años; del teatro como palenque de ideas y sentimientos, tejido sobre la tela de la realidad, terminó por aceptar sólo la tela, la realidad. Idéntico cambio ocurre en su actitud frente a la novela.

El teatro es el género literario que en su época cuenta con más público. El número de espectadores es infinitamente superior al

[18] *S.,* págs., 51-53.
[19] *El S.,* 15, 16 y 17-X-1877.
[20] Recogido en *S.,* págs., 34 y ss.

de lectores de novelas; pese a ello la novela se halla en uno de
sus momentos cumbres, mientras el drama se debate por encontrar
un camino, una dirección. Clarín se da cuenta de esta extraña paradoja, a ella dedica un artículo entero, *El teatro y la novela*, recogido en *Mezclilla*. Encontramos allí —el artículo es de 1884— manifestaciones que no aparecían en sus escritos anteriores sobre teatro: el teatro como espectáculo no decae, por el contrario, "como
obra literaria pocas veces satisface a los hombres de gusto lo que
en estos días producen los dramaturgos contemporáneos". En una
carta a Yxart, de 1888, afirma que ha perdido todo interés por el
drama. Dos años más tarde, el 14 de mayo de 1890, escribe en *La
Publicidad* que el teatro declina en casi toda Europa: "no cabe
duda que cuando la historia se convierte en drama el teatro y otras
artes objetivas, pierden interés, palidecen". Idea que parece tener
ciertos puntos de contacto con la tesis de Hegel: "el drama sólo
debe su nacimiento a épocas en las cuales la conciencia individual,
por el fondo y forma del pensamiento ha alcanzado un gran desarrollo"; sobre todo si tenemos en cuenta que lo que para Clarín
convertía la historia en drama, indica en el mismo artículo, era
el auge del movimiento socialista, instaurador de una conciencia
colectiva. Cinco años más tarde en otro artículo, publicado tam-
bión en *La Publicidad*, señala un renacimiento teatral en Europa
y declara que "el teatro es el género de más realidad no sólo en
España, sino en otras partes"; una corriente de búsqueda de "moldes nuevos" inunda los escenarios internacionales, y a través de
él "el Norte se ha apoderado del gaulois"; Ibsen, Hauptmann, Su-
dermann, el teatro hindú, y el inglés clásico son representados en
todos los países de Europa. En España ese internacionalismo sólo
ha tenido una muestra: el estreno en catalán de *La intrusa* de Mae-
terlinck [21].

El cotejo de otras citas de Leopoldo Alas nos mostraría la existencia de un período intermedio de su producción crítica —aproximadamente entre los años 1883 y 1891— en que predomina el pesimismo ante la situación del teatro; pero no ante el teatro como
género, sino ante el teatro que se representa en España. Al mismo

---

[21] *La P.*, 24-III-1895.

tiempo descubriríamos dos épocas en que demuestra un gran interés por el teatro: la primera, durante sus años de estancia en Madrid, la segunda, entre 1891 y 1896.

Clarín coincide con Pérez Galdós en su admiración por Shakespeare. Para Alas el escritor inglés representa la cumbre del teatro, "más que Shakespeare nadie" dirá en un artículo de *Palique*. Las referencias a escenas y personajes de sus obras, las citas en inglés, algunas utilizadas como lema de sus trabajos —así en la parte de *Museum* dedicada a Pardo Bazán—, revelan una lectura continua y meditada. En una de sus *Cavilaciones* escribía: "Cómo se parece la naturaleza a Shakespeare"[22].

Lo más destacado de su crítica sobre teatro es, como dice Gullón[23], que tuvo clara idea de lo que era el teatro, al reclamar "una transformación capaz de acercarlo al gusto y a la vida finisecular"; sin embargo, la supervivencia en él de gustos románticos impide, a veces, una valoración moderna de los hechos teatrales. En el folleto *Rafael Calvo y el teatro español*, nos dice que tras la revolución del 68 hubo un renacimiento neorromántico que tuvo a Calvo como intérprete teatral y a Echegaray como dramaturgo, algunas ascuas de ese renacimiento alumbraron aún los escritos de Leopoldo Alas.

2. CARACTERÍSTICAS Y ESENCIA DEL TEATRO

En ese mismo folleto, dedicado a Rafael Calvo[24], señala la existencia de dos artes, música y teatro, en las cuales "la expresión es compuesta", es decir, necesitan, aparte del creador, compositor o escritor, otro u otros artistas "para dar forma aparente y completa a la creación bella", de ahí la complejidad con que se presenta el género teatral y la importancia de los cómicos. Pero hay aún otra diferencia entre el drama y las restantes artes: en él "hay que distinguir entre el arte y el espectáculo"[25]. Esta doble conside-

---

[22] *Oo. Ss.*, pág. 1.022.
[23] *Clarín, crítico literario*, pág. 422.
[24] *R. C.*, págs. 10-11.
[25] *M.*, pág. 341.

ración del teatro como arte y espectáculo es lo que le lleva a dar
un extraordinario valor al público. Si la representación es exigencia
esencial al teatro —"Las comedias no se conservan en la salazón
sino representándolas" [26]—, tendrán gran importancia los factores
económicos; por tanto, es necesario que la obra dramática sea del
agrado del público. Sus durísimos ataques a los autores mediocres,
confiesa, son motivados por ver en ellos unos pervertidores del gusto del público. En 1884 señalaba, en *La Ilustración Ibérica* [27], que,
mientras como obra artística los dramas contemporáneos pocas veces satisfacen al gusto literario, como espectáculo se encuentra el
teatro en pleno esplendor. Un teatro que no sea del agrado del
público, aunque sea de un gran valor literario, está condenado al
fracaso: *"el arte por la taquilla* no puede arriesgarse a ensayar
obras que tienen idea, enjundia, pero que no *están en el gusto*, o
no pueden ser comprendidas, bien saboreadas, por falta de cultura
general, de habilidad, de reflexión", afirmaba en un "palique",
publicado en *Madrid Cómico* el 23 de diciembre de 1899.

El teatro tiene una forma propia y característica, la dramática,
limitada por unas leyes que subsisten aunque se prescinda del
escenario; esta forma no es creación artificial, aunque sí algo for-
zada. Si Clarín definió a la forma como "todo lo que se refiere a
la expresión" y ella era, dentro de la obra artística, lo que dependía directamente de los sentidos, indudablemente será en el género teatral donde alcanzará mayor importancia. En el examen de
Traidor, inconfeso y mártir [28], distingue entre *forma, composición* y
fondo, y al hablar de este último se refiere tan sólo a los caracteres; aquí, forma teatral parece equivaler a lenguaje. En un artículo,
anterior en más de doce años a este último, afirmaba que era en
la forma donde existían mayores dificultades para llevar a cabo la

---

[26] *La I. I.*, núm. 148, octubre, 1885. La misma idea encontramos en Hegel, quien afirmaba: "El movimiento de los intereses, la marcha progresiva
de la acción, la tensión y la complicación de las situaciones, la justa medida en la cual los caracteres obran los unos sobre los otros, la dignidad y
verosimilitud de actitud y de sus palabras, son cosas, sobre las que es difícil formular juicio cierto, por la simple lectura, sin la representación teatral"
(*Estética*, pág. 497).

[27] Artículo recogido en *M.*, págs. 341 y ss.

[28] *P.*, pág. 68.

renovación teatral y, en el lenguaje, "donde se cometen los más injustos desafueros contra la verdad dramática" [29]. Distinguía así entre forma y lenguaje.

En un texto revelador sobre su concepto de la forma dramática, publicado en marzo de 1890, ésta era presentada como algo más que el lenguaje: puesto que "la *forma* dramática no es una *creación* artificial, sino una verdadera creación, es decir, cosa de la naturaleza del arte literario, lo que vaya contra las leyes radicales de esa forma, nótese bien, irá, si dentro de ella se mueve el poeta, contra la *naturaleza misma del arte, contra la virtud artística del mismo fondo que se expresa.* No importa que, por prescindir de la preocupación escénica, del teatro, del espectáculo, se crea el poeta libre para hacer lo que quiera dentro de la forma dramática; los límites de ésta subsisten, aunque ya en otra forma que dentro de las tablas; el drama, o será una cosa híbrida o seguirá siendo siempre *imitación del teatro,* más o menos fiel, porque el *teatro* se hizo para lo esencial en la forma del drama" [30]. Ella es, pues, lo que separa el teatro de los otros géneros literarios, sin que abarque el escenario o la interpretación. Para Clarín la forma dramática reside en el diálogo, pero un diálogo que tiene ciertos límites. Años antes, al comentar las tentativas teatrales de Valera, se daba cuenta de que la esencia del drama no se hallaba en el asunto, en el contenido, sino en su expresión: "lo dramático, en rigor no es lo que pueden interpretar sobre un tablado cómicos y escenógrafos de consumo, sino algo más esencial; por ejemplo, la expresión literaria de cualquier asunto humano por medio de sujetos humanos distintos" [31]. En este último párrafo aparece clara la distinción de Clarín entre "lo dramático" y "lo teatral", que es "lo dramático" con posibilidad de representarse. Esta diferenciación entre teatro y

---

[29] *S.,* pág. 61. Cualquier escritor que, en el siglo XIX, se preocupe por el teatro debe enfrentarse con la elección entre verso y prosa; Alas, pese a vivir en los años en que la prosa tiende a desplazar al verso, casi nunca trata de esta cuestión. "En el teatro —escribe en *Palique* (pág. 89)—, como en todas partes, la poesía ha de ser poesía; y el verso que no es poético, sobra, estorba, es una puerilidad".

[30] *E. R.,* págs. 293-294.

[31] *S.,* pág. 323.

drama, íntimamente relacionada con su concepto de la forma dramática, aparece a lo largo de su producción crítica posterior; algunas veces alude a ella sin comentarla, como si considerase que el lector conoce ya esta distinción [32]. La forma "intermedia", utilizada por Pérez Galdós en *El abuelo* y *Realidad*, lleva a Clarín a hacer brillantes reflexiones, bastantes de ellas relacionadas con este binomio teatro-drama; de *Realidad* dice que "sin dejar de ser novela, vino a ser un drama, no *teatral*, pero drama". En los dos casos se muestra disconforme con este género intermedio; "el género como tal no tiene defensa, puede pasar como excepción", declara en la crítica de *El abuelo* [33].

El teatro sitúa ante nosotros un solo plano: la escena; lo que ocurre tras ese plano no pueden expresarlo el autor ni los personajes, ha de adivinarlo el espectador, "va contra el drama... el arrebatarnos la ilusión de realidad mediante *el absurdo plástico* de presentarnos el anverso y el reverso de la realidad en un solo plano: el de la *escena*" [34] Con estas palabras Clarín está negando el recurso, utilizado por O'Neill en *Extraño interludio,* de presentar los aspectos interno y externo del alma de un personaje; al mismo tiempo sostiene la diferencia de perspectiva entre el teatro y la novela. En ésta el autor entra dentro del personaje, puede decirnos lo que allí hay, la diferencia entre lo que la criatura dice y lo que piensa; el novelista es como un dios creador de almas, puede mostrar a los ojos del lector todo el mundo ignorado, contenido en el interior de un hombre. En el teatro, la perspectiva se restringe, el autor se coloca en el mismo plano que el espectador y sólo presenta lo que dice y hace el personaje; el drama nace "de necesitar el espíritu comunicar con sus semejantes mediante el cuerpo, mediante la palabra, y en ésta siempre es cosa distinta del alma que

---

[32] Esta distinción se encuentra ya en Schlegel, quien afirmaba que una obra dramática debía ser mirada siempre desde un doble punto de vista: como obra poética y como obra dramática; al definir el drama utilizaba una idea muy próxima a la de Alas: "la forma de la poesía dramática", declaraba, es "la representación de una acción por el diálogo sin la ayuda de la narración".

[33] *E. R.,* pág. 285 y *G.,* pág. 298, respectivamente.

[34] *E. R.,* pág. 294.

la expresa y guarda otras, y el verbo comunicado" [35]. Esta distinción o contraste entre el alma y el verbo es para Clarín un límite esencial de la forma dramática.

El drama se construye y se hace, dada la desaparición del autor, sobre el personaje, por eso dirá en la crítica de *Mar sin orillas,* citando a Hegel, que lo principal en el teatro es el carácter. Juan Antonio Cabezas, en una nota a su edición de las *Obras Selectas* de Leopoldo Alas, señala una contradicción entre este artículo y el titulado *Del teatro,* ambos recogidos en el libro *Solos de Clarín.* En este último, según Cabezas, Alas ha modificado su concepto de la importancia del carácter y sus relaciones con la acción. Creo que las diferencias entre los dos textos son mínimas, y aun éstas provienen de la expresión pero no de que haya cambiado la manera de pensar de Clarín. En los dos textos el escritor asturiano destaca la importancia del ambiente; en *Del teatro* dice que cuando equivocádamente se afirma que el carácter determina la acción [36] se prescinde de un elemento, "el medio ambiente", de gran influencia y difícil estudio; en la crítica de *Mar sin orillas* declaraba que en el teatro "es lo principal el carácter, porque como el drama es la *poesía plena* de la Humanidad, lo que interesa, ante todo, es la resultante de las propiedades humanas, como fuerza, en la convivencia social, influidas por el medio en que obra y a la vez influyentes: las propiedades humanas individualizadas, y en este respecto indicado, constituyen el carácter, y ésa es, en definitiva, la esencia de lo dramático. No hay en esto desprecio de la *acción* como algunos estéticos suponen, sino que ésta no viene a ser sino la línea, como huella, que señala el carácter" [37]. Entre estos dos textos no existe una verdadera contradicción; el primero está referido al drama que "copia la realidad", mientras el segundo trata de una obra que "no la copia", además el texto aparece como ampliación o explicación de una idea de Hegel. En los dos casos, lo

---

[35] *E. R.,* pág. 294.
[36] *S.,* pág. 59. Esto, según Clarín, sólo sucede con personajes alegóricos o en obras "idealistas", las cuales están hechas de dentro a fuera.
[37] *S.,* págs. 136-7. Poco antes había afirmado que no hay que entender "el carácter de la manera superficial, deficiente y a la vez *suficiente,* como lo entiende cualquier espectador presuntuoso o cualquier crítico por *asalto".*

primordial era el enfrentamiento entre personaje y "medio ambiente", y la acción presentada como resultado de ese enfrentamiento. De lo que nos dice en la crítica a otra obra de Echegaray, *Haroldo el Normando,* donde compara Haroldo a una estatua y la acción al pedestal, y afirma que el defecto de la obra es que hay mucha estatua para muy poco pedestal, se desprende que cree en una mutua exigencia entre carácter y acción. El personaje por sí solo no determina la acción, pero ésta es resultado en parte de su actuación; de ahí que lo esencial en el drama sea el carácter, pues de su enfrentamiento al ambiente y a otros caracteres surge la acción. Todas sus críticas de obras dramáticas son, en primer lugar, un detenido examen de los personajes, casi siempre relacionados con el ambiente; así, en la crítica a *El nudo gordiano* de Sellés, afirmaba que la conducta del protagonista estaba provocada por los defectos sociales del país [38].

La psicología de los caracteres tendrá que ser sumaria, sintética; el autor teatral no podrá darnos todo el contenido caótico de un alma, sino destacar sólo lo característico; "para el teatro, y aun para el drama en general, no sirve el análisis, el estudio detenido, con su serie de *petits faits* que nos dan la vida de un espíritu humano" [39]. En dos artículos recogidos en *Palique,* separados de las anteriores afirmaciones por dos y tres años respectivamente, parece aceptar, aunque con bastantes restricciones [40], el análisis psicológico en el teatro; en el primero de estos dos artículos, afirma que "se ha dicho, y lo han repetido críticos tan inteligentes como Bourget, que si la novela es análisis el teatro es síntesis; pero ni las palabras análisis y síntesis son exactas en el sentido en que se aplican a estas cosas, ni se puede convertir en dogma cerrado y sin distinciones una afirmación que tomada en cierto sentido vago puede ser verdad. Lo que sí debe decirse, que el análisis en la escena no puede tener el mismo carácter ni los mismos instrumentos de expresión que en la novela" [41]. En el siguiente repite la

---

[38] *S.,* pág. 114.

[39] *E. R.,* pág. 293.

[40] Hay que tener presente que al rechazar el análisis psicológico sólo indicaba que no era adecuado.

[41] *P.,* págs. 9-10.

misma idea con distintas palabras, incluso produce la impresión de que tenga delante la cita anterior [42].

La exigencia de la representación y la forma expresiva, basada en el diálogo, hacen que el teatro sea el género literario que posee unos límites más estrechos. Estos límites han hecho que, en diversas épocas, hayan aparecido una serie de convenciones; de ellas la más importante, o al menos más discutida, sobre todo por influencia del neoclasicismo francés, ha sido la llamada ley de las tres unidades. Ya hemos visto cómo otros límites provenían de los caracteres y el diálogo. Es innegable una cierta tendencia del drama hacia la unidad de acción, lugar y tiempo, pero no se puede convertir a esta tendencia en rígida ley. Los románticos rompieron con ella, proclamando la libertad de la representación; pero, con todo, las tres unidades, aun entre los críticos más revolucionarios, quedaron como lo más próximo al ideal escénico. Clarín reacciona contra ellas y declara [43] que se trata de leyes artificiales, impuestas por la convención, no por la naturaleza dramática, leyes artificiales que originan la falsedad, el apartamiento de la realidad, de las cuales se burla al referirse a "esas crisis providencialistas del teatro, en que bastan veinticuatro horas, una sala decentemente amueblada y cuatro personajes, para resolver, en una especie de microcosmos, del destino del protagonista y de cuanto el autor crió" [44]. Si defendía la aproximación a la realidad, no podía apoyar unos principios que representaban una contradicción con el complejo fluir de la vida [45]. El teatro clásico francés, representante de la máxima rigidez, no halla en él ningún eco. Sin embargo, se da cuenta de que el drama se apoya en esos límites: el teatro es una acción que se desarrolla en un espacio y tiempo a través del diálogo. Acción, lugar y tiempo vienen a ser así los elementos internos que desarrollan el drama.

---

[42] "Se ha dicho mil veces que el teatro es síntesis, si la novela es análisis, y a esto yo he replicado siempre (aparte de protestar contra la acepción inexacta en que se emplea la palabra síntesis) que en el teatro cabe análisis también, sólo que un análisis a su manera" (*P.*, pág. 98).
[43] *S.*, pág. 55.
[44] *L. 1881*, pág. 143.
[45] *S.*, págs. 56-57.

La unidad de espacio no aparecía en Aristóteles, es una ley
que proviene del clasicismo francés; Hegel decía de ella que, por
falsa que fuese, entrañaba una idea justa: la de que el continuo
cambio de lugar debe parecer inoportuno. Leopoldo Alas habla
muy poco del espacio y siempre citado junto al tiempo; le da in-
distintamente los nombres de lugar o espacio. Para él se trata de
una circunstancia necesaria a la acción; en algunos casos [46] lo presenta, junto con el tiempo, como límite que obliga al teatro a ser
convencional, por ello una obra de tendencia realista es difícil que
se someta a un lugar y día. La utilización del espacio en *Teresa*
nos demuestra que Clarín creía en la posibilidad de darle una participación activa en la obra dramática.

El término tiempo tiene, en sus críticas, dos acepciones diferentes. Una proviene de la ley de las tres unidades, es el tiempo
sobre el que se sitúa el argumento, el que limita la acción. Aunque niegue su unidad, afirma que, en cierta manera, es un límite
natural del drama por ser éste de índole sintética. La otra acepción
viene dada en relación con el tiempo material del desarrollo teatral. Aparece este concepto al examinar los intentos teatrales de
renovación de Galdós y Echegaray; los dos, según nuestro crítico,
fueron vencidos por él. Del primero dice: "el no contar con el
tiempo de la obra produce la prolijidad y hace que el público se
canse" [47]. Pero es a Echegaray a quien más a menudo acusa de olvidar lo que llama "tiempo del teatro", "vicio en él antiguo" [48]. Al
introducir en un drama el análisis psicológico hay que hablar más,
en tales casos el diálogo detiene algunos elementos de la acción,
resintiéndose el *tiempo de la obra*. Esta idea de tiempo no es el
mero transcurrir temporal de la acción, sino un concepto psicológico de ese transcurrir, es por tanto un paralelo teatral de lo que
se ha llamado el "tempo" narrativo.

En sus escritos teatrales abundan las referencias a la acción,
prueba de la importancia que le concede. La coloca por encima del
espacio y del tiempo, a los que califica de circunstancias de ella [49].

---

[46] *S.*, pág. 51.
[47] *G.*, págs. 233-5.
[48] *P.*, pág. 14.
[49] *S.*, pág. 55.

En un párrafo del artículo *Del teatro*, se refiere a la acción denominándola "combinación de sucesos", con lo que da a entender que la considera como una combinación de "acciones". Estos sucesos se presentan dramáticamente a través de las situaciones; a la manera de encadenar estas la llama el desarrollo escénico. Para Alas la obra teatral puede tener una o varias acciones; la maestría del dramaturgo se muestra en la construcción, en el engranaje con que se van presentando; una tela puede tener hilos de uno o varios colores, lo que importa es que estén bien tejidos y artísticamente contrastados. Esta es la idea original y de gran valor, que presenta en la crítica de *Mar sin orillas*. La confrontación entre acción y desarrollo escénico le lleva a la distinción entre la unidad de acción y la unidad de composición: "La unidad de la composición —afirma en ese artículo— no es la unidad de la acción; en la composición (de *Mar sin orillas*) no hay unidad; no todo lo que hay en el drama es parte integrante; por eso no hay unidad de composición" [50]; esta última es la que debe intentar el autor dramático. La unidad de acción corresponde al contenido y es falsa porque el contenido es la realidad y la realidad no tiene unidad [51]; la unidad de composición pertenece a la forma dramática. En la crítica de *Haroldo el Normando* volverá a acusar a Echegaray de una composición deficiente [52]. La acción surge como resultado del enfrentamiento del personaje al ambiente, del cual, señalamos anteriormente, forman parte no sólo la realidad física en que se mueve el personaje, sino también los otros caracteres de la obra; el núcleo de la acción es pues el conflicto. Gullón afirma que, según Clarín, sólo había drama cuando un conflicto nacía de la relación entre persona y mundo. Una argumentación muy parecida encontramos en Hegel, pero sin tener en cuenta el papel del medio ambiente. Según Clarín, Hegel afirma que el carácter es lo más im-

---

[50] *S.,* pág. 126.

[51] "La acción dramática, si no ha de ser mutilación de la realidad, no debe empezar ni acabar definidamente; debe ser fragmentaria sin ocultarlo, y dar por supuesta y necesaria la gran unidad de la vida toda. Sólo así el drama deja de ser una ficción repugnante para el gusto depurado y serio". (*S.,* pág. 58).

[52] *L. 1881,* pág. 198.

portante del drama, pero el filósofo alemán añade: "Y, en realidad, la pintura y expresión de los sentimientos interiores de los diversos personajes, en situaciones determinadas, no bastan todavía. El interés dramático nace de una colisión entre los fines opuestos que persiguen esos personajes"; el conflicto es también para Hegel el núcleo de la acción: "La acción dramática —afirma— gira necesariamente sobre un conjunto de *conflictos*" [53]. En Hegel hay, sin embargo, una idea de finalidad que ha desaparecido totalmente en Clarín [54]; para el filósofo alemán el carácter dramático sólo se ofrece "en relación con la acción y su objeto determinado. Este objeto que es lo esencial, domina el desenvolvimiento del carácter individual, que aparece como su órgano vivo y su soporte animado" [55]. El crítico francés Brunetière establecería como ley del teatro, como primera característica del drama, la presencia de una voluntad en lucha; la función de lo dramático será, según él: "traduire l'opposition du dedans et du dehors, de l'extérieur et de l'intérieur, du *subjectif* et de l'*objectif*, du *Moi* et du *Non-moi*" [56]. Clarín se halla cerca de esta opinión, pero no llega al exclusivismo de Brunetière.

En sus consideraciones sobre el contraste entre el anverso y reverso de la realidad teatral, se encuentra una de las ideas más originales y atrayentes de toda su exégesis dramática; esta idea encierra, en un consciente desarrollo escénico, enorme caudal de posibilidades y efectos dramáticos. El personaje que se encuentra ante el público tiene una doble faz; el espectador sólo conoce lo que muestra en sus relaciones con los otros caracteres, debe deducir la otra cara del personaje y descubrir su verdadera personalidad. El espectador aparece ante el drama en una posición de crítica objetiva. ¿No defiende algo parecido Bertold Brecht, pero referido no al personaje sino al conjunto de la obra? Creo que sólo este

---

[53] *Estética,* págs. 487 y 469.
[54] Tampoco se encuentra en Clarín la concepción hegeliana del teatro como unión del principio épico —lo objetivo— y el lírico —lo subjetivo—, idea atacada duramente por Menéndez Pelayo, en su *Historia de las ideas estéticas.*
[55] *Estética,* pág. 463.
[56] *Les époques du Théâtre français,* pág. 392.

autor, ha aprovechado "teatralmente", y de una manera consciente, las posibilidades del contraste entre el personaje tal como se muestra y tal como lo ve el espectador, supremo ejemplo su *Madre Coraje*. *Extraño interludio* es, si le aplicamos esta idea de Clarín, antiteatral, pues descubre el interior del personaje, cuando una característica esencial a la forma dramática es esconderlo. Esta concepción de lo dramático va, al negar la presentación de un doble plano escénico, contra lo simbólico: "no es lo esencial del drama que el poeta no tome la palabra", "el caso es que cuando los personajes se presenten no sean símbolos de las ideas y sentimientos del autor sino copia poética de la realidad; esto es, de la verosimilitud" [57]. "El supremo mérito" del teatro es el "semejar la realidad" [58]; la acción debe ser un "fragmento de vida" y el interés del drama "debe estar en el fondo del ser dramático, por un lado, y por otro, en el resultado de sus relaciones con la realidad" [59]. El teatro más perfecto será aquel en que el elemento de realidad "parezca como arrancado de la vida misma" [60]. Cualquier defensa del "realismo" literario nos llevará siempre al concepto aristotélico de la *mimesis*; pero este concepto, sobre el cual se ha basado gran parte de la teoría literaria europea, es, en el filósofo griego, muy confuso, y posee un significado mucho más amplio del que encierra la palabra "imitación"; la vaguedad de este término permitió que sobre él se construyese todo el arte medieval, fundamentalmente alegórico. Indudablemente la "mimesis" ha sido la doctrina literaria de mayor transcendencia, pero no puede relacionarse con el moderno realismo surgido de la corriente novelística del siglo XIX. La mimesis no es la imitación de la realidad sino la utilización de la realidad. Clarín, como todos los realistas del XIX, lo que defiende es el reflejo de la realidad; la novela y el teatro son para Leopoldo Alas el espejo stendheliano colocado ante la vida. Esta concepción realista del teatro es lo que le lleva a una de sus ideas dramáticas más personales: el rechazo total de la división de la obra en introducción, nudo y desenlace. La obra dramática se pre-

---

[57] *S.*, pág. 277.
[58] *L. 1881*, pág. 198.
[59] *S.*, pág. 57.
[60] *S.*, pág. 137.

senta para él no como una unidad, sino como un fragmento de la gran unidad: la vida. Ataca a "ese artificial principio, medio y fin de cierto arte que se nos quiere dar como eterno modelo" [61] y que falsea la imagen de la vida; sólo con una acción sin principio ni fin "el drama deja de ser una ficción repugnante para el gusto depurado y serio" [62]. Esta es una de las ideas que lo apartan más de Hegel, para el cual el drama, de acuerdo con su idealismo, es, ante todo, un desarrollo hacia un fin: "Aristóteles dice ya que un todo es lo que tiene un *comienzo,* un *medio* y un *fin.* El comienzo es un hecho en sí necesario, distinto de otro hecho que le sigue, y que de él procede. El fin es lo contrario: es lo que nace de lo que precede, la mayor parte del tiempo necesariamente, y que, sin embargo, no tiene él mismo continuación. El medio es lo que nace de un hecho anterior y de él se engendra otro" [63]. Para Clarín, por el contrario, sólo existe una continuidad: la vida, línea de progreso inacabable e inagotable; una obra artística sólo recoge un momento de ese transcurrir.

Toda la teorización dramática del crítico asturiano proviene de una concepción realista del teatro; de ahí su reacción contra el drama de tesis, al cual parece defender en algún artículo de sus dos o tres primeros años de labor crítica: "El drama no puede subsistir cuando el autor pretende plantear y demostrar una tesis, valiéndose para ello de la imitación de la realidad" [64]; dado que el teatro del porvenir se acercará a la realidad, en él será más imperdonable "el propósito tendencioso". En *Sermón perdido* [65] habla del teatro tendencioso como un camino sin salida. Igualmente se declara en contra del "tipo": "No hay hombre alguno que sea el Avaro, ni el Hipócrita, ni el Mentiroso" [66].

El teatro es, para él, el género literario que posee mayor relación con la época en que se produce. El teatro y el periódico son los dos máximos exponentes de la cultura de masas, afirmaba en

---

[61] *S. P.,* pág. 60.
[62] *S.,* pág. 58.
[63] *Estética,* pág. 474.
[64] *S.,* pág. 60.
[65] Pág. 190.
[66] *S.,* pág. 60.

un artículo publicado en *La Publicidad* el 24 de mayo de 1895. Tres años antes había escrito: "No es el teatro, a no ser en manos del genio y en épocas socialmente propicias, el modo literario que refleja lo más delicado y profundo del espíritu estético de un país, pero sí el que habla con más claridad y precisión de las costumbres, del gusto y de otras varias señales de la cultura y del carácter de un pueblo, todas interesantes, no sólo para el crítico de artes, sino más aún para el historiador político y para el sociólogo" [67]. El teatro tiene, para Clarín, un interés superior al meramente artístico porque entra de lleno en el campo del comportamiento social. José Yxart había señalado, en 1879 y en el artículo *Teatre català. Ensaig històrich critich* [68], este valor social del teatro; según Yxart, en el drama, influyen el concepto moral y religioso que domina en el pueblo, el estado de cultura intelectual y social en que se encuentran el espectador y el autor, y las tradiciones del pueblo del espectador: "Lo teatre, donchs, no es un, invariable i permanent: porta en sa executoria, com totes les institucions humanes, sa data i sa nacionalitat".

Leopoldo Alas se da cuenta de la dura lucha entablada en el teatro, entre forma y contenido, entre lo dramático y lo teatral, por eso distingue el gran teatro del teatro sólo perfecto, la calidad de la perfección: *Un drama nuevo* es la obra más perfecta del teatro español, pero no la mejor; *El trovador* y *Don Juan* son las mejores y las más imperfectas entre las buenas. El mismo caso ocurre, en el Siglo de Oro, con Ruiz de Alarcón respecto a los otros grandes dramaturgos.

He afirmado antes que consideraba *Las lecciones de Estética* de Hegel el punto de partida de las meditaciones de Leopoldo Alas sobre el teatro; creo que sería muy iluminador un paralelo entre las ideas de los dos pensadores, seguramente veríamos cómo muchas de las ideas de Alas eran adaptación a una nueva mentalidad de las de Hegel. Unos sesenta años separan los estudios de teatro de los dos autores; en esos años ha ocurrido tal transformación de los conceptos literarios y estéticos que hace que estemos

---

[67] *P.*, pág. 2.
[68] *Obres catalanes*, págs. 214 y ss.

nosotros más cerca de Alas, que éste de Hegel. El pensador alemán miraba hacia el teatro del pasado, principalmente hacia el
griego y los inicios del romanticismo alemán, pero con una continua presencia del teatro clásico español y el de Shakespeare; para
Leopoldo Alas el teatro es sólo un pequeño fragmento de la continua evolución histórica; por eso Sófocles, Lope, Calderón, Zorrilla, son grandes dramaturgos pero no modelos; Dumas hijo, es
inferior a ellos, pero, en un momento determinado, tiene el valor
supremo de representar el teatro de su época. Cualquier obra de
teatro, de acuerdo con su tiempo, podrá no ser mejor que las anteriores, pero será diferente. La mirada de Clarín se dirige no ya
hacia el teatro del presente, sino hacia él del mañana: "no tengo
gran interés en defender el teatro de años atrás, sino en indicar
cuáles deben ser las cualidades del teatro de ahora en adelante" [69].
Hegel, en algún momento, parecía acercarse a esta actitud, así
cuando afirmaba que la obra dramática debe gustar en tal lugar
y tiempo, pero muy a menudo se olvida de ello.

3.   ELEMENTOS TEATRALES

En varios artículos y en diferentes épocas, Clarín examina los
elementos que intervienen en el teatro, hacen que sea una representación y le dan su valor social de comunicación, arte y espectáculo. Estos elementos son cuatro: *el autor* que lo crea; *el público* que lo recibe recreándolo, tal vez viendo allí algo distinto a
lo imaginado por el autor; *los cómicos,* que dan vida al drama
y son, al mismo tiempo, el medio que relaciona a los dos anteriores; y por fin *la crítica,* destinada a juzgar autores y cómicos y a
dirigir el gusto artístico del público.

En la "revista literaria" recogida en *Palique* y publicada en
El Imparcial el 2 de abril de 1892, aparece totalmente estructurado
su concepto de estos cuatro elementos, estudiados allí en relación
con las tentativas de renovación de Galdós y Echegaray; dos de
ellos han dado prueba de aptitud para una renovación teatral:

---

[69] *A. L.,* 1-II-1883.

autores y público; los cómicos han demostrado no estar preparados y la crítica no ha comprendido lo que el movimiento iniciado
significaba. Nueve años antes, el 1 de febrero de 1883, había ya
publicado un artículo, en la revista barcelonesa *Arte y Letras,*
donde afirmaba que "en el estudio del teatro entran cuatro principales elementos: los autores, los actores, la crítica y el público",
y añadía que "fácilmente quedará probado que ninguno de ellos
es, ni con mucho, lo que debiera ser en este tiempo"; a continuación prometía próximos estudios sobre estos elementos cuyo estado
no puede ser más lamentable: "Ya iremos viendo cómo la crítica
y el público carecen de orientación en sus juicios, como los actores ignoran su arte y cómo los que escriben dramas y comedias
siguen las rutinas, los patrones cortados por otra generación, de
gustos y de tendencias diferentes". En algunos otros artículos encontramos referencias a todos estos elementos o a varios de ellos.

Algunas veces [70] habla de otro elemento, el gobierno, que está
obligado a ejercer una función de protección y difusión, dado el
valor educativo del teatro. En un "palique", publicado en *La Ilustración Ibérica* [71], pide que el Estado organice una compañía teatral, y, en el largo artículo *Cosas del teatro,* publicado en *La Correspondencia* el 18 de octubre y el 1 de noviembre de 1891, sostiene la necesidad de que el gobierno subvencione el teatro clásico;
de nuevo, en este escrito, todos los elementos teatrales señalados
aparecen juntos [72]. Al final del folleto *Rafael Calvo y el teatro
español,* promete una segunda parte en que estudiará autores, actores, prensa, público y gobierno en sus relaciones con el teatro;
desgraciadamente fue una de las numerosas promesas que no realizó nunca.

---

[70] *N. C.,* pág. 277, *R. C.,* págs. 17 y 86.

[71] *La I. I.,* núm. 148, octubre, 1885.

[72] "Todos sabemos y repetimos a todas horas, que el espectador no se
cuida de decadencias y florecimientos y va a donde le divierten. El quid
está en saber divertirle con espectáculos sustanciosos, de buen gusto, que
entren en el reino del arte verdaderamente dramático. ¿Quién pude contribuir a esto? Aparte de la acción del gobierno, es decir la del dinero, que
por ahora eliminamos, pueden contribuir: los actores, los autores, los críticos... y los *amos* de los periódicos". (*La C.,* 18-X-1891).

Autores

Al autor lo compara[73] con el político experto "en países democráticos"; ha de poseer "cierta ductibilidad, cierta tolerancia con el convencionalismo, una especie de ánimo constante de transigir con las preocupaciones generales, y hasta casi con la falsedad"; para conseguir agradar a los espectadores. Al presentar un paralelo entre el novelista y el dramaturgo, dice que el primero influye en su pueblo "a la larga"; mientras que el segundo viene a ser al novelista lo que el político práctico, "de acción inmediata", al teórico. Clarín considera, pues, al autor teatral como poseedor de un enorme valor social; puede agitar, mover un público, educarlo de una manera inmediata y profunda; la importancia que le concede proviene de su concepción del teatro como "escuela del gusto y de la reflexión popular". Zola en su famoso artículo *Le naturalisme au théâtre* había escrito: "Il ne faut point oublier la merveilleuse puissance du théâtre, son effet immédiat sur les spectateurs. Il n'existe pas de meilleur instrument de propagande"[74].

Si examinamos detenidamente sus opiniones sobre los autores españoles coetáneos, veremos que ninguno de ellos le satisface plenamente. En el folleto *Un viaje a Madrid*[75] se preguntaba: "¿Tenemos o no tenemos autores (dramáticos)? Preciso será confesar que hay pocos buenos". A continuación menciona a Tamayo, que había dejado de escribir, a Echegaray y a Sellés, que parecía haberse apartado de las tablas. Leopoldo Alas tiende, en sus artículos, a exaltar a aquellos autores en los que le parece ver algo positivo; por el contrario, los malos dramaturgos se convierten en víctimas de su facilidad satírica. El dramaturgo es, de todos los escritores, el que sale peor librado; son más duros sus ataques a los malos autores de teatro que a los poetas. La larga serie de sus "víctimas" la forman escritores que alcanzaron cierto éxito; no se ensaña con el autor fracasado, sino con el que triunfa sin merecerlo: Eguilaz,

---

[73] *P.,* págs. 2-3.
[74] *Le roman expérimental*, pág. 149.
[75] Pág. 61.

Cano, Cavestany, Novo y Colson, Retes, Echevarría, Bremón, Ferrari, Pina Domínguez, etc., son ridiculizados cruelmente; para Clarín se trataba de una obra de sanidad social. El "mal dramaturgo", al igual que el poetastro, pasa a sus relatos como un cómico fantoche. Cuando le pareció necesario no tuvo inconveniente en rectificar una primera apreciación negativa; así lo hizo en el caso de Felíu y Codina. En un artículo del 9 de abril de 1893, recogido en *Palique*, atacaba su obra *La Dolores*, declarando que "si nadie hubiera hablado de premiar este drama, yo no me hubiera acordado del santo de su nombre". En el escrito necrológico que le dedicó, aparecido en *La Publicidad* el 15 de mayo de 1897, hacía constar: "llegué a tener en Felíu un amigo, a pesar de que por mucho tiempo dudé de su talento literario y mis censuras de alguna de sus obras no fueron nada suaves"... "creo firmemente que Felíu cada día iría siendo más leal al arte y rebelde a las imposiciones del *populo,* cuyos representantes son los *monos sabios* de cierta parte de la prensa".

Público

El público, receptor de la obra creada, es parte indispensable del arte; en los *Solos* [76] lo llama: atmósfera en que toda manifestación literaria necesita vivir. Donde mayor importancia alcanza es en el teatro; muchas de sus ideas sobre el drama —arte más espectáculo, carácter sociológico...— están relacionadas con su valoración del espectador. El teatro, para él, es el drama más el público, ese público que tiene características distintas en cada tiempo y lugar; "una cosa es escribir una comedia para *todo el mundo,* para *todos los públicos*" y "otra cosa es escribir una comedia para el público don Fulano de Tal", afirmaba el 24 de marzo de 1895, en las páginas de *La Publicidad*.

Ya Hegel señaló un destacado papel al público teatral; uno de los capítulos de sus lecciones de estética estaba dedicado a hablar "De la obra dramática en su relación con el público". El filósofo alemán afirmaba que, en el teatro, "aparece un público de-

---

[76] *S.,* pág. 48.

terminado, para el cual se debe componer, y que está ahí presente,
dependiendo del poeta. Tiene derecho a censurarle o elogiarle,
puesto que la obra le ha sido presentada. Esta obra determinada
debe gustar en tal lugar y tiempo, excitando un vivo interés". Ese
púolico, reunido al azar, será muy complejo; para complacerle
no es raro, según Hegel, que el autor deba acudir a recursos y
efectos contrarios a las exigencias del arte [77]. El dramaturgo puede
despreciar al público y no preocuparse de él —para Hegel es lo
que hacen los alemanes— o escribir con la mirada fija en él —caso
de los escritores franceses—. En Clarín encontramos las dos actitudes, la francesa y la alemana; así al referirse, en 1893, a un premio
teatral de la Real Academia, afirma que "si el fallo que pronuncia
concuerda con el del público, debe mirarlo como buen agüero y
no como ocasión de disgusto" [78]; dos años más tarde, ante la amarga experiencia de su enfrentamiento con el público teatral, le ataca
duramente, afirmando que "no escucha" [79]. En general concede al
público mucha más importancia de la que le dio Hegel, recono-
ciéndole un papel parecido al que le señalaban Sarcey en Francia
e Yxart en Cataluna. El primero, en un artículo publicado en agosto de 1876, abandonaba los intentos de caracterizar al teatro y
sostenía que la única y real peculiaridad del arte escénico es la
presencia de un auditorio: "Il y a, quand on parle de théâtre,
un fait qui ne saurait manquer de frapper les yeux les moins atten-
tifs: c'est la présence d'un public. Qui dit pièce de théâtre, dit par
cela même public venu pour l'écouter. On ne conçoit pas le théâtre sans public. Prenez l'un après l'autre tous les accessoires qui ser-
vent à l'exécution des oeuvres dramatiques, ils se peuvent suppri-
mer ou remplacer; celui-là non" [80].

---

[77] Algo muy parecido sostiene Clarín, al afirmar que en el dramaturgo
"hay algo del político experto en países democráticos; cierta ductibilidad,
cierta tolerancia con el convencionalismo, una especie de ánimo constante de
transigir con las preocupaciones generales, y hasta casi, casi con la falsedad"
(*P.*, págs. 2-3).

[78] *P.*, pág. 94 .

[79] *La P.*, 24-IV-1895.

[80] *Quarante ans de théâtre*, vol. I, pág. 127, en un artículo titulado *Les
conditions de l'art dramatique*. La actitud de Yxart ante el público teatral
ha sido examinada por R. Sumoy en su trabajo *José Yxart y su crítica*.

Su estimación de los gustos del espectador es muy compleja y varía algunas veces, pero, en general, es característico el respeto, la importancia que le concede. Tras reconocer que el público no se identifica con el teatro actual y se deja ganar por espectáculos de baja estofa, afirma que la causa de la crisis teatral no está en el espectador, sino en el espectáculo, tanto en los autores como en los cómicos; por eso ante la renovación de Galdós, el público no será *"un animal de pura impresión"*, sino que seguirá con atención e interés la representación. El espectador podrá tener una preparación artística escasa o un gusto deficiente, pero hay reacciones que no engañan, si se cansa, si se aburre, si dice esto es pesado, es que la obra está mal construida o carece de interés[81]. Señala varias veces que está más preparado el público que la crítica para recibir las innovaciones teatrales: en un artículo, publicado en *Arte y Letras* el 1 de febrero de 1883, destacaba que el público, aunque carecía de orientación, estaba ansioso de novedad, pero, pese a que su gusto "ha mejorado no poco al hacerse más exigente", "en general —indicaba— se aplaude todavía lo insignificante, lo falso y hasta lo absurdo". En unos pocos escritos su valoración del público es negativa; así, en un artículo publicado en *La Ilustración Ibérica* en octubre de 1885, afirma: "Para encauzar el gusto del público (que indudablemente se ha salido de madre), no hay remedio humano, ya lo sé; pero por lo menos se puede procurar que no se pervierta más". La culpa de esta situación, según Clarín, no se halla en el espectador, ya que el público "aplaude porque sí, porque entre unos y otros le han echado a perder"[82].

Aceptada por Leopoldo Alas la existencia de los dos grupos culturales que hemos dado en llamar minoría y mayoría[83], adopta ante esta última una actitud declaradamente pedagógica: el público mayoritario ha de ser guiado y educado, función que corresponde a la crítica, la cual debiera ser el núcleo más escogido de la mi-

---

[81] *G.*, pág. 234.

[82] *La P.*, 6-V-1881.

[83] "Es una hipocresía decir que no hay dos públicos; si, los hay; en el arte literario hay géneros y ocasiones en que el mejor juez es el pueblo, pero hay otros géneros y otras ocasiones en que el mejor juez es una aristocracia impuesta por la naturaleza de la cosa" (*La C.*, 22-IV-1892).

noría. El autor dramático debe dirigir sus obras al público mayoritario: "Todos sabemos y repetimos a todas horas —escribe en
La Correspondencia, el 18 de octubre de 1891—, que el espectador
no se cuida de decadencias y florecimientos y va a donde le divierten. El quid está en saber divertirle con espectáculos sustanciosos, de buen gusto, que entren en el reino del arte verdaderamente
dramático". Mientras dura el espectáculo, el público es el único
juez, pero más tarde la crítica debe enfrentarlo con sus errores e
intentar guiar su gusto [84]. La crítica española, afirmaba en 1896, "es
la primera cortesana de S. M. el vulgo; y el dogma, falso como él
sólo, en que se funda esta flaqueza, esta cobardía, es éste: que en
literatura dramática no hay más ley que la de agradar al público,
sea el que sea y opine lo que opine" [85]. De esta manera, al aceptar
crítica y autores la dictadura inconsciente del público, el teatro se
sitúa en un callejón sin salida, pues la repetición del mismo tipo
de obras dramáticas, carentes además de calidad, hace que el espectador termine por cansarse de ese teatro hecho a su medida:
"los autores —señala en el artículo anterior— se quejan de lo difícil que se pone el público de día en día; no falta quien, con opti-
mismo ridículo, ve en esto progreso del gusto general, de la cultura
popular; siendo así que el público rechaza las obras, no porque
tenga ya un ideal superior, sino porque la repetición mecánica de
lo conocido y admitido le aburre".

Crítica

Es fácil darse cuenta de la importancia que concede a la crítica
teatral desde el momento que la coloca entre los elementos consti-
tutivos del teatro. En algunos momentos el lector piensa que, para
Clarín, tiene mayor importancia la crítica teatral que la dedicada

---

[84] "Así como sería absurdo, ridículo, y en cierto modo injusto, llevarle
la contraria en el teatro mismo, desde la butaca, es legítima atribución de
la crítica casar el fallo del jurado popular, si se acierta a hacerlo con razones" (*La C.,* 22-IV-1892).

[85] *El teatro en barbecho, La I. E. y A.* 1896, recogido en *Siglo p.,* página 177.

a los otros géneros literarios. Él mismo fue crítico teatral de varios periódicos, y aprovechó las escasas ocasiones, que le proporcionaron sus viajes a Madrid, para volver a ella. A la crítica teatral le corresponde la función suprema del juicio, educando al público, corrigiendo a los cómicos y autores, y buscando nuevos caminos por los que pueda desarrollarse el arte dramático; la crítica hace, señala en *Mezclilla* [86], que el espectáculo no tenga ante los ojos del público más importancia que el arte.

De los cuatro elementos teatrales éste es, tal vez, el que sale peor librado. El ataque a los críticos es una constante en toda su producción: en *Sermón perdido* indica que muchos cómicos se han perdido por las alabanzas injustificadas que habían recibido de aquéllos, y, en *Palique* [87], que no han sabido o no han querido comprender los intentos de renovación. Para la crítica de actualidad es necesario "un gusto propio, original y espontáneo" [88], pues, el escritor se encuentra ante una aterradora falta material de tiempo, desde que termina el espectáculo hasta entregar el artículo a la imprenta [89]. Hacia 1894, José Yxart, coincidiendo con los aspectos señalados por Alas, escribía: "Esta crítica (la teatral) sigue siendo única y exclusivamente labor de periódico, esto es, repentina, momentánea, atropellada y cómplice servil de toda suerte de intereses y pasiones, empezando por la impresionabilidad irreflexiva del público de una sola noche: la del estreno. En ella hemos visto sólo reflejadas la propia exageración encomiástica de una concurrencia excitable a poca costa, siempre que se trató de efectismos escénicos que no soportan el más ligero examen, y las vacilaciones o las frialdades acomodaticias de un juicio inseguro, cuando, por el contrario, la índole del drama no tenía en su apoyo una sanción interior. La crítica ha sido precisamente la que, en vez de mirar con simpatía la sinceridad y el desinterés de que da muestras quien se arroja a romper en las tablas con la rutina, repitió los lugares comunes conjurados contra toda novedad, poniéndose

---

[86] *M.*, pág. 346.
[87] Págs. 177 y 5, respectivamente.
[88] *E. R.*, pág. 132.
[89] *Un v.*, pág. 57.

del lado de la costumbre perezosa y limitándose a ser eco de sus protestas" [90].

En el artículo necrológico dedicado a la muerte de Manuel Cañete [91], Leopoldo Alas hace un examen de la crítica teatral española. Los críticos, confiesa, han juzgado muchas veces por motivos ajenos al arte; así Larra no supo comprender totalmente el *Hernani*; Revilla llevaba a la butaca al catedrático de Literatura, no al entusiasta de la literatura dramática que no existía en él, por eso aplaudía muchas veces lo que el público aplaudía; Cañete, por falta de gusto, tenía que aplicar un "canon" hecho de "buena intención", "un poco de tendencia reaccionaria" y "la imitación de los grandes dramaturgos". Pese a esos defectos "en España, en la de ahora, Cañete, tratándose de críticos de teatro, puede ser considerado como uno de los menos malos porque el gusto que a él le faltó les falta a casi todos, y la erudición que él tenía, aquí la tienen pocos". Ya, en la primera página del artículo, había presentado el panorama desolador de la crítica española: "enseñoreadas la más pasmosa ignorancia, la anarquía del gusto más pintoresca y escandalosa, de la censura periodística referente a las obras de la escena". A lo largo de la producción de Clarín abundan las referencias a Manuel Cañete, todas ellas, excepto los artículos necrológicos que le dedicó, son de cierta dureza; la constante acusación es la falta de una justa valoración y la carencia de gusto estético. Para Cañete todo lo antiguo es bueno, "le gusta el queso bueno o malo, siempre y cuando que tenga gusanos auténticos" [92]; en cuanto a la crítica de actualidad se limita a examinar si la obra es "moral" [93]; en el prólogo al libro de E. Bobadilla *Escaramuzas*, le llamó "protector de *animalillos* líricos y dramáticos de pocas hierbas". Del resto de los críticos dice que la situación de la crítica teatral ha llegado a tal estado que no hay que hacer ningún caso de ella [94].

---

[90] *El arte escénico...*, vol. I, págs. 355-356.
[91] *E. R.*, págs. 129-135.
[92] *N. C.*, pág. 329.
[93] *E. R.*, pág. 133.
[94] *La P.*, 29-XII-1888.

Hay, sin embargo, una figura que logra salvarse, el catalán José Yxart, sin duda alguna el primero de nuestros críticos teatrales de finales de siglo. De su libro *El arte escénico en España*, la más seria meditación sobre teatro escrita en nuestro país durante el siglo XIX, dijo en *El Impacrial*, el 9 de julio de 1894: "es un estudio serio, hondo, concienzudo, sagaz, imparcial y sereno del teatro español en el siglo presente, no con el objeto de la historia por la historia sino tomando lo histórico en un sentido de *prognosis crítica*"; en una necrología, aparecida en *La Publicidad*, el 25 de junio de 1895, presentaba a Yxart como "el crítico más *oportuno* para nuestra *actualidad* literaria". Si tenemos en cuenta que la oportunidad y la actualidad están entre los máximos valores que, para Clarín, puede poseer una obra o doctrina literaria, comprenderemos la importancia que reconoce al crítico catalán, algunas de cuyas ideas —la valoración de Ibsen, por ejemplo— tal vez influyeron en Alas. En la citada necrología, señala que Yxart carecía de algo que le impedía ver el lado positivo de Calvo y Echegaray [95]. En la crítica a *El arte escénico en España*, declaraba que el crítico catalán "en el romanticismo revivido, en Echegaray... no admira todo lo que hay de admirable. Desde el punto de vista *negativo* Yxart juzga a Echegaray con gran talento, con penetración y gusto (el *gusto* del límite); pero al gozar los elementos positivos de la estética particular de nuestro gran romántico... Yxart... sigue juzgando con *sordina*. No ve, no siente, no adivina bastante". Esta diferencia de apreciación entre los dos críticos nos lleva a uno de los problemas más interesantes y difíciles de analizar que presenta la obra literaria de Leopoldo Alas: la supervivencia en él de algunos gustos románticos.

En el grupo de artículos acerca del teatro, publicados en *La Publicidad* en la primera mitad de 1895, año del estreno de *Teresa*, aparecen varias referencias a la crítica. El primero [96], dedicado totalmente a ella, es de una gran dureza: el crítico ni juzga ni examina la obra, sólo le importa si ha gustado o no al público. En

---

[95] "Es más fácil estar de acuerdo en las doctrinas que en el juicio que merecen las personas" había escrito en el artículo que dedicó a *El año pasado, 1888* de Yxart (*E. R.*, pág. 180).

[96] *La P.*, 14-I-1895.

el artículo del 24 de abril, se refiere al anterior [97]; los críticos, afirma, no le han perdonado aquellos ataques, ese ha sido, insinúa, uno de los motivos del fracaso de *Teresa*. A continuación les acusa de que, en lugar de preparar al público para recibir las futuras novedades y reformas, tan necesarias al teatro español, se limitan a adularlo. El 25 de febrero del mismo año y en el mismo periódico, había indicado que la crítica del momento era excesivamente rigurosa, pero que prefería eso a los años de compadrazgo. Poco tiempo después era él la víctima de esa rigurosidad.

Actores

La carencia de buenos actores y actrices es, según Clarín, uno de los defectos capitales de nuestro teatro [98]. El 18 de octubre de 1891, al revisar, en las páginas de *La Correspondencia,* el panorama de nuestros intérpretes, escribe: "Ya se sabe que en España, en el día, no se puede formar una buena compañía dramática completa. Nos faltan, principalmente, mujeres. Tenemos un buen actor, un gran actor de inspiración y fuerza que puede interpretar lo más alto y lo más hondo, Vico; tenemos algunos jóvenes, pocos, que pueden ayudarle en el género del drama español antiguo... y en el anticuado; tenemos, por ejemplo, un segundo galán muy apreciable, Calvo (Ricardo) y un galán joven que promete, Perrín. En la comedia corriente, en la *graciosa* nos defendemos mucho mejor; y hay todo un vivero de naturalidad, soltura, observación, que hoy no se aprovecha, se va malogrando, pero con buena organización y *unidad* en la dirección de escena y en el *género* cultivado, podría dar de sí mucho más de lo que se cree". En este mismo artículo, titulado *Cosas del teatro,* destaca el buen gusto de Vico y su entusiasmo en la búsqueda de un nuevo teatro, en que

---

[97] Artículo que debió tener bastante transcendencia, pues fue reproducido en *El Correo* de Madrid, y publicó otro muy parecido en *Novedades* de Nueva York. El 1 de abril de 1895, publicó, en *El Imparcial,* un artículo dedicado a justificar a *Teresa* de los ataques de la crítica madrileña.

[98] "Una de las imperfecciones capitales del teatro es esta: la inferioridad artística de los cómicos" (*R. C.,* pág. 12).

haya "*poesía* y *verdad*". Otro de los pocos actores que salva, aunque sea con algunas reticencias, es Rafael Calvo; así en un "palique", dedicado a atacar la declamación antinatural [99], señala que
Calvo es de los pocos que valen algo, "canta bien, pero canta y la
mejor escuela de canto para los cómicos es no cantar". Uno de
los méritos que reconoce a este actor es el haber sacado del olvido el teatro clásico español haciéndolo popular. Le dedicó un folleto en el que se presentaba como espectador imparcial ya que,
en absoluto, afirmaba, no admira a ningún cómico; tratándose de
un escrito necrológico, dedicado al famoso actor, equivale a decir
que en todos encuentra defectos. Su rechazo de Calvo y Vico, los
dos dioses de la escena española en su tiempo, no es tan claro
como el de Yxart, con quien declara no estar de acuerdo en una
carta al crítico catalán: "Con Vico me parece Ud. algo injusto
(es decir, lo que en lenguaje vulgar se llama injusto) si bien el
estudio que hace de sus facultades de actor es excelente y acaso
el mejor que se le haya consagrado" [100].

El nivel interpretativo que presentan nuestras actrices es aún
más bajo que el de los actores; "muchos defectos contribuyen
—afirma en el artículo *Ibsen y Echegaray*, publicado en *La Correspondencia* el 27 de abril de 1892— a la decadencia de nuestro
teatro; pero es innegable que el mayor mal, el obstáculo mayor
para su restauración está en los cómicos, en las actrices particularmente. No tenemos *mujeres*, y el teatro moderno sin mucho *elemento femenino*, es imposible". Hacia la francesa Sara Bernhardt,
a la que vio actuar, demostró una gran admiración; le dedicó un
"palique" titulado *Los Pirineos del arte*, recogido en *Sermón perdido*, y dos artículos, publicados en *El Progreso*, el 21 y el 25 de
abril de 1882. María Guerrero aparece citada varias veces en sus
críticas, pero no da una opinión de ella; su compañía estrenó
Teresa, de la que dijo Clarín que "para representarla como yo la
vi y la escribí" necesitaba de otros cómicos. En 1890, le dedicó
dos "paliques" en *Madrid Cómico*, aconsejándole que huyese de
las "malas compañías" y de los malos autores. De María Tubau

---

[99] *N. C.*, págs. 273 y ss.
[100] *Siete...*, pág. 394.

había dicho, en 1885, que era la única actriz que podía entender regularmente las comedias realistas [101].

Al comentar *El arte escénico* se mostraba de acuerdo con Yxart en que nuestra escena carece de una tradición interpretativa; tan sólo hemos tenido alguna que otra individualidad. En otro artículo afirma que los actores tienden no a aproximarse y vivir su personaje, sino, al contrario, parece ser el personaje el que se aproxime al actor: "Rafael Calvo siempre es Rafael Calvo, Jiménez siempre es Jiménez; el personaje que representan pierde todo carácter propio, se anega en la personalidad del actor y sólo en éste, como es y se llama en el siglo, pensamos" [102]. Esta tendencia puede influir en los dramaturgos, y hacerles caer en el error de escribir sus obras pensando en los actores; "hay que huir, en general —escribe el 1 de noviembre de 1891 en *La Correspondencia*—, de que la *manera* o el *amaneramiento* de los cómicos sea un pie forzado, o siquiera una sugestión para los poetas".

Sólo a través de una buena interpretación alcanza la obra teatral todas sus posibilidades; de ahí la importancia que tienen los actores, quienes, en algunos casos, pueden llegar a hacer fracasar una buena obra. El crítico tiene que examinar siempre las actuaciones de los cómicos; en la mencionada carta a Yxart, escribía: "En Madrid, dice Ud. bien, la crítica apenas habla de los actores. Siempre me ha parecido esto muy mal, aunque yo mismo por pereza, pesimismo y por influencia de los demás, descuidaba esta materia cuando escribía de teatro. Por lo demás, es tan importante el actor y se podría decir tanto y tanto de su arte". Para la futura renovación del teatro español, con que sueña y por la que lucha, pide actores que trabajen con naturalidad. Ellos son, con la crítica, los elementos que están menos preparados para esa renovación realista; la interpretación corresponde todavía a un concepto romántico del movimiento teatral.

---

101 *La I. I.*, octubre, 1885, núm. 148. El 1 de noviembre de 1891, escribe, en *La Correspondencia,* que el actor Mario y la Tubau podrían ayudar a la aparición del *teatro nuevo,* pero corren el peligro, añade, de caer en la falsedad.

102 *Los teatros de Madrid, A. L.,* 1-II-1883.

Toda su producción, tanto crítica como narrativa, está llena de alusiones, sátiras alegres, a veces ataques crueles, dirigidos a los actores y su ignorancia; el cómico triste, fracasado, se convertirá en personaje de sus cuentos. El mal actor era un tipo proverbial en la literatura de la época; Palacio Valdés escribía, en *Marta y María*: "Y el pobre Ricardo empezó a desempeñar su papel de duque de Turingia, casi tan mal como un actor español".

4. LA RENOVACIÓN DEL TEATRO

Al examinar la literatura de fines del XIX, nos damos cuenta de que no todos los géneros literarios avanzan al mismo ritmo; la novela ha llegado mucho más lejos, por eso el público siente preferencia por ella. Son días de crisis para las formas teatrales. Al romperse los moldes escénicos románticos, empieza una época de búsqueda y renovación, en la que todavía vivimos. El teatro, desde el romanticismo, no ha tenido una etapa de reposo en la que los hallazgos y las novedades se serenasen: está en continua lucha, en busca constante de una expresión y un contenido que atraiga al público; los grandes dramaturgos de estos cien últimos años han sido todos, al mismo tiempo, grandes innovadores. Clarín se da cuenta de la necesidad de abrir nuevos horizontes al teatro para salvarlo; lucha y proclama esta renovación en numerosos escritos; por eso se pregunta ¿el teatro, ha sido siempre el mismo?, ¿es éste el primer intento de reforma? En la "revista literaria" *El teatro de lejos* [103], justifica social e históricamente la renovación: la forma dramática tiende a transformarse por exigencias de la sociedad moderna y por el cambio y cansancio del gusto del público; pero estas transformaciones del teatro han tenido lugar en todas partes y en todo tiempo, en el Japón, en la antigua Grecia, en la España del Siglo de Oro... El teatro vive siempre una evolución, tanto en los medios materiales, como en la forma o en los asuntos. Clarín distingue un tipo de autor dramático, el innovador podríamos llamarlo, que "ensancha el teatro, *rompe moldes*"; es el caso de Eurípides que inaugura en cierto modo el recurso dra-

---

[103] *P.*, págs. 74 y ss.

mático de lo patético, sin embargo, no podemos decir que valga más que Esquilo. El teatro sigue un camino de continuo progreso, pero ello no permite afirmar, por ejemplo, que *La Dama de las Camelias* sea mejor que *Atalía,* es algo más, "el teatro con mucho más horizonte"; "más que Shakespeare nadie, pero otra cosa sí". Lo que no puede hacerse es detener este avance, no existe el "statu quo" escénico; no es posible producir obras maestras con patrones envejecidos. Todas sus alabanzas a obras de contemporáneos las encontraremos siempre en relación con obras o autores que, para él, representan un intento de renovación teatral.

Además de la contestación a la encuesta sobre la conveniencia de fundar un "teatro libre" en Madrid, abierta por *El Imparcial* el 6 de junio de 1896, conozco tres artículos en que trata primordialmente de la necesidad de renovar el teatro español: la "revista literaria", ya citada, *El teatro de lejos;* otra, recogida también en *Palique,* donde comenta los estrenos de *Realidad* de Galdós y *El hijo de Don Juan* de Echegaray; y el artículo *Del teatro,* una de las mejores meditaciones sobre el arte escénico escritas en nuestro siglo XIX. Referencias al mismo tema las encontramos en casi todos sus escritos sobre teatro. Los tres artículos mencionados, aunque separados por unos trece años, coinciden en las ideas básicas.

Su defensa de la necesidad de una renovación teatral arranca del rechazo de las obras que escriben sus coetáneos. Las acusaciones que lanza contra ellas se refieren tanto a la forma como al contenido; según Clarín, se trata de un teatro antinatural, falso, convencional, forzado, "bastan veinticuatro horas, una sala decentemente amueblada y cuatro personajes" para plantear y resolver un argumento en torno al problema de mayor transcendencia [104]. Considera que el drama español se halla en un lamentable estado; lo acusa de idealista, convencional, artificioso, falso y, más que en ninguna otra parte, aferrado a los clásicos "tres actos y en verso" [105]. El francés, en mejor situación, tampoco puede llegar por el camino que sigue a ser una "obra dramática digna del tiempo", para demostrarlo examina la obra de Sardou, Dumas y Augier [106].

---

[104] *L. 1881,* pág. 143.
[105] *S. P.,* pág. 44.
[106] *S.,* págs. 49-53.

La reforma es necesaria, proclama en el artículo *El teatro y la novela* [107], "sólo el genio que dé con ella podrá resucitar el interés puramente artístico de las tablas". El público se aparta del teatro porque "como obra literaria pocas veces satisface a los hombres de gusto lo que en estos días producen los dramaturgos contemporáneos"; para volver a atraerlo necesita transformarse. La forma de ese teatro nuevo, señalaba ya hacía 1880, venía exigida por las ideas de la época. La novela había comprendido esto desechando la teoría de "agradar sin más fin". La salvación del teatro está en acercarse a la novela, pero con los procedimientos adecuados a su esencia: hay que rechazar la ley de las tres unidades; ha de concederse gran importancia al ambiente en que han de moverse los caracteres; la acción ha de ser un fragmento de vida, no debe empezar ni acabar para no ser mutilación de la realidad y ha de apartarse lo más posible de su carácter de ficción [108]. El 8 de marzo de 1893, sostiene, en *El Imparcial*, que la renovación todavía estaba sin solución; el teatro pide "variación, reforma en el sentido de ser más amplio, menos convencional", en fin algo de lo que ha aportado la novela realista a la literatura, por eso no es extraño que muchos de los cambios hayan sido intentados por novelistas: Zola, Galdós, Daudet... [109]. En la "revista literaria" del 2 de abril de 1892, era categórico al hablar de la renovación: "mejor que negar la posibilidad de un teatro rejuvenecido, conforme con las tendencias actuales del gusto y del arte, mejor que condenar esta literatura a una inferioridad metafísica, irremediable, es estudiar los legítimos medios de darle nueva vida, de llevar a ella

---

[107] *M.,* págs. 341 y ss.

[108] Esta idea de la necesidad de aproximar el teatro a la novela, la encontramos también en Zola, quien, en su artículo *Le naturalisme au théâtre,* recogido en el libro *Le roman expérimental* (pág. 147) afirmaba: "ou le théâtre sera naturaliste, ou il ne sera pas", y en el catalán Yxart, el cual seguramente recordaba las palabras del novelista francés al defender la necesidad de "llevar a la escena la reforma naturalista" (*El arte escénico en España,* vol. I, pág. 90). "Le roman, grâce à son cadre libre —había escrito Zola en aquel artículo— restera peut-être l'outil par excellence du siècle, tandis que le théâtre ne fera que le suivre et en compléter l'action" (página 149).

[109] *P.,* págs., 77-78.

nuevos recursos que, sin falsear su naturaleza, le den aptitud para
satisfacer las modernas aspiraciones de la vida estética"; y al
camino, señalado ya en el artículo *Del teatro* —"la naturalidad, la
verdad mejor copiada, la imitación más fiel del mundo"—, añadía
otro: "la mayor intesidad psicológica en los personajes escénicos,
la profundidad ética, el estudio más detenido y exacto de los caracteres" [110]. Eran los años en que aceptaba las corrientes psicológicas de la novela, representadas en Francia por Paul Bourget.
Como base de la renovación teatral encontramos la misma idea de
una aproximación a la novela; por eso defenderá —antes había
afirmado que el teatro era un género de síntesis— al análisis de
los sentimientos. Esta es una de las escasas variaciones que expe-
rimentaron sus concepciones dramáticas a través de su vida; en
textos posteriores, sin embargo, vuelve a referir la renovación sólo
a la aproximación a la realidad [111].

En el comentario a *La loca de la casa* de Galdós, publicado el
año 1893, tras defender su creencia en la necesidad y el continuo progreso del teatro [112], presenta tres dramaturgos extranjeros
—Ibsen, Wilde y Hauptmann—, que intentan poner el teatro al
nivel de su tiempo; sus defectos están relacionados con su novedad: Ibsen a veces se convierte en extravagante, Wilde es poco
original y en Hauptmann hay mucho conocido. Galdós es el español que representa la tendencia innovadora, perjudicada por su
falta de práctica teatral. Respecto a Wilde era más explícito en
otro artículo de ese mismo año: "El Mesías del teatro por el que
suspira Zola no acaba de parecer; no es él, ni es tampoco ese
Oscar Wilde, el jefe de los *estetas* actuales en Londres, que después
de su viaje a París se hizo tan célebre, y que en las obras que

---

[110] *P.*, págs. 10-11.
[111] "El teatro más perfecto será aquel en que el elemento de realidad (...) parezca como arrancado de la vida misma". (*L. 1881*, pág. 137).
Pocos críticos europeos defendieron de forma tan clara y consciente el teatro realista, la imitación de la vida era, para él, la única posibilidad de
renovación teatral.
[112] "El esfuerzo debe ser siempre hacia delante. El teatro es indispensable; secundario o no, es un género insustituible, y lo que se ha de hacer
es amoldarlo a las tendencias comunes al arte contemporáneo" (*G.*, página 238).

hace representar en los principales teatros de su patria, a vueltas de muchas apariencias de novedad, no consigue otra cosa que recurrir al patos más melodramático y más usado por los autores del Continente" [113].

De todos los dramaturgos que representan cierta renovación del teatro, Ibsen es al que da más importancia. A él dedica un largo artículo, aparecido en *La Correspondencia* el 25 de enero y el 2 de febrero de 1891, cuyo tema es un paralelo entre la obra de Daudet *El obstáculo* y *Los aparecidos* de Ibsen (*Espectros*) [114]. A lo largo del artículo demuestra conocer también *Casa de muñecas* y *Emperador y Galileo*, que considera su obra más notable. No hay aquí ninguna referencia a la extravagancia de que lo acusaba en el otro artículo; por el contrario, demuestra un verdadero entusiasmo hacia el dramaturgo noruego, y la comparación entre las dos obras es totalmente favorable a *Espectros*. El artículo viene a ser una defensa de la obra de Ibsen frente a las afirmaciones de Wolff, crítico francés de *Le Figaro*, que prefería *El obstáculo*. La "herencia" —tema de los dos dramas— aparece en Ibsen, según Leopoldo Alas, no bajo la forma de tesis, "sino como las cosas deben presentarse en escena, en cuerpo y alma, en la figura de Oswaldo Alving"; precisamente, la sinceridad, el enfrentarse con los problemas, con "las dificultades del compromiso", es, para Clarín, el máximo acierto de Ibsen. El mayor entusiasmo expresado por él, en una crítica teatral, lo provoca la última escena de la obra, que reproduce entera: "En poder de un artista capaz de representar exactamente el Oswaldo que se *disuelve* en el limbo de lo *inconsciente*, en una estupidez graciosa, infantil, el final de *Los aparecidos* será un espectáculo casi intolerable, pero de un vigor dramático, que recordará el terror que causaban en el pueblo helénico las tragedias griegas" [115]. En otro artículo publicado también en *La Correspondencia*, el 27 de abril de 1892, y titulado *Ibsen y Echegaray*, examinaba la relación entre *Los aparecidos* y *El hijo de Don Juan*, adaptación libre de la primera; de nuevo

---

[113] *P.*, pág. 100.
[114] Recogido en *E. R.*, págs. 407 y ss.
[115] *E. R.*, págs. 410 y 426-427, respectivamente.

señala la superioridad del drama de Ibsen. En este escrito sostiene que el público espanol no está preparado para el teatro del escritor noruego; "Ibsen en crudo", indica, hubiera tenido peor éxito que el drama de Echegaray. Aunque considera fracasado el intento del dramaturgo espanol, le felicita por haber procurado "ensanchar los angostos cánones de nuestro gusto nacional consuetudinario".

Hacia esos mismos años —1892 y 1893— de que provienen la mayoría de sus referencias a los autores extranjeros mencionados, habla varias veces del "Teatro Libre" de Antoine, cuyo defecto, afirma, reside en el escaso público que lo frecuenta [116]. Cuando *El Imparcial* le pide su opinión acerca de la conveniencia de fundar en Madrid un "Teatro Libre" o de "Ensayo", Clarín, arrastrado por el entusiasmo que le provoca tal idea, se alarga en su respuesta y nos da las bases que deben dirigir a tal tipo de teatro. El principal motivo de ese entusiasmo reside en que lo considera la posibilidad de liberar a la escena de muchas de sus ataduras económicas y, por lo tanto, de su total dependencia del público. "La base del teatro de ensayo —escribe— es ésta: no se trata de que el autor estudie los *gustos* tradicionales del vulgo, que es el público, para atenerse a ellos y lograr su favor satisfaciendo sus preocupaciones. Un teatro de *progreso* no puede ser así. Se trata de que el público sea el que procure *ir entrando* por la novedad, acostumbrándose a la atención seria, a la profundidad de la idea, a la delicadeza del sentimiento, al valor artístico de las situaciones no sometidas a las leyes de la prestidigitación de los *efectismos* tradicionales, de la retórica altisonante, etc., etc.". En él ve, pues, la posibilidad de iniciar la tan ansiada renovación.

Entre sus ideas teatrales es esta de la evolución progresiva la que considero de mayor valor y originalidad, pero este continuo progreso lo señalaba en todos los géneros literarios, y supo plasmarlo en una frase magnífica: "el arte futuro es una tierra prometida, hay que conquistarla" [117]. Su interés y cariño hacia el teatro le llevará no sólo a defender con verdadero entusiasmo esa

---

[116] *E. R.,* pág. 410.
[117] *G.,* pág. 238.

renovación teatral, sino a intentarla él mismo; intento que si fracasó, principalmente por la incomprensión de la crítica, quedó para el historiador como testimonio de la máxima clarividencia de un momento literario, e inicio de un camino lleno de posibilidades. Desgraciadamente *Teresa* fue un ensayo sin continuidad, quedó aislado de toda futura repercusión. *Teresa* es, aparte sus valores dramáticos, el máximo exponente de la perfecta y unitaria estructura que presentan las ideas teatrales de Leopoldo Alas. Todo cuanto había defendido en sus artículos está en la obra.

5. EL TEATRO ESPAÑOL

La crítica de Clarín tiene, frente al teatro español, dos posiciones claramente marcadas que, si en una lectura superficial pueden parecer opuestas, en realidad están íntimamente relacionadas y no sólo no se excluyen, sino que se hallan unidas por una mutua exigencia; por un lado, considera desastrosa la situación del teatro español de su época, por otro, dedica alabanzas a algunas obras y escritores. Muchas de estas obras que alaba no son del agrado del gusto estético actual, lo que no ocurre con la mayoría de las teorías dramáticas que defiende Leopoldo Alas. ¿Paradoja? no, ¿falta de seguridad en el juicio? Tampoco; Clarín ha de escoger y buscar modelos entre lo menos malo. Algunas de sus preferencias y alabanzas están en relación con la supervivencia del gusto romántico; el mismo Alas lo declara en *Rafael Calvo* [118] al señalar que, con la revolución de Setiembre, se produjo una renovación neorromántica "que todavía agoniza ahora" y de la que son un exponente Calvo, entre los cómicos, y Echegaray, entre los autores [119].

Las quejas por la situación de la escena española son constantes y aparecen a lo largo de toda su producción. En el artículo *Del teatro*, se muestra en desacuerdo con el teatro, a gran distan-

---

[118] *R. C.*, pág. 32.
[119] En otro artículo decía de Calvo que fue el ideal romántico de su juventud. (*E. R.*, pág. 6).

cia de la novela, sobre todo en España. En *La literatura en 1881*, afirma que, mientras en todas partes el teatro se acerca a la naturalidad, "aquí los ingenios se esfuerzan en mantener un convencionalismo que va rayando en lo ridículo". En *Sermón perdido*, replica, a la crítica que acusa de falso el teatro de Campoamor, que el teatro de los demás también es falso y convencional [120]. En el folleto *Un viaje a Madrid* [121], habla de la crisis teatral: el público no tiene dinero, los cómicos son detestables, las traducciones malas, entre los autores hay pocos buenos; unas páginas más adelante exclama: "¡qué cosa tan extraña es el teatro español actual! Entre la inopia general, entre la ineptitud ambiente, entre errores sin cuenta, algunos de los cuales son del genio mismo, de pronto aparece como un relámpago toda esa grandeza" [122]. En el folleto *Rafael Calvo y el teatro español*, sus afirmaciones eran más rotundas: "Teatro, decadencia, teatro español, decadencia sobre decadencia" [123]; pocas páginas después notaba que el siglo XIX español no había dado un renacimiento dramático, tan sólo chispas sueltas de genio, "de las cuales se apoderaron como suele suceder en estas cosas, el *chauvinismo* y la retórica oficial para quemar mucha paja y sacar de la luz mucho humo". A continuación dice cuáles son esas chispas: *El trovador,* "creación hermosa, la más original, inspirada poética y musical de nuestra literatura dramática del siglo XIX" [124], y, por encima de todas, la primera parte del *Don Juan Tenorio,* "de un modo desigual y a pesar de la desigualdad"; después el *Don Álvaro* y *Los amantes de Teruel.* De *Un drama nuevo* de Tamayo había dicho que era la obra más perfecta aunque no la mejor [125]; a Bretón lo sitúa como heredero de Moratín. En *Palique* el panorama parece más grato; señala que el teatro español decae pero no muere, y tienen interés no sólo las obras y sus representaciones, sino "lo que sienten, piensan y

---

120 *S.,* págs. 48 y ss.; *L. 1881,* pág. 160; *S. P.,* pág. 44, respectivamente.
121 *Un v.,* págs. 58-61.
122 *Un v.,* pág. 69. Se refiere a una escena de la obra de Echegaray *De mala raza.*
123 *R. C.,* pág. 71.
124 *R. C.,* pág. 52.
125 *S.,* pág. 39.

hacen los espectadores". Se ha abierto la esperanza a una posible regeneración; la anuncian, con su intento de llevar "más análisis, más reflexión, mayor verdad y la frescura de lo natural y la fuerza de las grandes ideas morales" [126]: Echegaray, que procede de "un romanticismo *sui generis*", y Galdós, llegado del campo de la novela realista. José Yxart presentaba, en el epílogo de *El arte escénico en España*, un panorama muy parecido al que Leopoldo Alas va mostrando a lo largo de sus artículos: "Lo que hemos visto es la persistencia del verso, de la historia, de la tradición antigua, o de la imitación romántica en los dramaturgos de segundo orden, y aun alguna vez en los de primera línea; el supersticioso respeto por aquellas tradiciones, en el público inculto y numeroso, y aun en el más ilustrado y literario. Lo que hemos visto es la invencible y perdurable repugnancia a aceptar íntegro un teatro imitado del francés, en sus asuntos, sin veladuras, en sus caracteres, sin rudas pasiones, en su diálogo y prosa, sin afectaciones poéticas ni oratorias. Hemos visto igualmente una obra única de un realismo español y popular, discutida, sin embargo, por los mismos *españolizantes,* como falto de pensamiento fijo y de verdadera dirección, mientras subsistía, con ligerísimas y apenas perceptibles variantes, el género romántico en prosa. Y hemos asistido, por fin, a los nuevos esfuerzos por introducir en el teatro algunas reformas, creando un género más real, más sentido y reflexivo a un tiempo" [127].

Aparentemente las mayores alabanzas de Leopoldo Alas son para Echegaray al que presenta, en el artículo *El libre examen y nuestra literatura presente* [128], como continuador de la escuela romántica según las exigencias de los nuevos tiempos, y personificación, en el mundo escénico, del libre examen; en esta línea se encuentra a su lado Sellés; pero añade que "en el teatro la revolución ha de ir mucho más lejos". No creemos que este teatro le satisfaga; es iluminadora, a este respecto, una frase del comentario a *Enseñar al que no sabe,* comedia en verso de Miguel de

---

[126] *P.,* págs. 4 y 6, respectivamente.
[127] *El arte escénico en España,* vol. I, págs. 354-355.
[128] *S.,* págs. 73-74.

Echegaray [129], donde es fácil adivinar la alusión al otro Echegaray, a don José. La única esperanza está en Galdós.

Su entusiasmo aparece cuando habla del teatro clásico español. ¿Es sincero?, ¿lo conocía realmente o se trata tan sólo de una "pose"? Las citas de dramaturgos del Siglo de Oro aparecen con relativa frecuencia; este entusiasmo se encuentra ya en los *Solos*. En *Nueva campaña* afirma que sólo dos teatros pueden competir con el nuestro, el griego clásico y el inglés del renacimiento; "lo es de verdad (bueno), no hay más que leerlo, es cosa superior; no porque lo digan los eruditos, ni siquiera porque lo afirme Cánovas" [130]; para él sólo tiene un defecto: no se representa. Las abundantes citas y referencias a personajes y escenas de nuestro teatro clásico demuestra cierta familiaridad con él. Del teatro de Lope de Vega, escribe en *Palique*: "lo que de Balzac se ha dicho en nuestro tiempo, se puede con mucha más razón decir de Lope; su teatro es un gran monumento de ladrillo... a trechos (a trechos del más puro jaspe) cuya belleza mayor está en su grandeza, en ser toda una *creación poética*" [131]. Tirso aparece citado, en diversos lugares, como el autor dramático más realista, incluso, alguna vez, lo coloca entre unos hipotéticos prenaturalistas [132], en *Mezclilla* le llama el mejor realista de aquellos tiempos después de Cervantes; en otro momento, lo presenta como humorista [133]. Ruiz de Alarcón representa el teatro más perfecto del Siglo de Oro, aunque no el de mayor calidad.

Uno de los defectos que más a menudo ha sido señalado a la crítica de Clarín, tanto por sus coetáneos como por escritores pos-

---

[129] "En todas partes, el teatro, como la novela, tiende más cada día a la naturalidad, y aquí los ingenios se esfuerzan en mantener un convencionalismo que va rayando en lo ridículo, sobre todo en la cuestión de forma" (*L. 1881*, pág. 160).

[130] *N. C.*, pág. 276.

[131] *P.*, pág. 25.

[132] "Si Tirso resucitase, fraile y todo, sería probablemente, dado su teatro, el jefe de la escuela literaria a que tengo la honra de pertenecer". (*S. P.*, pág. 142).

[133] *M.*, pág. 324 y *P.*, pág. 21, respectivamente. En la crítica a *El arte escénico en España*, acusa a Yxart de no mostrar suficiente entusiasmo por el teatro de nuestros clásicos (*El I.*, 9-VII-1894).

teriores, es la predilección y entusiasmo demostrados hacia el teatro de José Echegaray. Esta afirmación, sin embargo, no puede
mantenerse tras una detenida lectura de los numerosos artículos que
Leopoldo Alas dedicó al dramaturgo. El mismo Ricardo Gullón,
que, en su trabajo *Clarín crítico literario,* hizo una inteligente exégesis de las ideas teatrales de Alas, no escapa totalmente a este
error. Señala allí que las ideas que Alas poseía del teatro, le falla-
ban al juzgar una obra determinada; como ejemplo ponía las críticas de los dramas de Echegaray [134]; pero Gullón intenta salvar a
Clarín de tal contradicción al añadir que el lector sospecha que
"en el fondo no desconocía los gravísimos fallos del teatro de
Echegaray pero los ocultaba por las afinidades ideológicas que con
él tenía". Sainz Rodríguez habla de un tipo de crítica "creadora"
que se da en Clarín cuando "inventa valores que no existen en la
obra que juzga" [135], como ejemplo de ese tipo de crítica presenta
precisamente los artículos sobre Echegaray. La teoría teatral de
Alas, que tiene como base la imitación de la realidad, le impedía
que pudiera ver en Echegaray un autor ejemplar. ¡Qué diferencia
entre los comentarios que dedica al dramaturgo y los artículos sobre Galdós y Menéndez Pelayo, los dos escritores españoles coetáneos por los que siente más sincero y profundo entusiasmo! Ni
una sola vez presenta a Echegaray como un modelo al que imitar.
De todas formas, es innegable que, en los artículos sobre Echegaray,
hay algo de lo que señala Gullón: la tendencia a destacar sus dramas, motivada por afinidades políticas; en realidad, Clarín se limita a defender la crítica de una sociedad hipócrita y reaccionaria,
cuyo sistema de vida rechaza su mentalidad progresista, profunda-
mente ética; por eso, cuando Echegaray consigue imponerse, dirá
que su victoria "no es sólo de Echegaray; es la victoria del espíritu libre de trabas, dogmas y preocupaciones" [136]. Palacio Valdés,
en el capítulo que dedicó a Echegaray en su *Nuevo viaje al Parnaso,* daba a entender que para él lo más importante de este escritor,
casi lo único que realmente le interesaba era su ideología, la cual
lo había llevado a enfrentarse a una escena dominada por la reac-

---

[134] Pág. 424.
[135] *La obra de Clarín,* pág. 62.
[136] *S.,* pág. 73.

ción [137]; para Palacio Valdés los grandes defectos de Echegaray
son la falsedad y la precipitación con que parece escribir; ambos
los señala también Clarín. Palacio Valdés, tras un duro ataque en
que parece no dejar en pie nada del teatro de Echegaray, confiesa
su admiración hacia el autor dramático, basada en "algunas escenas tan bellas como hacía muchos años no habían resplandecido en
el teatro español". Varios años después en *Un viaje a Madrid*,
expresaba Clarín una idea muy parecida: del drama *De mala raza*
sólo se salvaban dos escenas maravillosas. Los comentarios que
dedica a obras de Echegaray son, por lo general, una larga enumeración de defectos, entre alabanzas de unos pensamientos o escenas. Crítica típica es, por ejemplo, la que publicó en octubre de
1877, en *El Solfeo*, cuando aún no defendía un claro realismo. Son
tres artículos sobre *Lo que no puede decirse*; el primero, titulado
Impresiones, es una serie de entusiásticas alabanzas al inicio de la
obra; los otros dos, bajo el título común de *Ormuz y Arimán*,
dioses del bien y del mal que representan las virtudes y defectos
del teatro de Echegaray, los dedica a presentar los fallos del drama;
termina afirmando que si ha necesitado tantas cuartillas para hablar de lo que le pareció mal, necesitaría muchas más para mostrar las bellezas que ha encontrado en la obra; sus últimas palabras son para presentar a Echegaray como representante del
"ingenio potente, viril, libre, pensador, único digno de la España
moderna". Al lector, empero, lo que le ha quedado grabado ha
sido la serie de censuras.

Para Clarín, Echegaray es el primer autor dramático de su
época, pero ¿es qué hay algo más en el panorama teatral español
hasta llegar a los intentos de Galdós? ¿Podía expresarse más claramente el relativo valor del teatro de Echegaray?: "podrá ser
malo el teatro de Echegaray, pero es lo cierto que ya no tenemos

---

[137] "El teatro español, merced a los trabajos de Eguilaz, Larra, Rubí y
otros, había dado grandes pasos hacia el confesionario; se postraba a los
pies del coadjutor de la parroquia, acusándose de sus pecados románticos,
rezaba el rosario todos los días, asistía a las cuarenta horas, tomaba el sol
por las tardes. Era un teatro chocho. Cuando adoptó otro género de vida,
todas las gentes dijeron: ¡Echegaray es el que lo ha pervertido, el que lo
ha sacado de quicio!" (*Semblanzas literarias*, pág. 133).

otro" [138]. Al valorarlo lo sitúa siempre en relación con el teatro coetáneo; así en el artículo más importante de los dedicados a obras de Echegaray, la crítica de *Mar sin orillas,* empieza admitiendo esto: "No cabe comparar la riqueza antigua, que fue como la que nos vino de Indias, fabulosa, con la producida por nuestros contemporáneos"; en este mismo artículo dice de Echegaray que "se equivoca siempre en lo accesorio y no siempre en lo esencial acierta" [139]. En la crítica de *Mariana,* le acusa de escribir las obras pensando en los actores: "en otro tiempo Echegaray hacía principalmente *Vicos* y *Calvos,* ahora hace principalmente *Marías Guerreros*" [140]; de la obra nota que no es el teatro nuevo tan ansiado, "en consonancia con las tendencias y pruritos de la poesía y del arte en general según son en nuestro *último décimo... de siglo*"; con relación al teatro español presenta, sin embargo, cierta novedad, pues "si no es el drama *realmente* realista que se busca, es el drama psicológico, al que estamos aquí poco acostumbrados". Nueve años antes, en 1883, publicaba en *Arte y Letras* uno de sus artículos más importantes sobre Echegaray, el titulado *Sobre motivos de un drama de Echegaray* [141]; se trata de una crítica a *Conflicto entre dos deberes,* donde sostiene una idea común a casi todos sus artículos dedicados a Echegaray: la larga serie de defectos que enumera, proviene, por lo general, de una falta de aprendizaje; muchos de ellos están en relación con la construcción [142]: abuso de parlamentos insignificantes, ripios, de cinco personajes deja con vida dos, da el argumento a través de monólogos, etc.... Estos defectos no eclipsan "las grandes bellezas" de su ingenio, pero impiden "que podamos saludar en Echegaray al Mesías del teatro naturalista porque tanto suspiramos" [143]. A estas palabras sigue una de las más valiosas interpretaciones del teatro de nuestro premio Nobel: "Echegaray es un romántico puro; su realismo po-

---

[138] *S.,* págs. 123-124.
[139] *S.,* págs., 122 y 133, respectivamente.
[140] *P.,* pág. 97.
[141] Recogido en *S. P.,* págs. 185 y ss.
[142] En *Palique,* señala que Echegaray, en *El hijo de Don Juan,* ha olvidado "*el tiempo del teatro,* vicio en él antiguo" (pág. 14).
[143] *S. P.,* pág. 189.

drá ser algo en la apariencia, en la forma, pero en lo esencial
siempre será el autor idealista. Y no hay porque pedir que cambie.
Ni la observación, ni el estudio del carácter, ni la habilidad en el
imitar el natural movimiento de los fenómenos de la vida social
son cualidades que posee [144]; su gran talento sirve para cosa bien
distinta; es el adivino de la pasión y sus gritos; las crisis tremen-
das de los afectos opuestos le inspiran sus excesos admirables;
no importa que escoja el siglo actual en el tiempo y por asuntos
los que parecen más vulgares y ordinarios (...) su protagonista
siempre parece haber vivido en siglos que nos figuramos poéticos
y románticos" [145]. En varios otros textos vuelve a calificarlo de romántico o neorromántico; el crítico Revilla fue injusto con él, porque "era realista" y "miraba con horror todo renacimiento romántico" [146]. Cuando Echegaray realice una aproximación al realismo,
pese a que para Clarín esa es la máxima aspiración de todo el arte,
dirá que "el Echegaray poderoso, vencedor siempre, con todos sus
defectos, es el de antes, el impetuoso, el audaz, el singularísimo, el
espontáneo... el romántico, en una palabra". Es curiosa la afirmación, que aparece en la necrología a José Yxart [147], de que los defectos de Echagaray, Castelar y Rafael Calvo —en los tres hay una
evidente atracción hacia lo exagerado y ampuloso— son los defectos de nuestra raza.

En el estudio dedicado por Clarín a *El arte escénico en España*
de Yxart, publicado en *El Imparcial* el 9 de julio de 1894, encontramos resumida su valoración del teatro español. Ya hemos visto
sus afirmaciones sobre Echegaray, contenidas en ese artículo; en
ellas se muestra de acuerdo con los aspectos negativos señalados
por Yxart, pero, al mismo tiempo, acusa al crítico de no saber
comprender la parte positiva de la obra de Echegaray. Su coincidencia con Yxart es casi completa en la valoración del teatro de
tendencia realista y en los aspectos generales del arte dramático;
así afirma Clarín: "del teatro que siguió al romántico y que fue

---

[144] Todas estas son características que Alas exige a un teatro que esté
de acuerdo con la época.
[145] *S. P.,* pág. 189.
[146] *S. P.,* pág. 134.
[147] *La P.,* 25-VII-1895.

anodino queriendo ser realista y moderado; de imitación, aun copia, queriendo ser nacional, Yxart opina como yo, que fue pobre, malo, digno en general del olvido", "el realismo no ha aparecido por nuestro teatro, y para ser como algunos querían, más valió que no viniera". "Por fin llega el crítico —escribe más adelante— a lo que seriamente puede representar algo, entre nosotros, de lo que en otras naciones es anhelo general, inquietud y tendencia no fingidas, sino sentidas y seguidas eficaz y sinceramente. Llega a las tentativas dramáticas de Pérez Galdós". Lo mejor, para Clarín e Yxart, del teatro de este escritor es *Realidad*: "las comedias de Galdós posteriores muestran adelanto en la habilidad teatral, a costa de elementos más importantes, en *La de San Quintín* sobre todo; pero son inferiores con mucho en transcendencia, en valor estético puro" [148]. El 6 de julio de 1893, publicó, en *La Publicidad*, una "revista mínima" sobre *La loca de la casa*, donde analizaba brillantemente los defectos y cualidades del teatro de Benito Pérez Galdós. Este artículo fue recogido en el primer volumen de sus *Obras completas*, publicado por Ediciones Renacimiento. Leopoldo Alas destaca la falta de dominio de la técnica dramática —Galdós lleva treinta años sin ver un estreno, de esto, señala, se resisten sus tentativas— que le hace caer en la prolijidad, tendencia que también aparece en muchas de sus novelas; en ese género es excusable, pero en el teatro "no debe pasar y no pasa". De nuevo insiste en la importancia de *Realidad*, obra que, según Clarín, representa una innovación, una batalla ganada al convencionalismo con una puerta abierta a la realidad. *La loca de la casa*, no vale tanto; la idea es sugestiva, pero la acción a veces se ahoga. "Podrá vencer o sucumbir —declara— pero el teatro de un Pérez Galdós no puede ser una cosa de convencionalismo corriente". En este escrito encontramos su famosa frase: "El arte futuro es una tierra prometida, hay que conquistarla, y el teatro en ella será una parte del territorio, no una ilusión de nuestras generaciones".

---

[148] Conozco dos artículos de Clarín en que trata de la versión teatral de *Realidad*; el primero publicado en *La Correspondencia*, el 17 de marzo de 1892, el segundo, con el título de *El teatro... de lejos. Las tentativas de Pérez Galdós*, en *El Imparcial*, el 18 de abril del mismo año, y recogido en el volumen *Palique*.

Ya hemos visto su valoración del teatro romántico, que repite en varias ocasiones. A Zorrilla le dedicó un valioso artículo con motivo de su muerte [149]. Sainz Rodríguez, refiriéndose a este estudio, afirmó que su visión del *Don Juan Tenorio* era genial. Años antes, el 19 de enero de 1880, presentaba, en las páginas de *El Imparcial,* a este drama como símbolo de nuestra poesía popular; "Don Juan Tenorio —añadía— es el absurdo teológico, moral y cronológico; allí se llega a representar cosas que son y no son al mismo tiempo". El personaje de su inmortal novela, don Álvaro de Mesía, podría considerarse como una personal interpretación del mito del Don Juan.

Tamayo es, después de Echegaray, uno de los autores dramáticos de que habla más. En *Solos de Clarín* [150] recogió un estudio dedicado a este dramaturgo; aceptó *Un drama nuevo,* al que considera la obra más perfecta del teatro español del XIX, pero atacó el resto de su producción y principalmente su ideología conservadora; varias veces declara que la posición de Tamayo es muy parecida a la que ocupa Alarcón dentro de la novela; "mientras se contenta con las sencillas moralidades de *Hija y madre...* no yerra, no hace más que volar muy por debajo de las águilas; pero... cuando se atreve a flagelar modernas instituciones, tendencias de la nueva vida... llega a ser lo que menos pudiera esperarse de él: llega a ser vulgar, ligero" [151].

En *El Solfeo* publicó, el año 1878 [152], un brillante examen de *Consuelo* de López de Ayala; el artículo es laudatorio, pero parece referirse más a los valores "éticos" del tema que a los puramente artísticos, aunque afirma que el drama está "lleno de interés, fecundo en situaciones dramáticas".

Uno de los dramaturgos de la primera mitad del siglo XIX, por el que muestra mayor simpatía es Bretón de los Herreros, al que, como ya hemos visto, consideraba heredero de Moratín. En el artículo dedicado a Tamayo afirmaba [153] que a García Gutié-

---

[149] *P.,* págs. 61 y ss.
[150] *S.,* págs. 34 y ss.
[151] *S.,* pág. 42.
[152] Números 800, 801 y 802; recogido en *S.,* págs. 98 y ss.
[153] *S.,* pág. 36.

rrez sólo podía oponérsele Bretón, príncipe de las máscaras alegres. "Quien no sepa saborear las finísimas bellezas del teatro de Bretón, será un majadero, pertenezca al siglo que pertenezca, siempre y cuando que entienda el castellano", escribía en 1885 en *La Ilustración Ibérica* [154].

De sus coetáneos tiende a destacar el teatro cómico, del que, el 21 de enero de 1900, decía en *La Publicidad*: "es hoy por hoy, burla burlando, acaso lo más original y característico que tenemos". Cuatro años antes había escrito en el artículo *El teatro en barbecho* [155]: "en la actualidad, acaso lo más español, lo más original, *fresco* y divertido de nuestra escena lo producen los autores de sainetes recitados o contados". También Yxart en sus escritos destacaba el valor de este tipo de teatro, llegando a decir, al tratar de *El dúo de La Africana*, que este espectáculo era "la única manifestación que aún podría verse en España de un arte social y colectivo: ¡la única que subsiste!" [156]. Autores representativos de este teatro son Ramos Carrión y Vital Aza, a los que dedicó, en *Madrid Cómico*, dos semblanzas, recogidas en *Palique*. Del primero escribió en *El Imparcial* [157] que era "uno de nuestros mejores autores cómicos, y es mucho decir, porque los tenemos buenos de veras". Vital Aza, influido por Ramos Carrión, cultiva la comedia "y la comedia más realista posible, la que toma el elemento cómico de la prosa ordinaria de la vida; la que da lecciones con los desengaños, a veces grotescos, de las pequeñeces de la experiencia cotidiana" [158]. Los dos son autores que saben satisfacer al público y que no tienen pretensión alguna, por eso se pueden silenciar algunos de sus defectos. Respecto a Enrique Gaspar, se muestra disconforme con la valoración que de su teatro hace Yxart, considerando que está con él "demasiado blando"; "ir al teatro —escribe— como suele hacer el Sr. Gaspar, es ejercitar el ingenio con juegos malabares de moralidad" [159]. En sus artículos sobre

---

[154] Recogido en *N. C.*, pág. 329.
[155] *La I. E. y A.*, 1896. Recogido en *Siglo p.*, págs. 174 y ss.
[156] *El arte escénico en España*, vol. II, pág. 135.
[157] *El I.*, 24-IV-1899.
[158] *P.*, pág. 307.
[159] *El I.*, 9-VII-1894.

obras de Gaspar, aunque se muestra contrario a ellas, principalmente por su actitud docente, no encontramos ninguna de las burlas que caracterizan a sus escritos sobre dramaturgos que él considera carentes de calidad artística.

A menudo se ha acusado a Clarín de falta de comprensión y excesiva dureza hacia los escritores jóvenes. Esta opinión es totalmente falsa si se aplica a su crítica teatral; los autores jóvenes, que aparecieron en los últimos años del siglo, recibieron de él palabras de aliento. El 15 de marzo de 1898 publicó, en *Madrid Cómico*, un "palique" titulado *Un autor novel. Un modernista*, dedicado a Benavente; en *La Publicidad*, el 28 de marzo de 1899, al referirse a un arreglo de Shakespeare hecho por Benavente afirmaba: "no conozco el arreglo, pero conozco al autor, y me fío de su buen gusto, discreción y elegancia artística". En los dos últimos años de su vida abundan, en los "paliques" de *Madrid Cómico*, las referencias al dramaturgo madrileño; en uno de ellos [160] Leopoldo Alas replica a Maeztu: "Benavente es, y ha sido y será, para mí, uno de los escritores nuevos de más talento. Artista de verdad, de expresión felicísima, de ilustración nada común".

También obtuvieron amistosas palabras los primeros ensayos dramáticos de los hermanos Quintero. En *La Publicidad* escribía, el 12 de abril de 1898: "son los que más días de regocijo prometen a las máscaras alegres españolas". Tres años después, el 24 de abril, ratificaba y ampliaba esa opinión en una revista también barcelonesa, *Pluma y Lápiz*: "Estos autores son toda una revelación; significan un gran aumento en el caudal de nuestra teoría literaria. Traen una nota nueva, rica, original, fresca, espontánea, graciosa y sencilla; muy española, de un realismo poético y sin mezcla de afectación ni atrevimientos inmorales. Tanto valen, que vencen al público por el camino más peligroso, huyendo de seguirle el mal gusto; dejando el torpe interés del *argumento* folletinesco o melodramático, por el que despierta la viva pintura de la vida ordinaria en sus rasgos y momentos expresivos y sugestivos"; "Desde que me enviaron su *Ojito derecho* (...), yo creí adivinar en sus

---

160 *M. C.*, 21-X-1899. Sus comentarios sobre Benavente se refieren a escritos en prosa.

autores una rica veta. Desde entonces somos amigos: lo que les anuncié se cumple; y ellos, que son, además de muy listos, muy buenos, se empeñan en pagarme con gratitud, que no me deben, lo que fue en mí, a lo sumo, un poco de olfato crítico".

Apenas encontramos referencias a las obras de Dicenta, y éstas son, contra lo que podría esperarse, de carácter negativo. Uno tiende a sospechar que motivos extraliterarios lo enfrentaron con el dramaturgo. El 20 de diciembre de 1890 ataca, en *Madrid Cómico, Los Irresponsables*, obra que le había enviado el mismo Dicenta, pero confiesa no haberla leído. Un mes después [161] se ratifica en este juicio negativo. Es iluminadora una "revista mínima" de 1897 [162], llena de veladas pero duras alusiones a Dicenta: en el artículo se queja de que el periódico *El País* haya sido entregado a "ciertos pseudo-neurasténicos de las letras de relumbrón", uno de ellos es Dicenta: "Varios jóvenes pertenecientes a esa *gente nueva* me han escrito desengañados, arrepentidos de esas aventuras pseudo-literarias y pseudo-socialistas. ¿Quién sabe si esos otros jóvenes que todavía siguen en la compañía del *Juan José* llegarán a desengañarse?".

---

[161] *M. C.*, 31-I-1891.
[162] *La P.*, 26-X-1897.

CAPÍTULO VI

LA NOVELA

"Le roman est le vrai fruit des temps modernes".
Philarète Chasles (*Revue des Deux Mondes,* 1842).

"La literatura de la actualidad presente, la más
propia de la cultura que alcanzamos, es la novela".
Leopoldo Alas (*La Ilustración Ibérica,* 1884).

1.   CLARÍN FRENTE A LA NOVELA

Entre la extensa producción crítica de L. Alas, destaca, por
su calidad y cantidad, el grupo formado por los artículos dedicados al género narrativo. En su época fue aceptado como el primer
crítico de la novela, y en este campo nunca se le hicieron las salvedades que se pusieron a algunos de sus artículos sobre poesía o
teatro. Aún hoy en día, la mayoría de sus manifestaciones sobre
aspectos de la novela y la valoración general de autores españoles
y franceses tienen pleno vigor; prueba de ello son las referencias
a sus críticas que se encuentran en muchos de los estudios modernos dedicados a Pérez Galdós. El conjunto de sus artículos
sobre este autor, gran parte de ellos recogidos en volumen el año
1913 por Ediciones Renacimiento, sigue siendo uno de los mejores trabajos sobre nuestro gran novelista. Si en sus críticas sobre
poesía descubrimos cierta desorientación y falta de seguridad, y
en las de teatro la búsqueda afanosa de nuevos caminos que le

lleven a un esplendoroso resurgir —en los dos géneros, por lo tanto, la insatisfacción ante lo que sus compatriotas coetáneos escriben—, en la novela, por el contrario, encontramos la seguridad en juicios y valoraciones y la conciencia de la importancia artística de las obras que se están escribiendo. De ahí que sus críticas sobre los dos primeros géneros literarios, con alguna excepción, el artículo sobre Baudelaire por ejemplo, tengan para nosotros, primordialmente, un interés histórico; mientras que las dedicadas a la novela sean valiosas interpretaciones críticas, que mantienen su actualidad. En ello, hay que tener en cuenta, influye la calidad de la novela de esos años y su proximidad a nuestros gustos estéticos.

La labor crítica de L. Alas se desarrolla en una época en que la narrativa domina el panorama literario europeo, situada a la cabeza de los géneros literarios por su calidad y el número de sus lectores; de ser considerada como una mera distracción ha pasado a ser aceptada como una obra de arte. Esta aceptación tuvo lugar en Francia durante la primera mitad del XIX, y en Inglaterra, según R. Stang en su libro *The Theory of Novel in England,* entre 1850-1860; en nuestro país, empezará a recibir esta consideración en época posterior a la revolución de 1868; pero, todavía a finales de la década 1880-1890, Clarín[1], Sardá y otros escritores la defenderán de quienes siguen viéndola como un género literario secundario. Leopoldo Alas va más lejos de la mera aceptación de la novela como obra artística, y la considera como superior, en su época, a los otros géneros literarios: "La novela no lo es todo en la literatura contemporánea —escribe en *La Publicidad* el 2 de setiembre de 1893—, aunque sí lo principal". Llegará a ver en ella una forma de conocimiento de la realidad, distinto al científico pero superior a él, en algunos aspectos, pues nos presenta a la realidad como una totalidad.

En los años que siguen a la revolución de 1868 vemos surgir a nuestra novela desde poco menos que nada hasta un glorioso esplendor, y marca en el decenio 1880-1890 uno de los momentos culminantes de nuestra historia literaria. S. H. Eoff, en el artículo

---

[1] En 1884, Clarín escribe: "Va siendo hora de que la forma adecuada de la idea artística contemporánea ocupe el lugar que le pertenece en la atención de los pueblos cultos" (*M.,* pág. 346).

The Spanish Novel of "Ideas": *Critical Opinion,* expresa la misma
idea con estas palabras: "The rebirth of the Spanish novel in the
nineteenth century is commonly identified with Galdós, Valera,
Alarcón, and Pereda in the decade 1870-80, while the *costumbristas*
and Fernán Caballero are looked upon as precursors of this rebirth" [2]. Poco hay que añadir a esta declaración de Eoff, excepto
señalar también el papel que como precursora desempeña la novela folletinesca a lo Sue, y destacar la importancia decisiva que
en ese resurgir tiene la obra de B. Pérez Galdós, pues puede afir-
marse, sin miedo a pecar de exagerados, que la gigantesca tarea de
crear la novela moderna española ha sido obra, en gran parte, de
él solo.

J. F. Montesinos, en su breve pero magistral artículo, *Galdós
en busca de la novela,* señala el papel que el folletín, como reactivo,
jugó en la vocación novelística de Pérez Galdós; "Galdós —escribe Montesinos— se vio ante el folletín un poco como Cervantes
ante los libros de caballerías, despreciables, no porque fueran de
caballerías, sino por estar llenos de disparates". Impresiona la seguridad con que el escritor canario se enfrenta, desde un primer
momento, a la novela, y su firme decisión de ir hacia una narrativa
realista; en 1866 pide para el género novelesco con cierta ironía:
"Realidad, realidad... Queremos ver el mundo tal cual es; la sociedad tal cual es, inmunda, corrompida, escéptica, cenagosa, fan-
gosa..." [3]. Un poco más tarde, en 1870, aparece, en la *Revista de
España,* una crítica suya a *Proverbios ejemplares y Proverbios
cómicos* de V. Ruiz Aguilera; la obra examinada sirve de pie al
escritor para darnos su actitud ante la novela, de ahí el título
del artículo *Observaciones sobre la novela contemporánea en España.* Montesinos califica a este escrito de "plan de la moderna
novela española, aún nonnata", y añade "no sólo es un documento
de primer orden en la historia de nuestras ideas en el siglo pasado, sino que es capital en la obra de Galdós, quien fue a la novela —no sé de otro novelista que lo hiciese— con los ojos muy

---

[2] Pág. 531.
[3] Artículo sobre los *Cantares* de Palau (1866); recogido en *Crónica de
Madrid,* págs. 185-186. Citado por J. F. Montesinos.

abiertos y muy consciente de lo que hacía". El artículo examina
la situación de la narrativa española y señala el camino que ha de
seguir la futura novela de costumbres; gran parte de él es un modelo de sociología literaria, especialmente en la defensa de la relación entre clase media y novela de costumbres. Algunas de las
afirmaciones contenidas en él, las hallaremos como base de la actitud crítica de L. Alas; por ejemplo, esta declaración: "La novela,
el más complejo, el más múltiple de los géneros literarios, necesita un círculo más vasto que el que le ofrece una sola jerarquía,
ya muy poco caracterizada; se asfixia encerrada en la perfumada
atmósfera de los salones, y necesita otra amplísima y dilatada,
donde respire y se agite todo el cuerpo social". Cuando apareció
este artículo, Pérez Galdós había publicado *La Fontana de Oro* y,
aquel mismo año, daba a conocer *La sombra,* obras en las que se
encuentran, respectivamente, dos de sus constantes narrativas: la
interpretación histórica y la relación entre realidad y fantasía. Al
año siguiente, 1871, publica *El audaz.* Ni Pereda, ni Valera se habían dado a conocer como novelistas; de Alarcón había aparecido,
en 1855, *El final de Norma.* La primera novela de Valera, *Pepita
Jiménez* es de 1874, el mismo año de *El sombrero de tres picos;*
la primera de Pereda, *El buey suelto,* se publica en 1877, cuando
ya Galdós había casi completado las tres primeras series de sus
Episodios Nacionales, y publicado *Doña Perfecta* y *Gloria* [4]. Este
escritor se nos presenta como el creador de la novela española moderna y, posiblemente, como el reactivo que mueve a los otros autores a abrazar este género literario, al menos ese ha de ser el
caso de Pereda, pues *El buey suelto* es la respuesta polémica a
Gloria.

Sabemos con certeza que Clarín se sintió atraído, desde sus
primeros años, por la sátira periodística, la poesía y el teatro, pero
no por la novela; posiblemente sus entusiasmos republicanos de
los años de estudiante en Oviedo coincidieron con el despertar del
interés por el pensamiento filosófico, interés que aumentaría en Ma-

---

[4] No insisto en este panorama de la novela española por haberlo estudiado, con mayor detenimiento, en el artículo *Leopoldo Alas y la novela
de su tiempo,* que ha aparecido en el segundo volumen del *Homenaje a
Vicens Vives.*

drid, al entrar en contacto con el krausismo. La obra de Galdós
le abrirá los ojos y el entusiasmo hacia la novela; "enfrascado
en la lectura de filósofos y poetas alemanes —escribe en el folleto
dedicado a B. Pérez Galdós—, me parecían entonces poca cosa
muchos de mis contemporáneos españoles... a quienes no leía. Ya
iban publicados varios *Episodios Nacionales* cuando caí en la cuenta de que debía leerlos. Y a los pocos meses era yo, sin más reco-
mendación que estas lecturas, el primer admirador de aquel ingenio tan original, rico, prudente, variado y robusto que prometía lo
que empezó a cumplir muy pronto; una restauración de la novela
popular, levantada a pulso por un hombre solo". Tenemos, pues,
que Clarín no entra en contacto con la novela hasta fines de 1873,
año en que se publican los primeros *Episodios Nacionales,* o principios de 1874; tres años más tarde, el 18 de febrero de 1877, publica el artículo sobre la primera parte de *Gloria*[5]. En tres años,
Clarín ha pasado de desconocer la novela a escribir sobre ella. En
la crítica de *Gloria* encontramos cierta inseguridad propia del escritor que está formando sus criterios; el mismo Clarín lo recono-
cerá años más tarde: en una nota, añadida a la cuarta edición de
los *Solos de Clarín,* declaraba que "este artículo, escrito hace muchos años, es uno de los primeros del autor, inocente *idealista de
cátedra* entonces"; Alas se asustó de haber presentado a Feuillet,
Droz, Theuriet y Cherbuliez como grandes talentos de la novela
francesa. Clarín llegaba a la crítica literaria desde el campo de la
filosofía krausista; de ahí que valorase en especial los aspectos
ideológicos que presentaba *Gloria,* y la comparase a este respecto
con *Pepita Jiménez* y *El escándalo;* "no hay que olvidar —escribía— que no toda filosofía es científica, ni siquiera metódica ni
escolástica siquiera; hay también la filosofía de todos los días y
de todas las horas: es el pensamiento moviéndose, aunque no quiera, viendo y juzgando, aun a su pesar... Para este modo de filosofía, que podría llamarse filosofía necesaria, sirven admirablemente las obras literarias, y la novela tendenciosa o filosófica, o
como se quiera, es ahora en nuestro país de gran oportunidad"[6]

---

5 Recogido en *S.,* págs. 361 y ss.; publicado en la *Revista Europea.*
6 *S.,* pág. 363.

La crítica novelística de Clarín parte pues de la defensa de la novela "tendenciosa" o de "ideas" como la más "oportuna" [7] a nuestra literatura; coincide así con la coyuntura ideológica del momento, caracterizada por la violencia y amplitud de las polémicas ideológicas [8], y también con la literaria. Eoff, en el mencionado artículo *The Spanish Novel of "Ideas"*, indica: "From 1870 to 1880 there is a noticeable change in criticism of the novel. In the first place, there is renewed emphasis on the general 'transcendental' function of the novel and an increasing conviction that the novel should deal with important problems of contemporary society. From 1875 to 1880 criticism treats to an important degree of what some call the novel of 'ideas' and what others call the novel of 'thesis' and *novela tendenciosa*". Las obras de Galdós, *Doña Perfecta, Gloria* y *La familia de Leon Roch,* son muestra precisamente de ese aire polémico que predomina en los años siguientes a la revolución de 1868; ejemplos, perteneciente a la posición ideológica contraria, son *La ciencia española* y la *Historia de los heterodoxos españoles* de Menéndez Pelayo.

Con la década de los ochenta desaparece ese marcado aire polémico del campo de las superestructuras ideológicas, y surge un nuevo tipo de mentalidad, acomodaticia y pragmática, en nuestra burguesía liberal, mentalidad que caracterizará a la Restauración. La novela escapa a la excesiva dependencia de la problemática ideológica a través del naturalismo francés; en las interminables discusiones en torno a este movimiento literario, tradicionalistas y radicales se sitúan entre sus partidarios y enemigos; la polémica naturalista es antes literaria que ideológica. El novelista intenta ahora reproducir artística e imparcialmente la realidad total; las ideas no son suyas sino que se encuentran en esa realidad. El protagonista de *Marianela* parecía augurar este período literario

---

[7] La "oportunidad", concepto clave de toda su teorización estética, aparece ya en sus primeros escritos.

[8] Una de las polémicas de mayor importancia, durante estos años, se desarrolló en torno a la ciencia española; a ella se refieren unas palabras de Clarín, que siguen a la cita anterior: "España desde el siglo XVI no ha dejado de filosofar; lo que hizo fue filosofar de la peor manera posible: tuvo un sistema, a saber: que no se debía pensar". (*S.,* pág. 363).

con el grito que escapa de sus labios al recobrar la vista: "¡La
realidad!... ¡Viva la realidad!". *La desheredada* de Pérez Galdós (1881) será el primer testimonio de esta nueva actitud en la
narración, mientras la subida de Sagasta al poder, en 1881, marca
el triunfo de la nueva mentalidad dentro de la política. Las fanta-
sías que la prensa burguesa está creando, en 1881 y 1882, en torno
a la, tal vez, no menos fantástica organización anarquista de la
Mano Negra, parecen indicarnos que la seguridad burguesa adivinaba por donde le llegaría el futuro enemigo. Dentro de este
nuevo panorama histórico-social nos dará Leopoldo Alas sus mejores creaciones críticas. El cambio respecto a su actitud anterior lo
marcan tres de sus escritos de mayor calidad crítica: el comentario
a *La desheredada* de Pérez Galdós, y los artículos titulados *Del
naturalismo* (1882) y *Del estilo en la novela* (1882). Dentro de esta
etapa hay que situar su gran novela, *La Regenta*.

Hasta aquí la evolución de la novela se desarrolla dentro de
unos límites y condicionamientos estrictamente nacionales; pero
una vez situada nuestra narrativa, durante esos años que siguen a
la publicación de *La desheredada* y gracias a la labor de Pérez
Galdós, Pereda, Valera, Pardo Bazán, Palacio Valdés y el mismo
Alas, al par de la europea, su evolución es paralela a la que tiene
en los otros países continentales, en particular Francia. La crisis
que se manifiesta en la narrativa a fines de la década de 1880 y
principios de la de 1890, de la cual son índices el cambio dentro
de la producción de Maupassant, la obra de Bourget, la discusión
en torno a nuevos tipos de novela y la popularización de la novela rusa, tiene su equivalente español en los artículos de Clarín,
y en el cambio que señalan, dentro de la obra de Pérez Galdós,
Realidad y *Ángel Guerra*, y, en la de la Pardo Bazán, *La prueba*
y *Una cristiana*. El artículo de P. Bourget *Réflexions sur l'Art du
Roman*, recogido en 1888 en el primer volumen de *Études et Portraits*, podría servirnos como base interpretativa de las nuevas novelas de Galdós, que cabría situar dentro de los "romans de caractères", frente a sus obras anteriores, equivalentes a lo que Bourget
denomina "romans de moeurs" [9]. En esta última etapa L. Alas no

---

[9] "Beyle a écrit des romans de caractères, et nos romanciers, à la suite
de Flaubert et de ses fervents, écrivent tous des romans de moeurs. C'est

llega a defender un tipo determinado de novela, sino que se debate en una insegura búsqueda de una nueva fórmula narrativa, semejante a la defensa de la renovación teatral, general a sus artículos dramáticos, pero con la incertidumbre proveniente de su consciencia de la falta de adecuación entre las estructuras del país y la introducción de superestructuras culturales e ideológicas propias de países más avanzados; esta contradicción se presenta entre un nuevo tipo de novela —psicológica, poética o novelesca—, que él cree adecuado a la época, y la situación cultural de España, donde la novela realista-naturalista tiene aún grandes posibilidades.

El criterio novelístico de Clarín no es fijo e inmovible, sino que se desarrolla en una continuidad dialéctica, forjándose y evolucionando en relación con la situación histórica del país, y las corrientes ideológicas y literarias españolas y europeas. Como base permanente de su teorización encontramos la consideración de la realidad como materia única de la novela; mientras que el concepto de "oportunidad" —cada distinto período histórico necesita una distinta formulación literaria— es la razón de la evolución de su teoría.

La novela se presenta, para Alas, como el tipo de literatura propio de la época en que vive; idea en la que insiste en varios de sus escritos, pero que encontramos en otros autores españoles coetáneos y en franceses e ingleses anteriores; así el crítico inglés W. C. Roscoe la llamaba, en 1856, "the most characteristic literature of modern, times", e indicaba que su rápido crecimiento había sido debido al desarrollo de la democracia política [10]. Idea esta última que tiene paralelos en autores españoles de la época y en críticos actuales. J. F. Montesinos, en dos de sus libros, *Introducción a una historia de la novela en España* y *Costumbrismo y novela,* ha examinado cuáles eran los motivos que impidieron, durante gran parte del siglo XIX, el surgimiento de una novela realista española. Uno de ellos, tal vez el más importante, lo encuentra en la situación del desenvolvimiento social; pues la novela realista

là une distinction si fondamentale, qu'elle domine et Stendhal et l'école nouvelle, et qu'elle touche à l'essence même de la littérature romanesque" (pág. 268).

[10] Citado por R. Stang, *The Theory of the Novel in England*, pág. 51.

es la expresión literaria que adopta el liberalismo burgués, el cual, en España, sólo consigue manifestarse, con verdadera fuerza, tras la revolución de 1868. El año 1870, Pérez Galdós, en el artículo mencionado más arriba *Observaciones sobre la novela contemporánea en España,* presenta a la clase media como el ámbito donde ha de centrarse la novela de costumbres, aunque ésta deba abarcar "todo el cuerpo social"; "la clase media, la más olvidada por nuestros escritores —escribe—, es el gran modelo, la fuente inagotable. Ella es hoy la base del orden social: ella asume por su iniciativa y por su inteligencia la soberanía de las naciones, y en ella está el hombre del siglo XIX con sus virtudes y vicios, su noble e insaciable aspiración, su afán, su afán de reformas, su actividad pasmosa. La novela moderna de costumbres ha de ser la expresión de cuanto bueno y malo existe en el fondo de esa clase, de la incesante agitación que la elabora, de ese empeño que manifiesta por encontrar ciertos ideales y resolver ciertos problemas que preocupan a todos, y conocer el origen y el remedio de ciertos males que turban las familias. La gran aspiración del arte literario en nuestro tiempo es dar forma a todo esto". En las palabras del autor se adivina, fácilmente, que se reconoce como parte de esa clase social que ha entrado a jugar un papel decisivo en la dirección de la sociedad española, tras la revolución del 68 [11]. Leopoldo Alas defiende el mismo condicionamiento sociológico de la novela, y, en su importantísimo artículo *El libre examen y nuestra literatura presente,* considera el resurgir de la novela española como un producto de la situación histórica creada tras el movimiento revolu-

---

[11] "Esa clase —escribe Pérez Galdós— es la que determina el movimiento político, la que administra, la que enseña, la que discute, la que da al mundo los grandes innovadores y los grandes libertinos, los ambiciosos de genio y las ridículas vanidades; ella determina el movimiento comercial, una de las grandes manifestaciones de nuestro siglo, y la que posee la clave de los intereses, elemento poderoso de la vida actual, que da origen en las relaciones humanas a tantos dramas y tan raras peripecias. En la vida exterior se muestra con estos caracteres marcadísimos, por ser ella el alma de la política y el comercio, elementos de progreso, que no por serlo en sumo grado han dejado de fomentar dos grandes vicios en la sociedad, la ambición desmedida y el positivismo".

cionario de Setiembre [12]. "La novela es el género —escribe en la sexta parte del artículo *Del naturalismo,* aparecida en *La Diana* el 1 de abril de 1882— que era natural que predominantemente fuese cultivado desde el momento en que el arte literario llegaba a la emancipación racional". El entusiasmo de Clarín arranca precisamente de ver, en la novela, el testimonio de esa emancipación racional, y también la posibilidad de realizar, con ella, el deseo de Larra de lograr una literatura que mostrase al hombre "no cómo debe ser sino cómo es, para conocerle; literatura, en fin, expresión de toda la ciencia de la época, del progreso intelectual del siglo".

2. CARACTERIZACIÓN Y ASPECTOS DE LA NOVELA

Todos los artículos y comentarios, dedicados por L. Alas a este género literario, aparecen llenos de ricas referencias a su problemática, en relación, casi siempre, con cuestiones críticas que surgen de una determinada novela. Como un magnífico ejemplario sus novelas y relatos recogen y dan vida a todas esas ideas sobre el género narrativo. En toda la obra crítica de Clarín, sin embargo, no encontramos un solo intento de definición de la novela; abundan, en cambio, los de caracterización [13]. Uno de los más importantes se halla en el folleto literario *Apolo en Pafos.* Bajo la forma de diálogo humorístico, que tiene esta breve obra, aparece una discusión entre Clío, musa de la historia, y Calíope, musa de lo poesía épica; las dos sostienen que la novela les pertenece. Pensemos que, en muchos de los intentos modernos de caracterizar o definir a este género literario, se ha recurrido al paralelo a la poesía épica, caso de Ortega, o a la historia. Apolo, que expresa el pensamiento

---

[12] "El glorioso renacimiento de la novela española data de fecha posterior a la revolución de 1868", "y es que para reflejar... la vida moderna, las ideas actuales..., necesita este género más libertad en política, costumbres y ciencia de la que existía en tiempos anteriores a 1868". (*S.,* página 69).

[13] En el "palique" *Conejos académicos* (*M. C.,* 5-VII-1885), presenta varias objeciones a la definición del Diccionario de la Real Academia, pero no nos da su definición.

de Clarín, zanja la cuestión colocándose al lado de Clío; pero atacando su exclusivismo, dado que hay un tipo de novela, afirma, que se acerca a Calíope: su preferencia está, pues, en la aproximación de la novela a Clío, la historia, abandonando a la poesía épica, Calíope. Cuando, en la semblanza de Benito Pérez Galdós, declara que "la novela es la épica del siglo" [14], no quiere decir que la considera como continuadora o próxima a la poesía épica, sino que la novela está desempeñando el papel que, en otras épocas, desempeñó la épica. Por eso mismo denomina varias veces a Galdós, Zola o Balzac, novelistas épicos, pues ve en ellos a los cantores de la nueva epopeya de la humanidad, epopeya que no tiene un héroe individual sino colectivo.

La preferencia de Clarín por la aproximación de la novela a la historia, nos indica lo que él considera primordial en la novela. Reconoce que hay y habrá algunas de ellas que se acercarán más a Calíope, se trata de las obras ideales y fantásticas, pero lo adecuado a la época, afirma, es escribir como quería Clío. La distinción es clara: la historia describe o narra hechos reales, la poesía épica inventa sobre una realidad legendaria; Leopoldo Alas no puede menos, en pleno naturalismo, que negar importancia primordial a la imaginación, dándosela en cambio a la observación, equivalente al documento del historiador. De todo ello es fácil deducir que la veracidad es una cualidad esencial a "esta" novela; dice Clío: "yo creo que la novela es la historia completa de cada actualidad, no habiendo, en rigor, entre la historia y la novela más diferencia que la del propósito de escribir, no en el objeto que es para ambos la verdad en los hechos" [15].

En el folleto *Mis plagios. Un discurso de Núñez de Arce*, considera a la novela como forma compuesta de la historia y de la poesía, teniendo de una la "utilidad" y de la otra la "hermosura" [16]. De esta doble conjunción, se desprende que la novela es, para Clarín, el más importante de los géneros literarios. Su preferencia por este género está basada en que lo considera la forma literaria idónea para la expresión de la realidad, aspiración primordial, se-

---

[14] *G.*, pág. 15.
[15] *A. en P.*, pág. 89.
[16] *M. pp.*, pág. 86.

gún Leopoldo Alas, del arte; Clío afirmaba, en el folleto mencionado: "llegará un día en que será un crimen de lesa metafísica el
pretender que pueda haber superior belleza a la de la realidad" [17].
Esa belleza de la realidad sólo puede reproducirse a través de la
novela, género literario que, como señala Clarín varias veces, es el
que posee mayor libertad formal; así en *Apolo en Pafos* ponía
en boca de Clío esta afirmación: la novela "es el género más comprensivo y libre de la literatura en los días que corren"; y en el
folleto dedicado al discurso de Núñez de Arce, Alas declaraba:
"en toda idea de la novela se comprende la amplitud del género
y su libertad, que la hacen apta para expresar la mayor variedad
posible de objetos y las formas también más varias y con intensidad que bien puede calificarse de indefinida ya que no infinita" [18].
La complejidad de la vida exige para ser reproducida artísticamente una libertad expresiva que sólo posee el género narrativo
en prosa.

La novela, que ha de ser "reflejo de la sociedad en que vivimos", "no ha sido nunca tanto como es hoy, ni su índole tan apropiada al medio social", por haber hecho del realismo su base
teórico-estética: Pérez Galdós demuestra su continuo progreso
porque *"refleja* mejor cada día" [19]. Pero, aunque la realidad tiene
un valor decisivo, el novelista, sin dejarse ver, ha de sugerir un
plano más elevado, por eso su propósito ha de ser, nos dice en
la crítica de *Marta y María* de Palacio Valdés: "procurar que los
datos de la realidad se reflejen perfectamente en su obra, con todo
su valor patético, su relieve y colorido, para que la impresión que
él sintió ante la realidad puedan sentirla los lectores ante el arte.
De esta manera es como puede el escritor realista, sin dejar de
serlo, sin dejar la indispensable imparcialidad, trabajar por sus
ideas, ser lo que se llama, con palabra poco exacta, transcendental" [20]. Esta declaración no representa de ningún modo una defensa de la novela de tesis; el escritor no defiende o ataca ninguna
idea establecida a priori. Se limita a reflejar una realidad, de ella

[17] *A. en P.*, pág. 91.
[18] *A. en P.*, pág. 89; *M. pp.*, pág. 87, respectivamente.
[19] *M.*, pág. 117; *M. pp.*, pág. 87; *S. P.*, pág. 73, respectivamente.
[20] *S. P.*, págs. 125-6.

el lector deducirá las consecuencias a que antes llegó el escritor. Su exaltación de la novela proviene pues, de ver en ella el género literario más amplio y de mayor libertad, lo cual le permite transformar en materia artística la realidad total. En la séptima parte de su estudio *Del naturalismo*, aparecida en *La Diana* el 1 de mayo de 1882, afirma que "no es uno de tantos géneros limitados en un cuadro de la clasificación literaria a determinados asuntos. La novela es la manera omnicomprensiva del arte literario, aquella en que la ilusión de lo imitado llega a la mayor perfección posible en literatura, pues es imitación total de la vida, copiándola en todo su aparecer, en todo lo que es al presentarse como fenómeno al sujeto que sirve de espectador, lo mismo en la realidad que en la obra literaria"; pero hay que tener en cuenta que esta amplitud es al mismo tiempo un límite, pues lo que no puede hacer la novela "es tomar abstractamente un aspecto de la realidad y renunciar voluntariamente a todo lo demás que la vida nos ofrece para ser representado".

De todos los elementos de la novela, el personaje es al que concede mayor importancia; de *Miau*, por ejemplo, dice: "en las novelas conviene hacer lo que hace aquí Galdós, tomar como núcleo las personas, los individuos humanos" [21]. En los artículos dedicados al examen de una obra determinada, el estudio de los caracteres es no sólo parte indispensable sino que a menudo se convierte en el núcleo del artículo; así, la lectura de la crítica de *Numa Roumestan* de Daudet [22] llega a producirnos la impresión de que una novela se compone de la suma de los personajes centrales y los secundarios. En sus revisiones de los caracteres de una novela, Clarín nos ofrece algunas veces verdaderos modelos de crítica literaria; un ejemplo de ello es el examen que dedica a Federico Viera, protagonista de *Realidad*.

El papel decisivo que el personaje desempeña dentro de la novela ha sido tenido en cuenta y destacado por los escritores de todos los tiempos y escuelas; casi en nuestros días, la inglesa Virginia Woolf escribía: "I believe that all novels... deal with charac-

---

[21] *M.*, pág. 281.
[22] *N. C.*, págs. 359 y ss.

ter, and that it is to express character... that the form of the novel, so clumsy, verbose, and undramatic, so rich, elastic, and alive, has been evolved" [23]. Clarín, sin embargo, insiste, replicando a Zola, en que el carácter no puede ser el objeto exclusivo de la novela; es elemento predominante en el asunto, pero no el único [24]. En la octava sección del estudio *Del naturalismo*, afirma que no está conforme con que el principal objeto de la novela naturalista sea el estudio del documento humano; ni el reflejo del ambiente, ni de los caracteres o las relaciones entre estos dos elementos, son lo primordial, sino todo ello en conjunto; el objeto de la novela es la reproducción artística del "espectáculo completo de la vida" [25]. Años más tarde, con la aparición de la novela psicológica, parece dar mayor importancia a los caracteres, de ahí que acepte la clasificación de la novela hecha por Turguenev y Bourget, basándose en la capa social a que pertenecen los personajes [26].

Al carácter lo presenta, coincidiendo con lo apuntado al hablar de su crítica teatral, como un resultado de las propiedades individuales y de la influencia del medio ambiente sobre ellas. Posiblemente al hablar de novela destaca aún más el papel que desempeña el ambiente; "no basta —nos dice en la crítica de *La desheredada* [27]— el estudio exacto, sabio, de un carácter, si no

---

[23] Citado por M. Allott, *Novelists on the Novel*, pág. 290.

[24] "Noto que Zola en sus trabajos críticos, profundos a veces, pero poco metódicos, toma en la novela como capital elemento, al cual todos se supeditan, uno que es sin duda el más importante, pero que no puede sustituir al total asunto y general aspecto de la vida. Me refiero a lo que se llama hace mucho tiempo, con propiedad no muy cumplida, el carácter". (*La D.*, 1-V-1882).

[25] "No es la observación del carácter, ni la observación de lo que se ha llamado medio, hecha en abstracto, en consideración particular, lo primero que se necesita para reflejar en la novela, forma total de la literatura, el espectáculo completo de la vida. El novelista necesita ver algo más que el desarrollo de un alma y un cuerpo, de un hombre según su temperamento, y algo más que notar la relación que media entre el individuo y el mundo que le rodea. Saber copiar el mundo tal cual es en formas, en movimientos; saber imitar la probable combinación de accidentes ordinarios; saber copiar la solidaridad en que existen en la realidad los acontecimientos, los seres y sus obras, es lo esencial y primero" (*La D.*, 16-VI-1882).

[26] *E. R.*, págs. 286-7.

[27] *L. 1881*, pág. 144.

se le hace vivir entre las circunstancias que naturalmente deben rodearle"; varios años después, al hablar de *Torquemada en la Cruz,* declara: "creer que la energía del carácter consiste en ser siempre el mismo en el sentido de no ser influido por el medio ambiente, es confundir la quietud del cadáver con la espontaneidad de los actos" [28]. De la crítica de *El cisne de Vilamorta* [29] deducimos que, para L. Alas, el contenido de la novela es la suma de los caracteres, el medio ambiente y la intriga, resultado ésta de las relaciones entre aquéllos.

La influencia del medio ambiente sobre los personajes la destaca particularmente en los artículos dedicados a *La familia de León Roch* y a *Gloria* [30], donde señala que la culpabilidad de los personajes hay que cargarla a las ideas no a ellos; en estos escritos —pertenecen a su época de defensa de la novela "tendenciosa"—, parece limitar el medio ambiente a las superestructuras ideológicas. Es de gran interés para estudiar el concepto que Clarín posee de la relación personaje-medio ambiente, el examen del artículo que dedicó a *Sotileza,* donde acusa a Pereda de no haber hecho "la novela de los pescadores", y le ataca por haber dado el papel de protagonista a un personaje ajeno a la calle Alta: "no es que Andrés esté mal estudiado —nos dice Clarín— ; es que este señorito está ocupando un lugar que yo quisiera para un pescador" [31]. Su obra narrativa, especialmente las novelas, pues algunos cuentos se limitan a la presentación de un personaje enfrentado a una anécdota, es ejemplo de una sabia adecuación entre el personaje y el medio ambiente.

En Leopoldo Alas, pese a la evolución que sus ideas sobre la novela experimentan, no aparece ningún cambio importante en sus constantes consideraciones sobre la problemática de la creación de personajes. Una aparente contradicción se encuentra entre dos afirmaciones sobre las relaciones entre el "personaje literario" y el "real", ambas se hallan en críticas a novelas de Pereda. La primera está en el artículo dedicado a *El buey suelto,* escrito en su época

---

[28] *G.,* pág. 258.
[29] *N. C.,* págs. 151 y ss.
[30] Ambos recogidos en *Solos de Clarín.*
[31] *N. C.,* pág. 141.

de aceptación de la "novela tendenciosa"; nos dice allí que el novelista debe recoger lo "que es característico, representativo, típico" [32]; en la otra, que pertenece a la época de la aparición de la novela psicológica y se encuentra en la crítica de *La Montálvez,* declara que "no se trata de representar en los personajes el término medio de los de su clase, sino de estudiar determinada personalidad, de veras, tal como esa debe ser, ya sea de comunes cualidades, ya excepcional" [33]. Para llegar a una perfecta comprensión de estas afirmaciones habrá que examinar las distinciones que establece, en algunas de sus críticas, entre el tipo y el carácter. De los estudios dedicados a obras de Pereda se desprende que éste es, para Clarín, un gran creador de tipos, pero algo irregular en la creación de personajes, excepto en el caso de *Sotileza.* En *La Montálvez* Clarín señala que los personajes deben *hacerse y pintarse* ellos mismos, y no presentarlos el autor con una tarjeta en la mano que contenga su historia y personalidad. El *tipo* es la "representación típica de todos los congéneres" y se atiene a un propósito preestablecido por el autor; en otro lugar lo llamaba "representación de toda una clase de hombres" [34].

En sus artículos van apareciendo referencias, llenas de sugerencias, de ricas posibilidades, a la creación de caracteres. Contra lo que habían afirmado muchos críticos, sostiene que en "los temperamentos indecisos" está "la observación novelable" y que un carácter que carezca de voluntad puede transformarse en protagonista de una novela, tal es el caso de Tormento en la novela de este título [35]; para hacer interesante un personaje no es indispensable penetrar mucho en su alma, pero sí muy conveniente [36]; y, en otro artículo, advierte que un hombre vulgar sirve de protagonista, "pero hay que ahondar en el hombre y traerlo y llevarlo un poco por el mundo" [37]. Para crear verdaderos caracteres nove-

---

[32] *S.,* pág. 244.
[33] *M.,* pág. 140.
[34] *S.,* pág. 357; *N. C.,* pág. 367, respectivamente.
[35] *S. P.,* págs. 63 y 69. Un ejemplo de "temperamento indeciso" es Bonifacio Reyes, el protagonista de *Su único hijo.*
[36] *S. P.,* pág. 243.
[37] *N. C.,* pág. 154.

lísticos hay que amarlos, transformarse en ellos y entrar en su interior [38], pero evitando que se parezcan al autor; el novelista ha de crear almas, "pero no a su imagen y semejanza" [39]. A la "introspección del novelista" en el alma del personaje llega a denominarla "sexto sentido" del arte literario; en ella, afirma, reside una de las causas de la superioridad de la novela sobre los otros géneros literarios; en la "revista literaria" dedicada a *Realidad* de Galdós, encontramos un sugerente y valioso estudio de este aspecto de la creación de personajes [40]. Particular interés tienen sus consideraciones sobre los personajes femeninos de la novela española [41].

Después de los caracteres, uno de los aspectos de la novela a que da más importancia es el de la construcción, *composición* la denomina Clarín; a ella se refiere, sobre todo, en los artículos dedicados a Pereda, el cual acostumbra ser, señala, "muy desasido". Los defectos de la composición o "errores técnicos" proceden de la desproporción de las partes y del olvido de la simetría literaria, que "transciende a la relación cuantitativa de la obra" y consiste en "la proporción justa del esfuerzo del ingenio entre lo principal y lo secundario, la intuición clara de los momentos capitales del asunto para darles todo el calor, energía y primor que exigen" [42]. En las obras de defectuosa composición, la inspiración anda por una parte y el valor arquitectónico del asunto por otra, no coincidiendo el fondo de la obra y su organización. Aparece apuntada la íntima exigencia entre el contenido de la obra y su estructuración expresiva. La composición trata de las relaciones de un organismo, y tiene una gran importancia, pues pueden ser buenas cada una de las partes de la obra y fallar el conjunto [43]. La composición

[38] *M.*, pág. 128.

[39] *G.*, pág. 15.

[40] *E. R.*, págs. 295 y ss.

[41] *S. P.*, págs. 66 y ss.; donde señala que la mujer está poco estudiada en la literatura española coetánea; Isidora, la protagonista de *La desheredada*, indica, ha sido la primera figura femenina hecha con esmero, observación y gran cuidado.

[42] *E. R.*, pág. 84.

[43] "En lo que se refiere a la composición unas partes pueden afear las otras, no cabe duda; se trata aquí de las relaciones de un organismo". (*E. R.*, pág. 93).

"es cosa del libro, de la obra como artística; se refiere, por decirlo de este modo, a exigencias técnicas de la estética" [44]. Su única regulación se impone en relación con la realidad: lo que nos separa de la sensación de vida real ha de ser apartado de la composición; de ahí que no acepte la división de la obra en principio, desarrollo y fin, con la cual se limita el contenido de la obra —la vida—, como se limita un cuadro. Ejemplo de estas novelas "abiertas", que pide él, es *La desheredada* que "empieza como quiere, y en realidad no concluye" [45]. En un "palique" dedicado a *La prueba* de Emilia Pardo Bazán tras acusar a su autora de escribir "a lo que saliere y cuando saliese" [46], presenta a la composición como la ordenación que transforma la realidad en materia artística; "el mundo —escribe— no tiene composición pero visto por el artista se convierte en una *experimentación* necesariamente compuesta". Esta "organización" de la materia novelística tiene un límite que no puede traspasar: la veracidad de lo narrado; "entre el arte de componer y el arte de la naturalidad en la acción —escribe, en *La Ilustración Ibérica*, el 5 de enero de 1887—, debe sacrificarse, siempre que haya conflicto, el primero". En esa misma crítica de *La prueba*, parece indicar que cree en un esquema general de la novela: presentación del escenario y a continuación del argumento central, acción, "catástrofe o lo que fuere" [47].

La "proporción", pero no entre las partes de la novela, sino entre la novela y la realidad, se convierte en la base de la composición; contra ella puede pecarse por exceso o defecto. El pecado por exceso, que Clarín llama exuberancia y, más a menudo, prolijidad, lo considera el defecto más corriente de la novela moderna; consiste en el abuso de la descripción y diálogo; lo señala como el defecto de mayor importancia en Galdós y los escritores realistas. El lector actual coincide en esto con Clarín. En otros casos, no tan abundantes como los anteriores, Clarín se queja de

---

[44] *E. R.*, pág. 390.
[45] *L. 1881*, pág. 143.
[46] *M. C.*, 27-IX-1890. Años más tarde Unamuno hablará de escribir sus novelas "a lo que salga".
[47] Esquema que, en líneas generales, coincide con el que él siguió en *La Regenta*.

la excesiva "rapidez narrativa"; *El idilio de un enfermo* de Palacio Valdés, *El cisne de Vilamorta* de Pardo Bazán o *La Montálvez* de Pereda [48], nos dirá, debieron haber sido escritas en más páginas; tras esas acusaciones se refleja su tendencia personal hacia el "tempo lento" narrativo. Las referencias a la "proporción" son, junto con las que hace al estilo y los caracteres, las notas predominantes en sus artículos sobre novela. Prueba de su preocupación por la composición la tenemos en sus relatos, principalmente en *La Regenta,* obra maestra en este aspecto, en la que se alternan la rapidez narrativa con el tempo lento. Los defectos en la composición los relaciona, a menudo, con el escribir demasiado deprisa o de una forma mecánica [49].

Hay otros términos a los que se refiere en sus artículos sobre novela: el "asunto" o "materia literaria", que es la realidad seleccionada por el autor; la acción o "fábula"; la "perspectiva", que sería una parte de la composición [50]; y la "mirada retrospectiva", expresión creada por Pérez Escrich, según Alas, y que él utiliza en sus narraciones.

Encontramos varias alusiones a la novela escrita en primera persona; en una de ellas, contenida en un "palique" dedicado a *Una cristiana* de Pardo Bazán [51], nos dice que, en estas "autobiografías", el novelista pierde su papel predominante, pues los personajes sólo pueden ser examinados por fuera y desde el punto de vista del personaje narrador; tal ocurre en la picaresca. Una prueba de la adecuación entre forma y fondo, y la dependencia de la primera del segundo, defendidas por Alas, la tenemos en sus consideraciones sobre las novelas de Pérez Galdós escritas en primera persona: le parece la forma adecuada a *El amigo Manso,* pero no para ciertos aspectos de *Lo prohibido,* pues "la mayor amplitud de este cuadro y cierta parte de las observaciones" exigía "la for-

---

[48] *S. P.,* pág. 241; *N. C.,* pág. 157; *M.,* pág. 131, respectivamente.

[49] *M. C.,* 9-XI-1899, *M.,* pág. 272.

[50] En el segundo de los "paliques" dedicados a *La prueba* de E. Pardo (*M. C.,* 27-IX-1890), afirma que la perspectiva o "composición en el arte" aparece cuando la realidad se transforma, a través de la obra artística, en espectáculo, pues sólo existe cuando surge "el espectador".

[51] *M. C.,* 5-VII-1890.

ma más libre y plástica de la narración impersonal" [52]. La forma epistolar, que Galdós utilizó en alguna de sus novelas, *Los Ayacuchos* por ejemplo, fue rechazada por Clarín.

A la novela histórica la presenta como la manifestación literaria que podía reemplazar al antiguo poema histórico [53]. Esta clase de novela —nos dice en un artículo dedicado a los *Episodios Nacionales*, posiblemente de 1879— no necesita coincidir, en su núcleo narrativo, con la historia pragmática, incluso es preferible que no coincida, para recoger mejor las características propias y más conocidas de la época que se pinta. Los grandes autores de novelas históricas —Scott, Manzoni, Freitag, Galdós— siguen parecido procedimiento: "imaginan una trama particular en la que influyen los acontecimientos de la historia pragmática, pero como un factor más, siendo el principal el que resulta de los caracteres individuales que comentan, y en los cuales expresan, como por modelo o mejor muestra, la vida real del tiempo que describen" [54]. El inconveniente de la novela histórica, declara en la crítica de *Los Ayacuchos*, es que tiene "pie forzado" [55].

3. ESTILO Y LENGUAJE

Uno de los problemas fundamentales del género narrativo es el de la relación entre el autor y su obra [56]; en el teatro, el escritor está ausente de su obra, en la lírica por el contrario tiende a presentarse él mismo; en la narración, tanto épica como novelesca, se encuentra frente a su obra en una situación muy compleja. La perspectiva narrativa depende de la voluntad del autor, en relación con el tema que trata. Desde el *Quijote* la novela ha tendido a ser una presentación exhaustiva del mundo que rodea a unos personajes y también de esos personajes; lo primordial ha sido siempre no la presentación sino lo presentado, de ahí la escasa importan-

---

[52] *La I. I.*, núm. 135, 1885.
[53] *G.*, pág. 313.
[54] *G.*, pág. 315.
[55] *G.*, pág. 357.
[56] Véase Wellek y Warren, *Teoría literaria*, pág. 267.

cia dada al estilo; incluso en los últimos cuarenta años, en que
una barroquización de la novela, por agotamiento de los temas,
por escasa imaginación de los escritores o por condicionamientos
sociológicos, nos ha llevado a una gran valoración del estilo y de
los alardes constructivos, la calificación de "estilista" tiene, aplicada al novelista, cierto matiz peyorativo. El inglés Ian Watt, en
su libro *The Rise of the Novel* [57], señalaba que escritores considerados "incorrectos", como Defoe y Richardson, consiguen como
novelistas mayor grandeza que Fielding, cuyas preocupaciones estilística tienden a interferirse con su técnica novelística; una excesiva selección de la visión destruye nuestra creencia en la realidad
de lo narrado, o al menos, separa nuestra atención del contenido
de lo narrado y la lleva a la superficie, a la forma. Clarín puesto
a elegir entre la actitud de Defoe y la Fielding hubiese apoyado
la del primero .

Para los novelistas del XIX, que carecen de una continua tradición narrativa en prosa, uno de los problemas más importantes a
que se enfrentan es el de cómo escribir; para el nuevo género
—la novela— han de crear un nuevo lenguaje. Esa preocupación se
refleja en cartas, prólogos y artículos de distintos autores, y llegará, en Flaubert, a convertirse casi en una obsesión. Lo mismo
ocurre en nuestros narradores de la Restauración; detrás de ellos
está el vacío, sólo los intentos de los costumbristas y de la Fernán
Caballero por crear un lenguaje que expresase la realidad; mucho
más lejos se hallaban Cervantes y la picaresca; y, fuera del país
pero a su lado, el ejemplo de la novela francesa. La influencia de
los clásicos, principalmente de Cervantes, resultará en ciertos momentos perjudicial, y la actitud de los escritores franceses no será
aceptada por algunos de nuestros autores. En realidad, podemos
afirmar que la novela realista española se ve obligada a crear su
propio lenguaje, lenguaje que ha de romper con la retórica orato-
ria que le rodea; milagro nos parece ahora que la prosa de Castelar y la de Galdós se den en un mismo país y época. En un importantísimo artículo, que más adelante comentaremos, *Del estilo en
la novela*, aparecido en *Arte y Letras* de Barcelona en 1882, Cla-

---

[57] Págs. 29-30.

rín señala la necesidad que tiene el lenguaje de transformarse, adaptándose a unos nuevos tiempos y temas: "El lenguaje literario, según está hecho entre nosotros a la hora presente, ofrece grandes obstáculos a la libre expansión del estilo natural, sencillo, expresivo y modesto que... recomendaba, como el más propio de la novela. El lenguaje moderno de la literatura española lo han hecho los oradores políticos, los académicos, los periodistas y los poetas gárrulos. Predomina en las formas una sensualidad aparatosa, una hinchazón que no basta a vencer el más puro intento de sencillez y naturalidad, y es punto menos que imposible escribir de ciertas recónditas materias con el idioma esquinado, duro, de relumbrón que nos dan hecho, como sagrado inviolable" [58]. Su teoría viene a resumirse en estas consideraciones: la transformación de la sociedad ha originado nuevas ideas que literariamente se expresan a través de una nueva forma literaria —la novela realista—, la cual exige una renovación de los medios expresivos, porque "las formas de expresión de que disponemos son moldes estrechos para los pensamientos de que han de ser vehículo". "Mientras el asunto literario estuvo limitado a tan pequeña parte de la realidad: mientras tantas y tantas cosas del mundo real y del mundo del pensamiento, no menos real a su modo, fueron materia vedada en literatura, pudo bastar el lenguaje convencional, hecho por retóricos. Pero si al fin el arte de escribir va a ser una forma más de la expresión de la verdad, y si va a poderse hablar de todo lo que hasta ahora se juzgó indigno de la literatura, no debe extrañar a nadie que sea deficiente no el habla castellana, considerada en su virtualidad, sino el grado de su desarrollo". Idéntica idea encontramos en el prólogo que, ese mismo año, Galdós escribía para *El sabor de la tierruca* de Pereda [59].

---

[58] *A. L.,* 1-X-1882.

[59] "Una de las mayores dificultades con que tropieza la novela en España, consiste en lo poco hecho y trabajado que está el lenguaje literario para reproducir matices de la conversación corriente. Oradores y poetas lo sostienen en sus antiguos moldes académicos, defendiéndolo de los esfuerzos que hace la conversación por apoderarse de él; el terco régimen aduanero de los cultos lo priva de flexibilidad. Por otra parte la prensa, con pocas excepciones, no se esmera en dar al lenguaje corriente la acentuación literaria, y de estas rancias antipatías entre lo retórico y la conversación, entre

El rasgo característico de los comentarios de Alas sobre la forma expresiva de la novela, es la defensa de la depuración del lenguaje con la consiguiente desaparición de la retórica, de los lugares comunes y de los giros prosaicos y huecos, de todo aquello que llamó la *obra muerta del lenguaje* [60]. Esta actitud se refleja también en su propio estilo, tanto crítico como narrativo. En *Nueva campaña*, afirma que hay que huir de tres estilos: 1.º "Del estilo de comedias al uso (prosa y verso); 2.º Del estilo de político que habla o escribe; y 3.º Del estilo del académico en pergamino o por intriga"; en el mismo artículo reacciona contra los escritores que se denominan a sí mismos *castizos,* pues "según lo que suele llamarse aquí castizo, no parece sino que venimos de casta de tontos; y cualquier escritor que se estime debe preferir ser hospiciano a que le tomen por descendiente de cien majaderos" [61]. Como acostumbra a ocurrir en sus críticas, en este artículo dedicado a *Aguas fuertes* de Palacio Valdés, no nos dice cómo debe escribirse sino cómo no debe escribirse. Su concepción del lenguaje novelístico la encontramos en un consejo dirigido a Palacio Valdés, que aparece en la crítica de *Marta y María*: Olvidar la retórica para no pensar más que en los sucesos que se narran, en lo que se describe y en lo que han de decir los personajes [62]. Descripción, narración y diálogo son los tres puntos de apoyo de la novela.

Estos tres medios expresivos de que se nutre la novela han de tener un mismo denominador: la naturalidad. El estilo no debe oscurecer nunca el argumento. Leopoldo Alas hubiese podido repetir las palabras de Stendhal, contenidas en una carta a Balzac: "conozco una sola regla: el estilo no puede ser nunca excesivamente claro, excesivamente sencillo". La claridad será la aspiración primordial de toda la novela europea del xix: Flaubert de-

---

la academia y el periódico, resultan infranqueables diferencias entre la manera de escribir y la manera de hablar, diferencias que son la desesperación y el escollo del novelista". (Citado por J. F. Montesinos, *Pereda o la novela idilio*, págs. 48-49).

[60] *N. C.,* págs. 191 y 192.
[61] *N. C.,* pág. 192.
[62] *S. P.,* pág. 129.

fenderá un lenguaje artístico, próximo al ritmo poético, pero al mismo tiempo "preciso como la ciencia"; Zola sostendrá que el lenguaje perfecto se consigue a través de "la lógica y la claridad"; Maupassant se esforzará por lograr la exactitud; el inglés Trollope, en 1883, afirmará que si el novelista se hace "confuso, pesado, difícil e inarmónico, los lectores lo rechazan". Esa misma aspiración hacia la claridad y la exactitud es defendida por Clarín en su crítica y se transparenta en sus relatos y novelas.

De los tres medios expresivos o puntos de apoyo de la novela —narración, descripción y diálogo— la segunda juega, en el relato realista, un papel importantísimo. En relación con ella aparece un peligro que amenaza a la novela: el excesivo detallismo, prolijidad o, como Clarín lo denomina en el comentario de *Miau*, "la delectación morosa" [63]. El escritor naturalista no escoge un detalle caracterizador sino que tiende a dar toda la complejidad ambiental, de ahí la fácil caída en la prolijidad descriptiva. Este es el único defecto que parece encontrar en las obras de Pérez Galdós, especialmente en las "novelas contemporáneas"; al examen de la "delectación morosa" dedicaba atinados comentarios en las críticas de *Miau* y *Ángel Guerra*, pero la señala también en otras novelas de Galdós, *Fortunata y Jacinta* por ejemplo, y en otros escritores españoles realistas, principalmente la Pardo Bazán y Pereda, aunque en este último la prolijidad se da tanto o más en el diálogo que en la descripción. En el comentario a *Nubes de estío* de Pereda, indica que es un defecto general a toda la novela contemporánea europea [64], y se halla favorecido por el estilo y el lenguaje familiar del escritor realista —el cual facilita el hablar demasiado— y por el método de trabajo de los novelistas, que al provocar el ritmo mecánico de la aptitud constante para escribir crean cierta facilidad artificial [65]. Este inconveniente, señala Clarín, es "uno de los mayores defectos de la literatura moderna" y "el que ha de dificultar más la vida futura de tantas y tantas novelas" [66]. En los mis-

---

[63] *M.*, pág. 271.
[64] *E. R.*, págs. 86-7.
[65] *M.*, págs. 273-275.
[66] *M.*, pág. 272.

mos relatos de Clarín encontramos también esa tendencia a la prolijidad; en él está favorecida por una exaltación del detalle que
podríamos calificar de "proustiana". Lo que decía, refiriéndose a
la historia —"Yo soy amigo de los pormenores, porque en ellos
entiendo que está la esencia de las cosas, la explicación de la ley a
que obedecen"— [67], podría aplicarse a su manera personal de novelar.

El diálogo se presenta al novelista como una de las partes del
relato de mayores exigencias, y al escritor realista, que sostiene la
impersonalidad del narrador, como aquella que ofrece mayores posibilidades de caracterización objetiva de los personajes. En sus
artículos, Clarín transparenta la preocupación e interés que siente
por el diálogo; en las críticas de Pereda, es siempre uno de los
puntos de discusión más importantes. Aquí, como en toda su
teoría estilística de la novela, sostiene que el escritor ha de guiarse
por la aspiración hacia la naturalidad: los personajes no han de
decir cosas dignas de una antología, sino según su modo de ser
y según el medio en que viven, "y esta es una regla que no depende de que el realismo esté de moda o no lo esté; es regla invariable". En este mismo artículo, una crítica de *Nubes de estío,*
añade "que la copia exacta *de todo* lo que se habla no puede ser
artística", "el mejor medio para conseguir en esta materia, arte,
fidelidad y concisión es imitar el diálogo verdadero, escribir el
verosímil, pero en los momentos principales, dejando lo secundario, que no sea, por excepción, característico" [68]. A Pereda lo presenta como uno de los novelistas "que mejor maneja el diálogo
como instrumento para expresar el carácter, las costumbres" [69],
cuando hace hablar a la gente de su tierra, marineros, aldeanos, tipos populares; pero, cuando sale de ese mundo, se pierde. De
Sotileza decía: "sus diálogos populares son hace mucho tiempo
modelo de verdad, gracia y fuerza; pero jamás como ahora llegó
a la perfección, que quita toda esperanza de ser igualada. No se
comprende cómo, sin un milagro de inspiración, puede Pereda hacer decir a sus sardineros, marineros, ignorantes y zafios, las fra-

---

[67] *A. G.,* pág. 9.
[68] *E. R.,* págs. 86 y 87, respectivamente.
[69] *E. R.,* pág. 89.

ses que allí dicen y cómo las dicen. Parece mentira que todo aquello no lo haya copiado un taquígrafo... y ni eso mismo sería tan verdadero, porque el diálogo de Pereda es la quinta esencia de lo característico" [70]. En un momento, Clarín señala al diálogo las siguientes características: concisión, ser significativo sin perder naturalidad y ejercer un doble papel de elemento plástico y dialéctico.

Las referencias al estilo son constantes en los artículos dedicados a Pereda, Palacio Valdés y J. Ortega Munilla, de quien decía que lo principal y mejor en él era el estilo, "correcto, con esa corrección que más sabe del genio íntimo de la lengua que de las reglas formales, muchas veces arbitrarias"; "en él —añadía— no es el lenguaje un medio prosaico de significar, sino elemento intrínseco del arte, expresión bella, una con el fondo de lo que expresa" [71]. A Palacio Valdés, con el aire de un amable maestro y amigo, le señala siempre defectos en el lenguaje: anfibologías, desatender la construcción lógica cuando es exigida por la claridad, giros y frases vulgares y prosaicos, tendencia al lenguaje oratorio de los políticos, y, en el diálogo, conversaciones inútiles y lugares comunes que estorban [72]. En el comentario de *Marta y María*, señalaba que en el estilo era donde se veía lo mucho que Palacio Valdés había adelantado.

El trabajo más importante dedicado por Clarín al estudio del lenguaje novelístico es el titulado *Del estilo en la novela*, que apareció en 1882 en cinco números de la revista barcelonesa *Arte y Letras*; artículo que merece figurar en cualquier selección de la crítica de Leopoldo Alas. El largo escrito se halla dividido en cinco partes que no corresponden a los cinco números en que fue publicado. En la primera [73] examina el estilo de los grandes novelistas franceses, Stendhal, Balzac y Flaubert; rechaza al primero por excesivamente "lógico" y al último por formalista, y declara que el estilo más adecuado al narrador realista es el de Balzac, cuya ambición parece haber sido: "Hacer olvidar al lector que hay una cosa especial que se llama estilo y sirve para encantarle, artificio

---

[70] *N. C.*, pág. 148.
[71] *La I. E. A.*, 22-IX-1880.
[72] *N. C.*, págs. 191-192 y 245-246.
[73] Ejemplares de julio y agosto de 1882.

sutil con el que se le hace tener por fácil y corriente el placer del
arte, cuando es obra de trabajo difícil y prolijo; hacerle olvidar
que hay allí además del asunto, del mundo imaginado que parece
real, un autor que maneja un instrumento que se llama el estilo";
poco antes había escrito que Balzac y Stendhal "están lejos de ser
estilistas, en ellos, sobre todo en el primero el estilo no es más
que la forma indispensable para comunicar el pensamiento por
medio de la palabra escrita". El trabajo se iniciaba con una pregunta de Zola —"Jamás he podido leer a Stendhal sin tener duda
respecto de la forma. ¿Está la verdad de parte de aquel espíritu
superior que desdeña absolutamente la retórica?"—, a la que el
mismo Clarín respondía un poco más abajo: "Cuando Zola duda
si acaso todas esas lindezas del estilo pasarán y será preferible
para nuestros nietos la desnudez del lenguaje correcto, pero sencillo, en el cual la exactitud es la primero, yo no comprendo que
tan profundo crítico vacile un momento". La segunda parte [74] la
forman consideraciones de tipo general en torno al lenguaje del
novelista; sus afirmaciones dan la supremacía al contenido sobre
la forma, hasta llegar a sostener que debe desaparecer la sensación
de estilo: "en la igualdad de circunstancias es preferible el novelista que produce la ilusión de la realidad en tal grado que el lector olvide el medio literario por el cual se le comunica el espectáculo de la realidad imitada, y piense que directamente asiste a los
sucesos que se narran en el lugar en que se supone", "para producir —añade— el encanto del arte literario de más efecto, el disi-
mular en la narración una realidad viva, es preciso hacer lo que
Balzac, *humillar el estilo*". La tercera [75] se inicia con el examen
del lenguaje literario, especialmente novelístico, en España, hasta
llegar a las preguntas cuyas respuestas forman el resto del estudio:
"¿Es el lenguaje que hoy emplean nuestros novelistas el más oportuno para producir el encanto de copiar artísticamente la vida en
la novela? ¿Quién se acerca más al ideal en este sentido? ¿Qué
falta a cada cuál?". A continuación estudia el estilo de Valera, y,
aunque reconoce que es el primer artista español del lenguaje, afir-

---

[74] Agosto de 1882.
[75] *A. L.*, octubre, 1882.

ma que "no es su estilo propio del novelista según aquí se pide". Más fuerte es la reacción contra Alarcón, que forma la cuarta parte del trabajo: Alarcón "es de todos los novelistas buenos y ya notables que tenemos, el que menos se acerca al estilo adecuado a la novela contemporánea". La quinta y última parte [76] la dedica al examen de los dos escritores, Pereda y Pérez Galdós, que han intentado la renovación del lenguaje novelístico y se han enfrentado con el primer problema que ese lenguaje presenta: la intersección entre "el hablar común, espontáneo y natural, y las formas literarias". El de Pereda ha sido un intento en parte fallido pues "tiene mucho de lo que el rigor de verdad del arte moderno reclama, en aquello que se refiere a la descripción de la naturaleza exterior; también es de igual mérito en la pintura de los diferentes caracteres comunes o tipos que resultan de las circunstancias particulares de la localidad; pero decae, y vuelve al tradicional convencionalismo, a la abstracción y vaguedad generales cuando toca a lo más profundo de los caracteres, a lo más exclusivamente humano y a lo que no depende, en fin, de la influencia local, que tan bien conoce. En el diálogo, una de las excelencias de Pereda, se refleja eso mismo". La acusación más importante que hace a Pereda tal vez sea la de que no ha llegado a la narración impersonal, propia de la novela de la época, porque ni siquiera se lo ha propuesto, con lo cual su arte pierde el encanto de semejar en todo la acción y el lugar que se quiere reflejar. El comentario que dedica a Pérez Galdós, pese a reconocer en él el único español cuyo estilo es el adecuado a la novela realista, es el más superficial y casi no habla del tema del artículo; se limita, a este respecto, a señalar el progresivo adelanto de su lenguaje que en las últimas novelas publicadas, *La desheredada* y *El amigo Manso,* parece haber llegado a la perfección; L. Alas reconoce que apenas ha hablado del tema y se disculpa con la importancia del empeño: "llegar a todos los pormenores que exigiría el análisis fiel y exacto de las bellezas que produce el famoso novelista sería escribir burla burlando un libro y no de poco volumen".

---

[76] *A. L.,* ejemplares de noviembre y diciembre, 1882.

Este estudio lo escribía Clarín poco antes de empezar a redactar *La Regenta*; como lector uno obtiene la impresión de que es resultado, en parte, de las meditaciones de Alas sobre un problema con el que en aquellos momentos se estaba enfrentando; al mismo tiempo, tiene algo de recapitulación de todo lo conseguido hasta entonces, por la novela española, en la creación de una nueva expresividad. No es extraño pues que consciente de la obligación del novelista de buscar esa expresividad, Leopoldo Alas fuese, sino el primer estilista de la Restauración —lugar que ocupó Valera—, el poseedor del más adecuado lenguaje novelístico.

4. LA NOVELA ESPAÑOLA

Al principio de este capítulo he examinado la situación de la novela española durante los años en que Leopoldo Alas realiza su labor crítica. Andrés González Blanco, en 1923 [77], indicaba que si la etapa de 1870 a 1880 era la de iniciación del realismo, el decenio siguiente representaba la época de oro de la novela española contemporánea. La narrativa española se nos presenta, durante esos años, en una línea de progresivo desarrollo, a la que siguen, a finales de siglo, unos momentos de indecisión, proceso que, en cierta forma, se da en toda Europa. En las críticas de Clarín, encontramos numerosos testimonios de este desenvolvimiento novelístico, así como de la superioridad de la novela sobre los otros géneros literarios: "la novela es el género único que en España prospera", declaraba en la crítica a *Un viaje de novios* [78], y el 1 de abril de 1883 afirmaba, en las páginas de *Arte y Letras,* que era el único género con esperanzas de florecimiento. Las referencias a un renacimiento de la novela se repiten constantemente en sus artículos, principalmente en los escritos alrededor del quinquenio 1880-1885, Este último año, en la crítica dedicada a la obra de Palacio Valdés, *José,* confesaba que la novela estaba mucho mejor entonces que doce años antes, y añadía que con *La Fontana de Oro* (1867-8),

---

77 *Un novelista de la generación gloriosa. J. O. Picón.*
78 *L. 1881,* pág. 181.

Pepita Jiménez (1875) y *El sombrero de tres picos* (1875) se inició un gran renacimiento del género novelístico; pese a ello, nos dice en *Sermón perdido*, todavía no podemos competir con Francia o Italia, ni siquiera con Portugal que cuenta con la figura de Eça de Queiroz [79].

En los artículos de sus primeros años de labor crítica, influenciado por su radicalismo político, dividía a los novelistas españoles en dos grupos: por un lado, el bando de la revolución, del presente, de la libertad; por el otro, el de la reacción, del pasado, de la tradición. La "representación más legítima y digna" del primer grupo era Pérez Galdós, a quien no sólo consideraba como el escritor más avanzado, sino también el mejor. Galdós, sin embargo, nos dirá el mismo Clarín, no era "un revolucionario ni social, ni literario"; pero la situación de España —"no hay país, de los civilizados, donde el fanatismo tenga tan hondas raíces"— [80] hace que la tolerancia de Pérez Galdós se transforme en una fuerza revolucionaria. La misma opinión tenían otros críticos de la época; así, años después, el 28 de diciembre de 1889, el catalán Sardá escribía, en las páginas de *La Vanguardia*, que Galdós era "el revolucionario más temible que escribe en lengua castellana" [81]. Valera, según Clarín, era en "el fondo mucho más revolucionario" que Galdós, pero su "formalismo" y su "humorismo" hacen que no transcienda: "ningún autor como Valera señala el gran adelanto de nuestros días en materia de pensar sin miedo". Alarcón y Pereda "representan la reacción en la novela". La lucha entre estos grupos, afirmaba en el artículo *El libre examen y la literatura presente* [82], era desigual "porque Galdós y Valera son ingenios de primer orden, pensadores profundos... y Alarcón y Pereda son meramente artistas". Al hacer la crítica de *Un viaje de novios* [83], situaba a su autora en una posición intermedia, pues, si bien afirmaba que Pardo Bazán ideológicamente pertenecía a la tradición, literariamente se encontraba entre los innovadores, y añadía que *Un viaje de novios*

[79] *L. 1881*, pág. 180; *La I. I.*, núm. 126, 1885; *S. P.*, pág. 235.
[80] *S.*, pág. 70.
[81] *Obras escogidas*, vol. I, pág. 258.
[82] *S.*, págs. 71 y 72, respectivamente.
[83] *L. 1881*, págs. 181 y ss.

era el primer libro español, escrito por persona que profesaba el tradicionalismo, en que no había el prurito del sermón y de la diatriba contra el libre pensamiento; en este mismo artículo, volvía a repetir que "la ventaja, ventaja inmensa" entre los dos bandos estaba de parte de los que defendían la libertad.

Dentro de la novela española de la época parece distinguir no sólo estos dos bandos ideológicos, sino también dos grupos generacionales; en el primero se hallarían Alarcón, Valera y Pereda, con Pérez Galdós como puente con la generación siguiente, formada por Emilia Pardo Bazán, Ortega Munilla, A. Palacio Valdés, Picón y el mismo Leopoldo Alas. En otros apartados de este capítulo se encontrarán referencias a actitudes y opiniones de Clarín ante los novelistas españoles, aquí intentaré presentar la valoración general que hizo de estos escritores.

Nuestro crítico demuestra varias veces su desacuerdo con quienes consideraban a Fernán Caballero una gran novelista [84]; en un momento declara que esta escritora llega a reproducir la verdadera Andalucía, con la directas sensaciones que causa [85]; en el artículo *La novela novelesca*, al quejarse de que España carezca de una *novela de sentimiento* "como remedio de nuestra castiza sequedad sentimental", añade "no es otra Fernán lo que yo siento que la naturaleza nos haya negado, sino un *Jorge Sand* español, *momento literario* que no hemos tenido" [86]. Del grupo de grandes novelistas de la Restauración —Alarcón, Pereda, Valera, Galdós, Pardo Bazán y Palacio Valdés—, la figura de mayor altura literaria para él, como para todo el mundo, fue Pérez Galdós, al que tiende a colocar muy por encima de los otros autores; tras él, Pereda. Respecto a Valera, al que admira como escritor, muestra cierto desacuerdo con su manera de novelar. En una carta a Oller, fechada el 16 de diciembre de 1885, le escribía: "Aquí en confianza... le diré (y Ud. será una tumba) que del todo no me gustan más novelistas españoles que Galdós (éste ante todo), Pereda y Ud.".

---

[84] *La I. I.*, núm. 126, 1885.
[85] *N. C.*, pág. 258.
[86] *E. R.*, pág. 157. El catalán Sardá también califica a G. Sand de novelista del sentimiento.

La opinión de Leopoldo Alas frente a Pereda sufrió un notable cambio, que se refleja en la dureza, aunque no burla, con que está escrita la crítica de *El buey suelto* —aparecida en *La Unión*, el 30 de marzo y el 4 de abril de 1879, y recogida más tarde en *Solos de Clarín*— y el respeto que predomina en escritos posteriores; él mismo se dio cuenta de este cambio, ya que, en la edición de los *Solos* de 1891, añadió esta nota: "Este es el artículo que hoy escribiría el autor de otra manera mucho más suave, por respeto y admiración al insigne novelista de que se trata". El respeto de que Clarín nos habla aquí, aparecía ya, sin embargo, en el artículo que dedicó a *Don Gonzalo González de la Gonzalera*, publicado en *La Unión* dos días antes que el de *El buey suelto*. Su admiración por Pereda no es en ningún momento un ciego entusiasmo; hasta la publicación de *Pedro Sánchez* (1883), en sus escritos sobre el autor montañés, abunda más la constatación de defectos que los elogios, situando siempre al novelista dentro de unas determinadas limitaciones; además las referencias a su pensamiento ideológico son francamente duras. Ejemplo típico de todo esto es la crítica a *De tal palo tal astilla* [87]. Clarín comentó todas las novelas largas de Pereda, siendo *Pedro Sánchez* y, en especial, *Sotileza* las que recibieron mayores alabanzas, en escritos de notable interés crítico. En sus comentarios a obras posteriores, Alas no se deja dominar por su admiración hacia el autor y sigue con su imparcial valoración; de *La Montálvez* afirmó "o no debió ser como fue, o debió ser escrita en muchas más páginas", y de *Nubes de estío*, "sería la novela de menos mérito de cuantas escribió Pereda, si no anduviese en letras de molde *El buey suelto*" [88]. De todos los escritos dedicados por Clarín a la obra de Pereda, posiblemente el de menor interés sea el comentario a *Peñas arriba*, aparecido en *El Imparcial* el 18 de febrero de 1895, formado por una serie de entusiásticas alabanzas, carentes de valor crítico; Alas confiesa que lo escribe con gran rapidez para que pueda alcanzar el correo y nos promete un estudio más largo de la obra; una semana después, el día 25, señalaba, en una "revista mínima" de *La Publicidad*, el mérito de

---

[87] *S.*, págs. 337 y ss.
[88] *M.*, pág. 131; *E. R.*, pág. 81, respectivamente.

Peñas arriba, "sin necesidad de estar conforme con las ideas sociológicas que el autor sostiene". Los artículos sobre Pereda, más la
quinta parte del estudio *Del estilo en la novela,* brillante análisis
del lenguaje del novelista santanderino, siguen ocupando un lugar
destacado dentro de su no muy afortunada bibliografía que cuenta,
sin embargo, con una obra modélica: *Pereda o la novela idilio*
de J. F. Montesinos.

La valoración de Alarcón es constante en todos los artículos y
referencias que le dedica. Por un lado, rechazo violento de su ideología, a la que califica varias veces de reaccionaria, vulgar y antipática, y acusaciones de falta de cultura y sentido autocrítico, de
estilo que bordea unas veces y otras cae en lo adocenado, y de
tendencia a la narración inverosímil [89]. Por otro lado, indica que
posee "lo que falta a casi todos los que escriben ahora aquí novelas: el arte de saber inventar argumentos interesantes, de hacer
hablar a las pasiones su lenguaje propio y de encontrar las miste-
riosas perspectivas del interés" [90]. De su producción destaca, muy
por encima del resto, *El sombrero de tres picos,* y, tras él, los relatos de viajes y *El diario de un testigo de la guerra de África.* En
la crítica de *Tormento* le denomina "un gran ingenio que no estudia nada", y, en la "revista literaria" del 5 de octubre de 1891, lo
considera a mucha mayor altura que el Padre Coloma y afirma que
era "un artista seguro, una imaginación riquísima" [91].

Don Juan Valera es siempre uno de los autores por quienes
muestra mayor simpatía y admiración, sin llegar a una aceptación
incondicional de su obra novelística. Unas frases de un artículo,
aparecido el 1 de abril de 1883, en la revista barcelonesa *Arte y
Letras,* resumen su valoración general de la novela de Valera:
"quizá su manera de entender y cultivar el género no es la más
propia de las aspiraciones actuales, pero de todas suertes sus libros de imaginación son excelentes". En esta misma publicación,
y dentro del largo estudio titulado *Del estilo en la novela,* hace un
admirable examen de las limitaciones que presenta la obra narrativa de Valera; la primera de ellas proviene precisamente de lo

---

[89] *N. C.,* pág. 85.
[90] *N. C.,* pág. 86.
[91] *S. P.,* pág. 65; *E. R.,* pág. 326, respectivamente.

más notable en él, el estilo: Valera, siendo el mejor prosista español, carece de un estilo adecuado a la novela que exigen los tiempos; otra limitación, de gran importancia, es la falta total de impersonalidad narrativa, "mis novelas son yo, mi capricho, mi fantasía —piensa Valera, según Clarín—; no aspiro a dar el espectáculo de la vida exterior, que no estudio sino hasta donde me interesa; os doy el espectáculo de mi alma, por medio de imágenes bellas, en parte realidad, en parte fantasía; y lo que vale más que todo, os doy todo eso envuelto en un ropaje digno de reyes". Clarín relaciona esta concepción de la novela con la idea del arte como juego, que defiende Valera. Para Alas el autor de *Pepita Jiménez* cultiva un tipo de narrativa que no está de acuerdo con el tiempo histórico, de ahí que, tras ser considerado como el mejor novelista español, ha ido perdiendo el favor del gusto general que "pide algo más de lo que Valera puede darnos". Nuestro crítico, como todo lector de la obra de don Juan, muestra particular predilección por *Pepita Jiménez,* de la cual afirma, en la crítica a *Morsamor,* publicada el 7 de agosto de 1899 en *El Imparcial:* tiene "un algo que *tiene* ella sola en la literatura española y a eso no llega el Valera de hoy, como no llega nadie". Al referirse a otras obras se queja, a menudo, de que crítica y público no les concedan la importancia que merecen.

En 1913 la editorial Renacimiento, al iniciar la publicación de unas *Obras completas* de Leopoldo Alas, formó un volumen de 363 páginas con artículos dedicados a Pérez Galdós [92]. La extensión de este libro muestra de forma indiscutible la importancia que concedió al creador de nuestra novela moderna; a estos artículos hay que añadir varios no recogidos, así como las numerosas referencias a Galdós que se encuentran en otros trabajos, algunas de ellas de notable extensión, por ejemplo las que aparecen en *Del estilo en la novela* y *El libre examen y nuestra literatura presente.* Desde sus primeros escritos, presenta a Pérez Galdós no sólo como la primera figura de nuestra novela, sino de la literatura española

[92] Este primer volumen de las *Obras completas* de L. Alas muestra, en el descenso de calidad de los artículos pertenecientes a los últimos años de vida de Clarín, una característica general a toda su producción literaria.

coetánea; será el escritor a quien se adherirá con más entusiástica
fidelidad: Galdós se convierte en el maestro que abre y allana los
caminos por donde han de seguir los otros narradores [93]. Algunas
de las críticas a sus obras —los artículos sobre *La desheredada,*
sobre *Realidad,* el mismo folleto dedicado a su personalidad literaria— se encuentran entre los mejores escritos salidos de la pluma
de Clarín. La primera nota destacable que encontramos en sus
comentarios a obras de Pérez Galdós, es la total identidad de gustos
y de tendencias literarias seguidas por ellos. El novelista parece
convertirse en el módulo del crítico, así los cambios y transformaciones que se producen en la narrativa de Galdós tendrán siempre
un paralelo en la crítica de Alas; los artículos sobre obras del novelista canario marcan precisamente los cambios de la actitud de
Alas frente a la novela: la crítica a *La desheredada* representa el
paso de la defensa de la novela tendenciosa a la de la novela naturalista, y las dedicadas a *Realidad,* el apartamiento, en ciertos
aspectos, de esa corriente para aceptar unas nuevas búsquedas en el
campo del relato. Si la actitud personal de Clarín ante esta etapa
de la novela queda algo indecisa, sus comentarios a las obras de
Pérez Galdós, pertenecientes a ella, son, sin embargo, claros y de
una gran precisión caracterizadora: "Galdós —escribe refiriéndose
a *Realidad*— trata hoy asuntos de psicología principalmente, novela de carácter, y dentro del carácter, novela principalmente *ética*; y
también por propio impulso, sigue la regla general señalada atrás;
es decir, escoge, no tipos medios, sino personajes de excepción, superiores a su modo" [94]. El examen de los comentarios de Clarín a
la producción de Pérez Galdós nos llevaría a escribir otro libro,
tal vez inútil, puesto que son de tal claridad que no necesitan de
ninguna clase de exégesis. En la última parte del ensayo *Del estilo
en la novela,* presenta a Pérez Galdós como intérprete del genio

---

[93] "Galdós no entiende que el novelista deba ser *tendencioso,* pero sí
que debe estudiar determinadas relaciones de la vida, sin el propósito de
concluir tal o cual afirmación, sino penetrando con observación directa en
la realidad de las cosas y no más. Así es como tiene que producir hoy,
dígase lo que se quiera, el novelista que quiera colocarse en la corriente
del tiempo" (*A. L.,* 1-IV-1883).
[94] *E. R.,* pág. 288.

nacional; sus palabras parecen ser réplica a lo escrito por Menéndez Pelayo al final de *Los heterodoxos españoles*: "es puramente nacional —afirma— su carácter de novelista, y con tal arraigo está en él lo castizo, que ha tenido el gran mérito de acoger teorías y prácticas del arte, según es ya en otros países, y, sin embargo, nada hay en sus novelas que huela a extranjerismo. Así, por ejemplo, Galdós ha querido defender la conciencia libre, la religión natural, y no ha necesitado imitar a escritores extraños, ni en ideas, ni en estilo, ni en procedimientos artísticos; ha sabido hacer español este asunto, implantar el problema religioso en España con toda naturalidad, sin falsificar el medio social, a pesar de los tradicionales obstáculos que a ello se oponían".

Martínez Cachero ha comentado, en *Clarín crítico de su amigo Palacio Valdés*, los artículos de Alas sobre obras de este último, basándose en los escritos recogidos en volumen y en el breve comentario a *La hermana San Sulpicio*, aparecido en el *Madrid Cómico*, el 11 de mayo de 1889. Unido a Palacio Valdés por una íntima amistad, que arrancaba de su infancia, Leopoldo no se dejó dominar por ella; en sus críticas, entre ciertos elogios, encontramos, a menudo, la enumeración de defectos, particularmente en el lenguaje y la composición, al lado de la defensa frente a ataques de otros críticos. Muestra ya de esta actitud ambivalente son los dos artículos de febrero de 1878 que dedicó, en las páginas de *El Solfeo*, a *Los oradores del Ateneo*; ataca allí sus opiniones políticas, las cuales le llevan a transigir con la restauración canovista; termina diciendo que "lo mucho bueno que pienso de *Los oradores del Ateneo*, ya se lo diré al autor donde nadie nos oiga". Los escritos de sus últimos años dedicados a obras de Palacio —la crítica de *La alegría del capitán Ribot*, aparecida en *El Imparcial* el 9 de abril de 1899, por ejemplo—, son de carácter laudatorio, con constantes referencias a la poca atención que la crítica nacional le presta y al éxito que sus obras obtienen en el extranjero [95]. Por lo

---

[95] El éxito de sus traducciones intentaba justificarlo el 17 de enero de 1891, en una "revista mínima" de *La Publicidad*: "la prosa de Palacio —escribe— es sencilla, familiar; y sin caer jamás en *la jerga* periodística, política, etc., etc. Pero no es esta la principal causa de que Palacio se vea *transportado* al ruso, al inglés, al holandés, etc., etc. La causa más pode-

general, en los artículos sobre Palacio Valdés, especialmente en los
publicados antes del último decenio de siglo, Clarín toma cierto
aire de maestro aconsejando a un discípulo.

Emilia Pardo Bazán es, después de Pérez Galdós, el novelista
español al que dedicó mayor número de comentarios; el examen
de ellos ofrece cierta dificultad, por el cambio, hacia 1890, de su
actitud personal ante la obra de la escritora gallega, lo cual haría
escribir a ésta con motivo de la muerte de Clarín: "¿Quién nos
desgarrará como aquel perro? Mire usted que yo pasé cinco o seis
años de mi vida sin que un solo instante dejasen de sonar en mis
oídos los ladridos furiosos del can" [96]. Algunos críticos indican
como origen de este cambio la reacción de Alas a las presiones de
Lázaro Galdiano, director de la revista *La España Moderna*, para
que dedicase una "revista literaria" a *Morriña* e *Insolación*; pero
los verdaderos motivos me parecen más confusos y complicados.
El 18 de enero de 1890, cuatro meses antes de la carta de Lázaro
en que éste le pedía que escribiese sobre aquellas obras, encontramos, en un "palique" de *Madrid Cómico*, unas afirmaciones que
parecen anunciar el tono de sus posteriores artículos sobre la Pardo
Bazán: "pienso decir en adelante y va para largo, si Dios nos da
vida y salud, todo lo que opino de Doña Emilia, sin ocultar las
censuras que me parezcan del caso". Las críticas a la escritora
habían sido, aun reconociendo ciertos defectos, predominantemente
elogiosas; el artículo, que dedicó a *Un viaje de novios*, empezaba
diciendo: "he admitido a la escritora gallega en el corto número
de autores buenos que tengo para mi especial recreo" [97]. Entre sus
primeras novelas destaca a ésta por su originalidad y frescura, pero
señala, en *La Tribuna* y *El cisne de Vilamorta*, un progreso conti-
nuado en el estilo y la técnica; en la crítica a esta última termina

---

rosa consiste en los asuntos que trata y en el modo de tratarlos. Habla a
los extraños de la vida española con una claridad y una fuerza plástica
que otros autores buenos no se creen en el caso de emplear, por temor de
ser vulgares, de repetir lo que de sobra sabemos todos".

[96] Carta a E. Ferrari del 26 de agosto de 1901; citado por M. Gómez
Santos (*Leopoldo Alas "Clarín"*, pág. 103), quien dedica un comentario a
las relaciones entre Alas y la Pardo Bazán.

[97] *L. 1881*, pág. 181.

profetizando que la autora llegaría a crear una obra maestra [98].
Clarín no se equivocó en su profecía, y en 1886 aparecía esa obra
maestra, *Los pazos de Ulloa*: así lo reconoce él mismo —"ha
llegado el momento de felicitar de todas veras a la ilustre escritora"— en los artículos publicados en *La Ilustración Ibérica*, el 29
de enero y el 25 de febrero de 1886, más elogiosos y de mayor
calidad que el recogido en *Nueva campaña*. El 11 de mayo de
1889, dedica un "palique" de *Madrid Cómico* a *Insolación*, a la
que califica de "*boutade* pseudoerótica de la ilustre dama" y la
considera la obra de menos valor de su autora, pero reconoce que
esta valoración pueda ser debida a un gusto personal. Hay en este
artículo un intento de caracterizar a la escritora gallega: no es para
mí, escribe, "uno de los escritores más profundos, ni de más corazón, ni más sinceros de España; ni tampoco de los artistas de más
inventiva, fecundidad y gracia, pero sí de los más valientes, instrui-
dos, discretos, elegantes en el decir y *modernos* en el pensar... en
algunos casos". Ideas insinuadas aquí reaparecen en los dos "paliques" que tratan de *Morriña* [99] y, luego, se convierten en el núcleo de la crítica a Pardo Bazán que forma la segunda parte del
folleto *Museum*; la novelista, es la principal acusación de Clarín,
no sabe descubrir la poesía que contiene la realidad, es una escritora "prosaica". En este folleto la valoración que hace de la obra
de doña Emilia, contrasta con lo que se desprendía de sus artículos anteriores, pues considera a *Un viaje de novios* como superior
a *Los pazos de Ulloa*; *Insolación*, escribe, no tiene rival en cuanto
al "*savoir faire*", "pero no hay en todo el libro nada que nos hable
del alma de un verdadero artista". A partir de este momento, y
durante unos años, aprovecha la menor ocasión para atacar a la
autora gallega y burlarse de sus gazapos lingüísticos; un ejemplo
típico de esta actitud es la crítica a *Nubes de estío* de Pereda [100].
Alguna vez llega incluso a pasar los límites de lo admisible, así el
27 de agosto de 1890, poco después de escribir el folleto *Museum*,
encontramos, en *La Publicidad*, una referencia a la escritora de
tal dureza que resulta casi inexplicable: "Fabié —afirma— quiere

[98] *N. C.,* pág. 158.
[99] *M. C.,* 9 y 23-XI-1889.
[100] *E. R.,* págs. 81 y ss.

el sillón académico de Rubí. Y se lo disputa Doña Emilia Pardo Bazán. La lucha del histerismo y el cretinismo" [101]. Estas burlas y ataques se encuentran dentro de la aceptación de la Pardo Bazán como una de las primeras figuras de nuestra literatura. En artículos posteriores esta idea será de nuevo la que predomine; así, en la crítica a *La piedra angular,* publicada en *El Imparcial* el 29 de febrero de 1892, afirma que el talento de la escritora gallega es "parte muy considerable del escaso ingenio que constituye el caudal mesurado de nuestras letras presentes [102].

Conozco dos artículos de Alas dedicados a J. Ortega Munilla [103], en ambos destaca el estilo del novelista, le da consejos y le augura un brillante porvenir; en uno de ellos, la crítica de *El tren directo,* le decía: "estudie aún más que los modelos la vida; saque de sus entrañas los argumentos; luche en el arte por alguna idea, como debe luchar el artista con lo bello, y llegará de fijo a ocupar, en esta restauración bendita de la novela española, el lugar a que le llaman voces proféticas de la opinión". Años después, al comentar *El idilio de un enfermo* de Palacio Valdés, le advierte que debería tomar en serio la profesión, "estudiar mucho más, imitar mucho menos y no escribir a destajo" [104]. Las referencias a J. O. Picón son mínimas y de escaso interés; en la crítica a *Le naturalisme en Espagne* de A. Savine, dice que se muestra conforme con lo que este escritor afirmaba de Picón. Respecto al Padre Coloma,

---

[101] Más ofensiva, bordeando el libelo, es la "sátura" *A Gorgibus* (*P.,* páginas 151 y ss.), donde alude a la escritora en el personaje Cathos; al final de este artículo, la califica, con innegable gracia, de "rostro de esfinge, injerto en canónigo".

[102] Esta valoración no es general sino tan sólo predominante, pues, en algún caso, encontramos de nuevo duros ataques; así el 5 de junio de 1897, escribe en *Madrid Cómico,* con motivo de la publicación de *El tesoro de Gastón*: "Doña Emilia escribía, *illo tempore,* novelas realistas, muy aceptables algunas, después cuentos, entre los que hay algunos excelentes, pero ahora está dejada de la mano de Dios; y queriendo seguir la moda hace unos mamarrachos que tienen que parecérselo a ella misma". En este caso hay que reconocer que tal vez Clarín tuviese algo de razón, pues es innegable la superioridad de sus primeras novelas sobre las restantes.

[103] *El tren directo, La I. E. A.,* 8-VI-1880, recogido en *S.,* págs. 306 y ss.; *Sor Lucila, La I. E. A.,* 22-IX-1880.

[104] *S. P.,* pág. 237.

reaccionó contra el éxito de *Pequeñeces,* pero reconoció en el autor ciertas dotes de novelista y que algunos de los ataques al escritor jesuita eran injustos [105]; en *Ensayos y Revistas,* declara que "el Padre Coloma es un observador de talento, que ya veremos si acaba por ser artista, a pesar de los límites actuales de su imaginación" [106]. En 1899, en un artículo de *La Publicidad,* reconocía que en "veinte años sólo un libro se ha leído y comentado un poco, una novela muy mediana, *de clave,* de malicia, de un jesuita, el Padre Coloma".

En contraste con lo que ocurre con sus escritos sobre teatro o poesía, son muy escasos los ataques burlescos a novelistas mediocre o malos. La obra narrativa que salió peor librada de las manos de Clarín fue *Guerra sin cuartel* de don Ceferino Suárez Bravo. Contra ella escribió varios artículos divertidísimos; uno fue publicado en *Madrid Cómico,* el año 1885, dos en *La Ilustración Ibérica,* el mismo año, otro se halla recogido en *Nueva campaña;* sus ataques se dirigen a la ínfima calidad de la novela, las ideas reaccionarias del autor y a la Real Academia que le había concedido un premio. Por lo general cuando se refiere a una mala novela, no aparecen sus burlas habituales, ejemplo de ello es el artículo dedicado a *Un amor del infierno* de A. Perera [107] y las referencias al novelista Alfonso. En un trabajo, publicado póstumo en las páginas de *Pluma y Lápiz* [108], atacaba a la novela de Felipe Trigo, *Los ingenuos,* pero se refería más al prólogo que a la misma obra; afirmaba allí que el autor, por su galofilia, debiera llamarse Blé. En esta misma revista, publicó, el 24 de febrero de 1901, un examen del panorama de la literatura española de aquel momento; en la novela sólo destacaba a Pérez Galdós y a un joven escritor, Blasco Ibáñez, del que decía "tiene condiciones de novelista digno de ser leído".

Las referencias a la novela española de los siglos XVI y XVII son, excepto las dedicadas al *Quijote* y, en un segundo lugar, al *Buscón,* casi nulas. En *La literatura en 1881,* afirmaba de nuestra

---

[105] *P., pág.* XXIV.
[106] *E. R.,* pág. 326.
[107] *El S.,* 30-V-1878.
[108] *P. L.,* 7-VII-1901.

novela que "florecía tanto en algún tiempo, que con su frondosi-
dad se cubría todo el Parnaso" [109]; sin embargo, en *Ensayos y
Revistas*, parece rectificar en parte esta opinión, pues nos dice:
"nuestra novela realista de otros siglos valió mucho, en efecto;
pero valió mucho menos que nuestro teatro, y que algo de nuestra
lírica, y que la prosa de nuestros místicos" [110].

5. EL NATURALISMO

Uno de los problemas más importantes que presenta el estudio
de este movimiento literario es su delimitación respecto a la novela realista del xix. Algunos críticos tienden a identificarlos, con
lo cual aumentan el confusionismo que rodea a esta corriente literaria. Así Hauser, en su *Historia social del arte y la literatura*,
afirma que la distinción entre un naturalismo y un realismo en el
arte no hace más que complicar la cuestión y colocarnos ante un
falso problema; de ahí que considere como escritores naturalistas
a Champfleury, Duranty, los Goncourt y Flaubert [111]. Me parece
que lo correcto es ver a estos escritores como parte de una corriente realista, cuyo punto culminante es el naturalismo. El mismo
Zola situó a Balzac como padre del naturalismo; "mais il suffit
—escribe en *Les romanciers naturalistes*— [112] qu'il soit notre véri-
table père, qu'il ait le premier affirmé l'action décisive du milieu
sur le personnage, qu'il ait porté dans le roman les méthodes d'ob-
servation et d'expérimentation". Más cercanos todavía se encuentran Flaubert y los Goncourt; el primero hace desaparecer de la
novela todo lo que pueda parecer extraordinario o fantástico, basa
sus obras en una detenida documentación y narra a partir de una
impersonalidad total; los Goncourt llevan más lejos esta preocupación por la documentación y transforman en materia literaria el
mundo social de las clases bajas. Todas las notas mencionadas en
estos autores serán características de la novela naturalista, de ahí

[109] *L. 1881*, pág. 180.
[110] *E. R.*, pág. 156.
[111] Vol. III, pág. 1.052.
[112] Pág. 73.

que sea posible convertirlos, forzando el significado del término, en naturalistas.

Otro problema del naturalismo está relacionado con la actitud política que toman sus representantes; Zola grita "La République sera naturaliste ou elle ne sera pas", y Gustave Planche, en las páginas de la *Revue des Deux Mondes*, afirma que la oposición al naturalismo es una confesión de fe en el orden existente y que al rechazarlo se rechazan también el materialismo y la democracia [113]. Ya antes de nacer, el naturalismo tenía en contra a las clases dominantes; pues la ideología conservadora sabe que, en una época de opresión, un arte que retrate la realidad imparcialmente y sin esconder sus aristas más desagradables, aunque el autor no intervenga ni comente, se transforma en arma revolucionaria. Contra el naturalismo se levantarán, por lo tanto, voces guiadas no sólo por motivos estéticos, sino también políticos. En nuestro país, el naturalismo, que aparece como expresión literaria de una oposición, debe enfrentarse a los grupos conservadores y también a algunos progresistas y liberales, influidos por corrientes ideológicas idealistas; tal es el caso de González Serrano. F. Rosselli señala, en su estudio *Una polemica letteraria in Spagna*: il *Romanzo Naturalista*, que la tentativa de una novela experimental es combatida "in nome di princìpi estetici o, meglio ancora, etico-letterari, e non in funzione di una ideologia politica" [114].

El naturalismo representa el intento de creación de una novela científica; el escritor realista obtiene la materia de sus obras a través de la "observación", el naturalista necesita además la "experimentación". Zola titula el libro, que será la base teórica de la ortodoxia naturalista, *Le roman expérimental*. Como fecha de nacimiento de este movimiento literario podría señalarse el año 1868 en que Zola publicó la segunda edición de *Thérèse Raquin*, precedida de un prólogo, donde explicaba su concepto de la novela científica. La exposición más estructurada y detallada de su teoría novelística la hace, en 1880, en el citado libro *Le roman expérimental*, cuando ya habían aparecido varios volúmenes de los *Rou-*

---

[113] Citados por Hauser, *Historia social del arte y la literatura*, vol. III, página 1.056.
[114] Pág. 5.

gon-Macquart. El crítico francés P. Martino señala [115] que Zola había fijado su doctrina un poco antes de 1870, al mismo tiempo que preparaba el plan de los *Rougon-Macquart.*

El naturalismo surge de la confluencia de una corriente literaria —el realismo— y otra filosófica —el positivismo—. Así lo indicará Clarín al afirmar que "corresponde a tendencias análogas en la ciencia y en el sentido general de la vida" [116]; aunque en otros escritos niega la exclusiva dependencia del positivismo. Se enfrentaba, por lo tanto, al idealismo en el doble plano literario y filosófico. Detrás de él se hallaban: el lenguaje de Balzac y Stendhal; la "comedia humana" del primero de estos escritores; los personajes del segundo, desnudos de retórica y convencionalismos literarios; la impasibilidad narrativa y el gusto por la información minuciosa de Flaubert; la atracción por los cuadros y los personajes populares de Champfleury; el método de trabajo, basado en el documento, de los Goncourt; el positivismo filosófico de Comte y el científico de Berthelot; el determinismo crítico de Taine; y la fisiología experimental de Claude Bernard. El mismo Zola afirmaba en *Le roman expérimental*: "Je n'aurai à faire ici qu'un travail d'adaptation, car la méthode expérimentale a été établie avec une force et une clarté merveilleuses par Claude Bernard". El naturalismo aparecía así como la intervención de la ciencia en el campo de la creación literaria.

Gifford Davis señala, en el artículo *The Critical Reception of Naturalism in Spain before "La cuestión palpitante"*, que la primera referencia española al naturalismo es de 1876; desde ese año hasta 1882 ha encontrado otras cuarenta y nueve en diversos periódicos y revistas de la época. La penetración del naturalismo en España coincide con la polémica entre el realismo y el idealismo, y para muchos escritores se presentará como la posición extremista y demagógica del realismo. La mayoría de los críticos tienden a menospreciar la influencia de este movimiento literario en España, por acercarse a él con una actitud equivocada, pues, por lo general, van a buscar lo que separa a nuestros novelistas de los naturalistas

---

[115] *Le Naturalisme français,* pág. 34.
[116] *M. pp.,* pág. 62.

franceses, cuando lo que importa es saber en qué coinciden con éstos o en qué se distinguen de los escritores españoles no influidos por el naturalismo. El decenio de oro de nuestra novela (1880-1890) sólo puede explicarse teniendo en cuenta el ejemplo del naturalismo francés; su papel es decisivo en la desaparición de la novela de tesis o, como la llama Leopoldo Alas, "tendenciosa". En nuestros novelistas naturalistas —Galdós, Oller, Pardo Bazán y Clarín— no hay una aceptación programática del determinismo científico, uno de los principios naturalistas, pero en ciertas novelas tiene un papel capital, tal es el caso de *La desheredada, Lo prohibido, La Regenta*; en *La bogeria* de Narcís Oller, llegará a convertirse, transformado en tema literario, en el núcleo alrededor del cual se construirá todo el relato. En cuanto a la impersonalidad o impasibilidad narrativa, hay en nuestros escritores una natural dificultad para conseguirla, muestra ejemplar de ello son los relatos de L. Alas con la presencia del humorismo; Gómez Baquero afirmaría, a principios de siglo, que Blasco Ibáñez, con *Cañas y barro*, era el primer español que se había atrevido a seguir hasta sus últimas consecuencias el principio naturalista de la impersonalidad del autor. Unas bases para el estudio del movimiento naturalista español las tenemos en el libro de Rosselli y el artículo de G. Davis. Este último indica que, en conjunto, los defensores de la nueva escuela muestran mayor conocimiento de la teoría naturalista que los enemigos; de todos ellos, Clarín es quien aparece mejor informado y el más dinámico y original. El crítico americano examina los artículos que el escritor asturiano dedicó a *La desheredada* y a *Los buenos y los sabios* de Campoamor, y una reseña de su intervención en un debate del Ateneo madrileño, publicada en el periódico *El Progreso*. El uruguayo Rodó afirmó que, dentro de la crítica, los artículos sobre *La desheredada* tenían la misma significación, como iniciación de nuevos rumbos, que la obra de Pérez Galdós, dentro de la novela [117]. G. Davis escribe que, en ese estudio, el principal propósito de Clarín es destacar los rasgos naturalistas de Galdós que no se encuentran en sus obras anteriores: sencillez de acción, aparición de las clases bajas madrileñas,

---

[117] *El que vendrá*, pág. 41.

valentía al reflejar la miseria y crueldad de este medio social, la auto-revelación de los caracteres sin intervención del autor, la abolición de una artificial división en principio, crisis y fin, y la heroína no como tipo sino como mujer de carne y hueso.

Para sus coetáneos, Clarín fue el máximo representante español del naturalismo, tanto en la crítica como en la novela; González Serrano consideró "la obsesión que Clarín padece de Zola y el naturalismo" como un lastre que arrastraban sus artículos críticos [118]. Los críticos posteriores tienden a negar el carácter naturalista de *La Regenta* y a presentar a sus artículos como adictos, primero, a ese movimiento y, después, contrarios a él. De todos los estudios dedicados al naturalismo de Leopoldo Alas, las consideraciones más ponderadas y certeras están contenidas en el trabajo de Clocchiatti, *Clarín y sus ideas sobre la novela* [119]; importante, aunque no muy acertado, es el del norteamericano W. E. Bull, *The Naturalistic Theories of Leopoldo Alas*, que cae en el error, señalado anteriormente, de examinar sólo uno de los aspectos del tema: las notas que le apartan del naturalismo francés; tampoco tiene en cuenta el proceso seguido por el naturalismo en Europa y la misma España. Otros errores de Bull son: el fechar a los artículos según el año de publicación del volumen en que fueron recogidos y la apreciación que hace de *La Regenta*. Niega, en esta novela, la influencia del determinismo en la creación de la figura de la protagonista, que considera como representación típica de una actitud de "free will" totalmente opuesta al naturalismo; cuando lo cierto es que Ana Ozores está regida por el determinismo fisiológico —insatisfacción sexual— y del ambiente en que ha vivido; incluso los caracteres hereditarios tienen en ella una gran importancia. Si P. Martino, en su obra sobre el naturalismo francés, escoge como sus fechas límites 1870-1895, tiene escaso valor el que Bull señale artículos, que él cree de 1901 y son en realidad de 1896, como prueba de la independencia de Alas frente al naturalismo francés. A Clarín, y con él a todo el naturalismo español, hay que verlo no como un mero eco de Zola, sino como un recreador de la teoría de este movimiento, que intenta adaptar a la so-

---

[118] *La crítica en España*, recogido en *Estudios críticos*, pág. 128.
[119] **Págs.** 69 y ss.

ciedad y a la tradición literaria españolas; pero que, en su caso, desarrolla y supera la doctrina de Zola en algunos aspectos [120].

La reacción de Clarín a los cambios producidos por distintas corrientes literarias, dentro de la novela, es la adaptación personal de las variaciones que introduce cada uno de ellas. Novela de tesis, naturalismo, "psicologismo" e "idealismo" aparecen relacionados, de una manera más o menos clara, con su idea de la novela; los cuatro conceptos son aceptados y defendidos por él. Este cambio de su estética personal, según va evolucionando la general, proviene de su convencimiento de la temporalidad del arte, vinculado íntimamente a la sociedad que lo produce; las grandes obras maestras son precisamente las que han sido más de "su tiempo". La concepción del arte dándose en un momento determinado, según unas ideas dominantes en ese momento, es lo que le hace ver una evolución, que representa —la historia no va hacia atrás— un continuo progreso; en el comentario a *La desheredada* afirmaba: "cada tiempo necesita una manera propia, suya, exclusiva, de literatura" [121] y, añadía, "hay progreso cuando a una época las formas de escribir que usa le vienen estrechas, no le bastan, no expresan todo el fondo de su vida". De todos los movimientos literarios el que comprendió mejor, tal vez porque lo sintió más íntimamente, fue el naturalismo. La idea de que la literatura ha de arrancar su materia de la vida, procurando acercarse lo más posible a ella, es lo que le hace aceptar este movimiento literario; y aunque, en algunos momentos, parece considerarlo superado, siempre será el que se halle más próximo a su gusto personal. Según Clarín, el naturalismo tenía hondas raíces en la literatura española —Cervantes, la picaresca, Tirso...—, por eso hace en *Sermón perdido*, una graciosísima defensa contra los que le echan en cara el origen francés [122]. Ya, en *La literatura en 1881*, había

---

[120] Ejemplo de esto último lo tenemos en su artículo *La lírica y el naturalismo* (*L. 1881*, págs. 145 y ss.).

[121] *L. 1881*, pág. 132.

[122] "Así como los franceses no están todavía preparados para las corridas de toros, los españoles no estamos preparados para el 'grosero naturalismo' y si algo de esto se ha visto ya hace siglos en nuestra tierra ha sido, como dice un crítico, en obras picarescas, de pura broma, como *Don Quijote de la Mancha, El Buscón, La Celestina, Amar por señas*, etc.; pero

señalado que en la Edad Media y la Antigüedad hay mucho de lo que defiende el naturalismo, "pero sin formar cuerpo de doctrina, ni ser aspiración consciente de los hombres de Letras, ni mucho menos una tendencia general" [123].

A parte de dos largos escritos dedicados exclusivamente al naturalismo, el prólogo a *La cuestión palpitante* de Emilia Pardo Bazán y el estudio *Del naturalismo,* aparecen referencias a este movimiento en numerosos artículos, la mayoría de ellos dedicados a la novela. Hay que tener en cuenta también que, en algunos escritos, su "personal" naturalismo es base teórica, no mencionada, de los comentarios que hace; en la crítica a *Lo prohibido,* recogida en *Nueva campaña,* declara: "vengo yo hace tiempo procurando escribir de las novelas que aparecen, sin hablar de naturalismo ni de idealismo; pero... tropiezo a lo mejor con las palabrejas dichosas, y no puedo pasar adelante si no digo algo de lo que quisiera tener callado. Y al fin, de los nombres, con algún esfuerzo, puede prescindirse, toda vez que no son muy exactos; pero de las ideas correspondientes, es imposible" [124]. Prueba de este escribir con las ideas sin utilizar la palabra es el estudio *Del estilo en la novela,* todo él escrito desde su concepto de novela naturalista, pero sin mencionarlo. En junio de 1882, firma el prólogo a *La cuestión palpitante,* libro que no aparece hasta el año siguiente; este texto ha sido seleccionado por G. J. Becker para sus *Documents of Modern Literary Realism,* donde lo califica de "unusually clear and basically uncontroversial view of the gaols of the movement". Alas dedica la primera parte del prólogo a poner de manifiesto la incomprensión del naturalismo por parte de sus enemigos españoles, e incluso por muchos de sus defensores; a continuación, nos dice lo que no es el naturalismo, que resulta una forma de negar los límites exclusivistas a que lo condenaban sus contrarios: "No es la imitación de lo que repugna a los sentidos...

---

no ni nunca (estilo parlamentario), en obras serias, como por ejemplo el *Informe sobre la ley Agraria, La Novísima Recopilación* y... el Acueducto de Segovia, que nada tienen de naturalistas, sobre todo el acueducto". (*S. P.,* página 55).

[123] *L. 1881,* pág. 150.
[124] *N. C.,* págs. 112-113.

porque no copia ni puede copiar la sensación que es donde está la repugnancia"; "no es la repetición de descripciones de imágenes de cosas feas y miserables", pues, aunque todo cuanto existe puede entrar en él, no entra nada por el mérito de la fealdad, sino por el valor de su existencia; "no es solidario del positivismo, ni se limita en sus procedimientos a la observación y experimentación"; no es el pesimismo, porque en su perfecta imitación de la realidad se abstiene de dar lecciones, por eso "encierra enseñanzas pero no pone cátedra; quien de un buen libro naturalista deduzca el pesimismo, lleva el pesimismo en sí, la misma conclusión sacará de la experiencia de la vida"; "no es un conjunto de recetas para escribir novelas, aunque niega el mito de la inspiración"; "no es una doctrina exclusivista, cerrada... no niega las demás doctrinas. Es más bien un oportunismo literario". Esta última es seguramente su declaración más original e importante.

Mayor valor tiene el largo estudio que el 1 de febrero de 1882 empezaba a publicarse en la revista madrileña *La Diana*, bajo el título *Del naturalismo*. Anterior al prólogo de *La cuestión palpitante*, hay que relacionarlo con el debate sobre esta corriente literaria que se desarrollaba en el Ateneo madrileño. Dividido en ocho partes, se publicó en siete números de la revista; en el último —16 de junio de 1882—, prometía seguir estudiando otros aspectos del tema. En la primera parte, encontramos un vago plan de lo que pudo ser un estudio general del naturalismo, el cual, señala, aunque comprende todos los asuntos de la estética, tiene su centro de acción en la literatura; en estas primeras líneas lo presenta como la manera literaria, "la más propia y la más oportuna" "en nuestro tiempo". En la siguiente, tras examinar superficialmente las relaciones entre naturalismo y los distintos géneros literarios, presenta el orden de asuntos que piensa seguir en este trabajo; los tres últimos mencionados —naturalismo y teatro, "cuya transformación en el sentido naturalista es tan difícil hoy cuanto indispensable para que el público no abandone por completo este espectáculo", naturalismo y poesía, naturalismo y literatura española— no llegaría a tratarlos. Las breves referencias a la poesía, que aparecen aquí, nos hacen pensar que habría presentado una estructuración teórica de las ideas contenidas en su artículo *La lírica y el naturalismo*.

En la tercera y cuarta partes, establece el concepto de naturalismo, según un proceso, confiesa, de eliminación y limitación; encontramos aquí, como en otras partes del estudio, la insistencia en el no exclusivismo de este movimiento literario que considera como producto de la evolución histórica: "ha nacido —afirma— por la evolución natural del arte y obedeciendo a las leyes biológicas de la cultura y la civilización en general, y en particular del arte. Es una escuela artística, y en el concreto sentido histórico de que se trata, es predominantemente literaria esa escuela. No nace ni de metafísicas ni de negaciones de metafísica, ajenas al arte, sino del histórico desenvolvimiento de la literatura, sin más filosofía que la que lleva en sus entrañas, en sí mismo". Al defender la independencia del naturalismo respecto de un sistema filosófico determinado, parece hacer de él un sistema independiente o, al menos, un camino para llegar a una concepción filosófica; así escribe: "la verdadera filosofía de cada objeto se ve en él mismo, ahondando, penetrando en lo que le es más esencial, sin recurrir a teorías generales traídas al asunto como por justa posición. Lo más esencial de las cosas (su asunto filosófico) no les viene de fuera, sino que se encuentra en su fondo y penetrando en ellas, no buscando en otro lado, es como puede encontrarse". Esto, según Clarín, es precisamente lo que hace el naturalismo. Tal posición le lleva, al principio de la cuarta parte, a enfrentarse a la concepción del naturalismo como doctrina literaria del positivismo filosófico, defendida por Zola, y también a su consideración del arte como una ciencia. A continuación hace un resumen de los puntos a que ha llegado su argumentación y presenta el fin del naturalismo: "hacer que el arte, sirva, mejor que hasta ahora, a los intereses generales de la vida, hacerle entrar seriamente, como elemento capital, en la actividad progresiva de los pueblos, para que deje ser vago soñar, y haciéndose digno de su tiempo, sirva más en el adelanto de la cultura". La quinta parte la dedica al estudio de la observación y la experimentación; aquí se muestra de acuerdo con Zola en aplicar el "método experimental" de C. Bernard; en ningún momento nos habla del determinismo científico, pero algunas de sus manifestaciones sobre la observación y la experimentación presuponen su aceptación, así cuando escribe: "no ha de intervenir la voluntad del autor para determinar la acción del carácter en tal o cual sentido, porque esto sería volver al idealismo, sino que intencionalmente ha de ir provocando circunstancias que le obliguen a moverse conforme indica la lógica de los antecedentes, como determinan los datos hallados"; anteriormente había negado, basándose en la impasibilidad narrativa, que el naturalismo fuese pesimista. En las tres últimas partes trata de la novela, que considera la forma literaria donde mejor puede aplicarse la doctrina naturalista; empieza con una exaltación del género, en la que llega a afirmar: "mientras no haya cambios que hoy no es posible prever, la novela será la forma más amplia de la literatura y el natural campo de las obras escritas de la fantasía"; su superioridad reside en que "nada hay en la realidad que no pueda ser asunto de una novela", "y es natural que ningún asunto se excluya, ni forma alguna se prohiba porque de lo que se trata es de la posible reproducción artística de toda la realidad, y, por consiguiente, de los indefinidos modos posibles de reproducir todo objeto". Al final de la séptima parte y principio de la octava se muestra disconforme con Zola por considerar éste el carácter como principal objeto de la novela, en lugar del "espectáculo completo de la vida", dado a través de la relación entre el personaje y el mundo en que vive; "es preferible —escribe— ver el estudio del hombre en la acción exterior, en la lucha con la sociedad a verlo sólo por dentro, en que se prescinde de todo lo que esté por fuera del carácter estudiado". La segunda mitad de este último artículo gira en torno a la cuestión de si el novelista necesita poseer un sistema filosófico, enfrentarse a su material desde su situación en ese sistema, o, por el contrario, debe estar guiado por la observación empírica; L. Alas reconoce no ver muy clara la solución a este problema, aunque confiesa sentirse atraído por la segunda actitud. Termina con la promesa de seguir con el examen del procedimiento adecuado a la novela naturalista, lo que él denomina "la composición". El largo estudio, seguramente el análisis de mayor altura crítica escrito en España sobre el naturalismo, supera los límites del tema y resulta una magistral iluminación de la problemática de la novela e, incluso, en algunos momentos, llega a tomar una inesperada dimensión filosófica.

El 12, 20 y 26 de enero de 1882, aparecieron, en el periódico
madrileño *El Progreso,* unas reseñas del debate sobre el naturalismo, desarrollado en el Ateneo [125]; la única intervención interesante
es la de nuestro escritor, en particular, sus referencias al determinismo y la experimentación. El primero lo compara con el movimiento de un río; tiende a buscar el centro de la tierra, pero su
dirección resulta de la oposición entre la atracción que lo mueve
y los obstáculos que se oponen a ella; este determinismo, añade,
obliga al autor a renunciar a la presentación de tipos y tratar con
caracteres humanos, rodeándolos de un mundo tan real como ellos,
para que estén influenciados como en la vida y para que el natural desarrollo de la acción pueda transcurrir, según lo que Taine
llamaba "la logique du milieu". Son poco numerosas las referencias al determinismo que encontramos en artículos posteriores; el
7 de octubre de 1890, cuando ya había aceptado nuevas tendencias
literarias, afirmaba, en *La Publicidad,* que el determinismo "no
sólo no está olvidado", "sino que aun los que pretenden ciertas
restauraciones metafísicas las intentan pactando con el determinismo natural".

Más abundantes son las referencias a la experimentación, de
la que dio, en el mencionado debate, una acertada y brillante definición: "Experimentar es poner los datos en condición de producir el resultado que les es propio en determinadas circunstancias" [126]; En la crítica de *L'argent* de Zola indicaba, hacia 1889,
que lo más fecundo de la doctrina de este autor residía en su
defensa de "la observación y la experimentación artísticas como
procedimientos del novelista" [127], pero añadía que la experimentación artística es distinta de la científica por razón de "la naturaleza del objeto"; al año siguiente, en la primera "revista literaria" dedicada a *Realidad,* tras destacar de nuevo estas aportaciones de Zola a la novela, promete, en otro artículo, estudiar la
experimentación, combatida por Guyau y Valera, "pues, yo, en

---

[125] Véase el artículo de G. Davis, *The Critical Reception of Naturalism
in Spain, before "La cuestión palpitante".*
[126] G. Davis, *op. cit.,* pág. 108.
[127] *E. R.,* pág. 62.

cierto sentido, sigo creyendo en la *experimentación artística*" [128].
En *Sermón perdido* —crítica de *Tormento*— establece una serie
de coincidencias entre la imitación del "movimiento natural de la
vida tanto individual como social", a lo que denomina "*morfolo-
gía de la novela*", con la composición y la experimentación; unos
cuatro años después confiesa que el "verdadero naturalismo"
"atañe a la composición de la acción" como imitada de la vida [129],
palabras que equivalen a una definición de la experimentación;
la cual se sitúa no en la relación entre novelista y realidad, papel
que desempeña la observación, sino en la relación entre el novelista y su obra; la experimentación reside en la ordenación literaria de los datos obtenidos en la observación del mundo real; en
el segundo "palique" dedicado a *La prueba* de Emilia Pardo Bazán, afirma que la "experimentación artística es, en conjunto y en
cierto respecto, la misma composición; la observación se convierte
en experiencia cuando está preparada para un propósito adecuado
al medio artístico" [130]. Este concepto de "experimentación" lo encontramos ya en sus primeras referencias al movimiento naturalista, y no presenta variaciones a lo largo de sus escritos; en la quinta parte del citado estudio *Del naturalismo,* dedicada precisamente
a examinar el "método experimental", la presenta como "la obra
del artista, que coloca en la disposición conveniente los datos recogidos" [131]. Del conjunto de referencias a este tema podemos concluir que la experimentación es para Clarín el aspecto primordial
del naturalismo, de ahí que lo llame alguna vez "escuela de la
experimentación sociológica" [132].

También menciona en varios de sus artículos el otro principio
naturalista: la impersonalidad del narrador [133], la cual no debe
confundirse, nos advierte, con la neutralidad; error en que cae

[128] *E. R.,* pág. 292.
[129] *S. P.,* págs. 58-9; *E. R.,* pág. 67, respectivamente.
[130] *M. C.,* 27-IX-1890.
[131] *La D.,* 1-IV-1882. En este mismo artículo, señala que el término experimentación es un "neologismo necesario".
[132] *E. R.,* pág. 280. No hay que olvidar que la experimentación exige, en
ciertos aspectos, el determinismo.
[133] Necesaria al novelista, pero que no puede exigirse al poeta lírico naturalista, afirmará en *La lírica y el naturalismo* (*L. 1881,* pág. 153).

la Pardo Bazán [134], pero del que se salva Zola, "sin necesidad de
faltar al dogma naturalista". En la crítica de *Los Pazos de Ulloa,*
recogida en *Nueva campaña,* vuelve a atacar "el neutralismo" de
la escritora gallega; aquí presenta a Flaubert como ejemplo de
escritor que sigue "su programa de *impersonalismo*" pero *com-
prometiéndose*; en otro escrito, el artículo sobre Baudelaire, considera al mismo novelista como el autor que emprendió la tarea
de "comunicar a la obra la especial corrección que nace de la
impasibilidad del autor" [135]. En el estudio, tantas veces citado, *Del
naturalismo,* este principio de que tratamos se halla tácitamente
admitido; y en la quinta parte del titulado *Del estilo en la novela,*
tras presentar a Zola y Flaubert como "los autores que más rigu-
rosamente han cumplido con la regla naturalista de la impersonalidad, a lo menos aparente, de la novela", hace una justificación
de ella, basada precisamente en el núcleo definidor de toda su
teoría artística, "la imitación perfecta de lo real": si en la narración, nos dice, es conveniente prescindir de la propia personalidad,
en la descripción es una exigencia imperiosa. El novelista adopta
al crear su obra una perspectiva, es decir, narra desde un punto
de vista; en la novela esa perspectiva tiene que ser aquella "en
que la naturaleza no sufre al ser observada y reflejada, las influencias del estado de pasión o preocupación del que observa y la mo-
difica y falsifica". Al tratar de escritores españoles aparecen a menudo referencias a esta regla literaria; ya hemos visto lo que decía de la Pardo Bazán a este respecto; en Pérez Galdós, la impersonalidad no se presenta como un dogma de escuela, sino como
nacida de su temperamento; en Pereda, es la falta de esa objetividad o impasibilidad lo que le separa más del naturalismo; y en
Valera, es precisamente la presencia de su yo una de las características más importantes y atrayentes de su obra.

En un examen de las referencias al naturalismo que aparecen en
los diferentes volúmenes de crítica publicados por Clarín, veríamos
como, en cada uno de ellos, sus alusiones tienen unas características comunes que les dan cierta unidad y demuestran la constante

---

[134] *L. 1881,* pág. 183.
[135] *M.,* pág. 83.

evolución del pensamiento estético de nuestro autor. En *Solos de Clarín* [136], casi no hay referencias a la nueva escuela literaria, incluso en alguno de los artículos, por ejemplo *Gloria*, se descubre que lo desconoce por completo; en la crítica de *El buey suelto*, escrita en 1879, unos dos años posterior al citado antes, encontramos elogios de Zola, pero no alusiones al naturalismo. Más interesantes son algunas afirmaciones del importante artículo *Del teatro*; aquí menciona ya al naturalismo que presenta como "ciencia experimental" de la literatura, incluso encontramos una definición de la experimentación: "el aprovechamiento de los datos de la observación" [137]; todo el artículo denota influencia del positivismo, la crítica de Taine y el naturalismo, y tiene por objeto la aproximación del teatro a un realismo muy cercano a la nueva corriente literaria [138]. En el volumen *La literatura en 1881*, ésta juega ya un papel importantísimo; encontramos aquí el artículo que puede considerarse como manifiesto español del naturalismo: la crítica de *La desheredada*; en otro, *La lírica y el naturalismo*, intenta ampliar al campo de la poesía la nueva corriente literaria. En la crítica del drama de Echegaray, *Haroldo el Normando*, aparece expresada, un año antes de escribir el prólogo a *La cuestión palpitante*, su concepción historicista del naturalismo: negación de su exclusivismo y defensa de su oportunidad, "el naturalismo —escribe— como escuela exclusiva de dogma cerrado, yo no lo admito; yo no soy más que un oportunista del naturalismo; creo que es una etapa propia de la literatura actual...; creo asimismo que de él quedará mucho para siempre" [139]. En *Sermón perdido*, sigue la defensa

---

[136] Este libro fue publicado por la editorial madrileña de Alfredo de Carlos Hierro, la cual tuvo un papel decisivo en la introducción de las nuevas corrientes literarias; allí aparecieron *La Curée, Thérèse Raquin* y *Nana*, cuya tercera edición se publicaba en 1882. En una reseña de *Solos de Clarín* (*La P.*, 5-VIII-1881), se presenta a esta editorial como la introductora en España de la moderna novela francesa.

[137] *S.*, págs. 53 y 54, respectivamente.

[138] Al final señala que las innovaciones introducidas, dentro de la forma literaria, por la nueva escuela literaria francesa, han sido las que han suscitado más enemigos; coincide así en destacar uno de los aspectos de los ataques al naturalismo examinados por G. Davis, en el artículo citado.

[139] *L. 1881*, pág. 192.

de "nuestro querido naturalismo", como lo llama una vez; insiste de nuevo en su oportunidad y ataca su exclusivismo; se refiere otra vez a la poesía naturalista; habla varias veces de un naturalismo español y confiesa pertenecer a este movimiento [140]. En el volumen siguiente, *Nueva campaña,* cambia el tono general; a lo largo del libro predominan los ataques, no al naturalismo sino a los seguidores que carecen de calidad literaria; la nueva escuela es presentada como víctima de una plaga de escritorzuelos que amenazan ahogar a la literatura con la observación y el "prosaísmo". Es la misma actitud que aparece en el artículo *A muchos y a ninguno,* recogido en *Mezclilla* [141]. Mayor valor tiene la afirmación de que el naturalismo muestra más interés por la naturaleza que por el hombre [142], la cual podría presentarse como alusión indirecta a la necesidad de una novela psicológica. En este volumen, encontramos también la exaltación de Zola y la defensa de la escuela naturalista frente a los ataques de Valera, a quien acusa de incomprensión [143].

Las primeras referencias a nuevas corrientes literarias aparecen en *Mezclilla,* pero al lado de ellas no encontramos ninguna salvedad dirigida al naturalismo, excepto el artículo citado más arriba. Los Goncourt son llamados aquí "bautistas del naturalismo" [144]. Hacia las fechas de los artículos de este volumen advertía a Menéndez Pelayo, en una carta del 12 de marzo de 1888: "piénseselo mucho" al escribir sobre este movimiento, "si el llamarse naturalista sin más ni más, es absurdo, hasta pueril, el negar a este movimiento, cuyos dos nombres más importantes son Flaubert (sin quererlo) y Zola, valor serio, datos positivos, eficaz reforma en muchos casos, es injusticia". En 1892, publica el volumen *Ensayos y Revistas,* de gran interés para el tema que aquí tratamos por aparecer en los momentos en que predomina la búsqueda de nuevos derroteros literarios para la novela. El año anterior, Jules Huret había

---

[140] *S. P.,* págs. 25, 58, 22 y ss., y 142.
[141] Ya antes, el 14 de mayo de 1883, encontramos, en un "palique" de *Madrid Cómico,* una idea parecida.
[142] *N. C.,* pág. 225.
[143] *N. C.,* pág. 170.
[144] *M.,* pág. 298.

realizado, en Francia, su famosa encuesta en torno a la muerte del naturalismo. Notas comunes a todo el libro son la exaltación de Zola, la aceptación de nuevas corrientes narrativas y la insistencia en el carácter oportuno de la novela naturalista. Presenta la obra de Zola como algo definitivo que cierra un ciclo literario iniciado en el Renacimiento [145]; declara varias veces que el naturalismo no está agotado, pues tiene aún camino que recorrer, especialmente en el teatro [146]; por eso asegura que está dispuesto a defenderlo como el primer día [147]; su logro más fructífero ha sido, señala, el fortalecer y razonar el elemento esencial de las artes imitativas, y sus defectos: el exclusivismo y el positivismo pseudo-científico [148].

Leopoldo Alas nos habla varias veces de un naturalismo español con notas distintas al francés, aunque niega que haya llegado a formar una verdadera escuela. En la crítica de *Un viaje de novios,* afirma que el naturalismo francés es el verdadero, el legítimo, mientras el español apenas acaba de nacer [149]. Los escritores españoles que podrían llamarse naturalistas no siguen ni imitan a nadie, sino que adaptan con originalidad; Galdós, que no es naturalista, "resulta naturalista, que es lo mejor y lo que importa" [150]. En una de las críticas a *Realidad,* Clarín declara que no hay ninguna relación entre el naturalismo francés, el español y el ruso; y en otra, recogida en *Ensayos y Revistas,* afirma que en España "el naturalismo lejos de estar agotado, apenas ha hecho más que aparecer e influir muy poco en *la cura* de nuestros idealismos falsos y formulismos inarmónicos, lo más *oportuno* me parece seguir alentando esa tendencia, con las atenuaciones que imponga el genio variable de nuestro pueblo... y con las que vayan indicando esas nuevas corrientes" [151].

---

[145] *E. R.,* pág. 280.
[146] *E. R.,* págs. 62, 156, 280.
[147] *E. R.,* pág. 144.
[148] *E. R.,* págs. 61-2.
[149] *L. 1881,* pág. 184.
[150] *S. P.,* pág. 58.
[151] *G.,* pág. 193; *E. R.,* pág. 282, respectivamente.

En uno de los últimos escritos salidos de su pluma, el prólogo
a la traducción de *Trabajo,* publicada poco después de su muerte,
escribía: "En España, tuve el honor de ser el primero, allá en mi
juventud, casi adolescente, que defendió las novelas de Zola de
entonces (para mí las mejores de las suyas), y hasta su teoría naturalista, con reservas, como un oportunismo, pero sin admitir la
supuesta solidaridad del naturalismo estético y del empirismo filosófico", y se declaraba "ahora tan naturalista como entonces". Razón tiene Clocchiatti cuando afirma que Clarín "nunca dejó de
reconocer los grandes méritos de aquel movimiento y, en cierta forma, nunca dejó de practicarlo en sus obras novelísticas" [152].

6. OTRAS CORRIENTES DE LA NOVELA

Indicaba, en este mismo capítulo, que la crítica novelística de
Leopoldo Alas, presenta tres etapas. En la primera de ellas, época
de formación, predomina, entre dudas y vacilaciones, la defensa
de la novela de tesis, que él acostumbra a denominar "novela tendenciosa". Esta concepción de la novela equivale al Galdós de
Doña Perfecta y *La familia de León Roch.* Durante estos años,
1876-1880 aproximadamente, la novela se presenta como un aspecto
más de la lucha ideológica, y ella es, según declara Clarín, la vía
de comunicación más fácil entre el pensamiento y el gran público [153]; sus críticas de estos años tienden primordialmente a destacar la posición ideológica de los novelistas. A la defensa y justificación de este tipo de novela dedica toda la primera mitad de la
crítica de *Gloria.* Nos habla allí de una filosofía que no es metódica, ni científica, ni escolástica, "la filosofía de todos los días y de
todas las horas: es el pensamiento moviéndose, aunque no quiera,
viendo y juzgando aun a su pesar" [154]; "para este modo de filoso-

---

[152] *Clarín y sus ideas sobre la novela,* pág. 73.

[153] "Es la novela —escribe en *El libre examen y nuestra literatura presente*— el vehículo que las letras escogen en nuestro tiempo para llevar al
pensamiento general, a la cultura común, el germen fecundo de la vida
contemporánea" (*S.,* pág. 69).

[154] *S.,* pág. 363.

fía, que podría llamarse filosofía necesaria —añade—, sirven admirablemente las obras literarias, y la novela *tendenciosa* o filosófica, o como se quiera, es ahora en nuestro país de gran oportunidad". Fijémonos que ya aquí, en 1877, aparece la palabra clave de toda su teorización sobre los movimientos literarios: la oportunidad [155]. Su defensa de la novela ideológica, con todo, no es muy decidida, y cae dentro de la concepción utilitaria y formativa del arte que, consciente o inconsciente, guió todo su pensamiento crítico. El 10 de julio de 1878 escribía, en *El Solfeo,* que si bien es "error insigne y vulgaridad despreciable" afirmar que el arte ha de ser docente, "es aún más vulgar y falso en el fondo y pretencioso aquel principio de que a todo género de arte le basta el producir agrado, sin llevar nada de enseñanza en el fondo"; incluso el mismo Valera, que se ha burlado de la novela tendenciosa, "siempre que escribe se propone probar algo" aunque sea por "caminos indirectos". Clarín se coloca así en una posición intermedia entre lo que podríamos llamar "el arte por el arte" y la defensa de una literatura exclusivamente docente. Parecida actitud encontramos en la crítica al primer volumen de *La familia de León Roch* [156], donde afirma que si el público aplaude las obras no tendenciosas, bellas, más aplaude "las que además entrañan un grave problema social". Su concepto de la novela tendenciosa es, por lo que se desprende de algunas declaraciones de este artículo, bastante confuso; así a la posible réplica, de raíz idealista alemana —Schiller en particular—, "el arte sólo por ser arte, obra esa maravilla, sin necesidad de ser *tendencioso*", él responde que "a ese arte es al que yo llamo *tendencioso*". Pocas páginas después, unas afirmaciones de Clarín, sitúan a este escrito —*La familia de León Roch*— y, en cierta manera, a su aproximación a la novela ideológica en la proyección de su posterior teorización novelística: las ideas defendidas por Galdós, escribe, se presentan "con la fuerza de la convicción y persuasión que

---

[155] En 1881, superada ya esta etapa, nos daba, en la crítica a *La desheredada,* una breve, pero completa, caracterización de la novela "idealista, filosófica": "crea tipos, aunque verosímiles y naturales, simbólicos, con una acción determinada por un fin que responde a una tesis" (*L. 1881,* página 133).

[156] *S.,* págs. 213 y ss.

tienen *la realidad y el arte*"; estamos por lo tanto, dentro de la
concepción del arte como transmisor de la realidad, base de toda
su teoría literaria.

Hacia fines de la década que termina en 1890, se origina, en
toda Europa, una crisis de las formas novelísticas; en 1891, Edmond Goncourt llega a dar por agotado el género novelístico; "Ma
pensée —responde a la encuesta realizada por el periódico *L'Écho
de Paris* en torno al naturalismo— en dépit de la vente plus grande que jamais du roman, est que le roman est un genre usé, éculé,
qui a dit tout ce qu'il avait à dire". En relación con esta crisis se
presenta un cambio en el criterio crítico de Leopoldo Alas, al que
ya nos hemos referido anteriormente. Al iniciarse el agotamiento
del naturalismo, la crítica de Clarín es un índice de la desorientación que domina el panorama novelístico europeo. Este agotamiento del naturalismo hay que relacionarlo, más que con una falta de
temas, con el cambio de mentalidad de la burguesía. La búsqueda
de nuevas fórmulas narrativas coincidirá, en realidad es sólo un
aspecto, con la crisis del positivismo científico y su desplazamiento
por movimientos de tendencia espiritualista. El crítico francés Brunetière dedicó un libro al examen de aquella reacción idealista, que
fue un movimiento de carácter europeo [157].

Para Clarín, la nueva novela tenía que corresponder al "nuevo
anhelo", a la "nueva aspiración religiosa y filosófica" que guiaba
a parte del público europeo. En artículos de *Ensayos y Revistas*,
señala la correspondencia entre los movimientos filosóficos y las
tendencias literarias: "en filosofía hay un movimiento que no su-
prime el positivismo, sino que lo disuelve en más alta y profunda
concepción; y es natural que en literatura se observe una tendencia análoga" [158]. Las nuevas tendencias las representan, en Francia, las generaciones posteriores a Zola [159]; pero también en los
escritores naturalistas, incluso en el mismo Zola, hay algo de esa

---

[157] *La Renaissance de l'Idealisme*, Paris, 1896.
[158] *E. R.*, pág. 145.
[159] "Dando a la palabra misticismo un sentido inexacto, pero muy corriente en su vaguedad, no cabe ya negar esa tendencia general, tendencia
que es aún de una minoría, que principalmente se observa en las generaciones posteriores a Zola" (*P.*, pág. 168).

desorientación en pos de una nueva fórmula narrativa. En *Palique*, Clarín afirma que, en las recientes novelas de Zola —*La Rève*, *L'Argent*, *La Dèbâcle*—, "se puede notar que el *artista tiende*, como otros, a una poesía ideal, misteriosa, metafísica, de una psicología más profunda y más íntima que la que puede engendrarse de la hipótesis psicofísica y de los procedimientos de *fuera a dentro* del empirismo fisiológico positivista" [160]; años después, en uno de sus últimos escritos, el prólogo a *Trabajo* de Zola, declara que este escritor, en *Londres, Roma y París*, es un novelista sociológico. Lo mismo ocurre en España, con los dos escritores más próximos al naturalismo, Galdós y la Pardo Bazán. Baquero Goyanes indica, en un artículo dedicado a Clarín [161], este desconcierto de los novelistas de finales de siglo y lo presenta como causa de la falta de auténticos narradores en la llamada generación del 98.

Antes que en la novela estas nuevas aspiraciones, que no terminaron de definirse, han aparecido en otras formas artísticas y desempeñan un importante papel en la renovación de la poesía; prueba de ello, en los artículos de Clarín, son las confusas referencias, de tono predominantemente despectivo, al decadentismo, simbolismo, modernismo e impresionismo, que, a partir de 1885, empezamos a encontrar en sus escritos; en uno de ellos, de 1885, afirma que los nuevos *ismos*, decadentismo y simbolismo, intentan presentar al naturalismo como una "antigualla" [162]. Los artículos en que estudia con más detenimiento las nuevas tendencias de la novela están recogidos en el volumen *Ensayos y Revistas*; en dos de ellos, *La novela novelesca* [163] y *La novela del porvenir*, estudia exclusivamente las nuevas corrientes, refiriéndose en particular al mundo literario francés; en otro, la crítica de *Realidad*, examina su problemática dentro del panorama literario español. Nuestro escritor no llegó nunca a adoptar una actitud definida frente a la crisis de la novela, por el contrario sus artículos dan siempre sensación de búsqueda y desconcierto; el lector induce, a veces, que

---

[160] *P.*, pág. 169.
[161] *Clarín y la novela poética*, pág. 96.
[162] *N. C.*, págs. 216-217.
[163] Es la respuesta a una encuesta, sobre el tema, realizada por el periódico de Madrid, *El Heraldo*.

Clarín es víctima de una contradicción entre sus aspiraciones idealistas y sus gustos estéticos realistas. En general, la novela que Clarín parece considerar más adecuada al renacimiento espiritualista podría ser calificada de novela idealista de tipo psicológico o poético; pero ni una sola vez encontramos la más leve insinuación contra el realismo narrativo, y ninguna de las tendencias de que nos habla obtiene la aceptación y el entusiasmo que recibió de él, incluso cuando le ponía salvedades, el naturalismo. En *La novela del porvenir*, nos dice que las nuevas fórmulas no han encontrado un escritor de la altura de Zola y es posible que nunca lo encuentren. Junto a esta falta de verdadero entusiasmo se presenta también el no rechazo del naturalismo, incluso en algunos momentos parece indicar que aquél continúa siendo el movimiento literario más oportuno en España.

Al principio de la "revista literaria" de marzo de 1890, se refiere a una carta que le había dirigido un crítico catalán, sin duda alguna José Yxart; el corresponsal le decía que, en sus recientes artículos, "notaba una tendencia a abrir camino, en el gusto español, a las novísimas aspiraciones literarias que, sin renegar del *pasado inmediato,* mostraban francamente no satisfacerse ya con la fórmula naturalista, y propendían a una especie de neo-idealismo" [164]; el crítico catalán estimaba prematuro este movimiento tratándose de España, "en donde los vicios tradicionales de otros idealismos, que nada tienen de nuevos, todavía florecen". Clarín sostiene que, en nuestro país, es peligroso predicar ciertas doctrinas, pero replica que la sinceridad obliga al crítico "a no ocultar nada de lo que representa una modificación"; de todas formas reconoce que "en el mundo literario domina hoy, y debe dominar por algún tiempo, el arte realista, que con tantos esfuerzos y entre combates de toda especie conquistó su primacía" y, añade, que que "las nuevas corrientes no van contra lo que el naturalismo afirmó y reformó, sino contra sus negaciones, contra sus límites arbitrarios" [165]. Como vemos el mismo Alas intenta evitar toda posible impresión de rompimiento con las teorías novelísticas que defendió

---

[164] *E. R.,* págs. 277-8.
[165] *E. R.,* págs. 279 y 281.

en el decenio anterior. En el artículo que, hacia 1889, dedicaba a la novela de Zola, *L'Argent*, defendía a éste de los ataques del francés Morice, quien consideraba al naturalismo como una fórmula agotada ; Clarín replica que "del naturalismo, aun a lo Zola, hay que sacar todavía mucho provecho, mucha *higiene* intelectual y particularmente literaria" [166], pero acepta las nuevas tendencias y ataca el exclusivismo del novelista francés [167]. Clarín se coloca así en una actitud ecléctica frente a la pugna entre naturalismo y las nuevas corrientes de la novela [168] ; este eclecticismo surge de su visión historicista y sociológica de la literatura : dado que el arte es un producto del tiempo histórico, él se limita a defender la corriente literaria que considera está más íntimamente relacionada con ese tiempo histórico, la más "oportuna". Ya hemos visto que el carácter de oportuno, que concedía al naturalismo, era el punto más original y fértil en su defensa de aquella corriente literaria ; lo mismo podemos decir respecto a las nuevas tendencias. En *La novela novelesca*, replicaba, a Emilia Pardo Bazán, que el haber calificado a la fórmula naturalista de oportuna le autorizaba "para afirmar ahora que puede haber otra oportunidad nueva para otra cosa nueva, sin que demuestre esto contradicción y ligereza por mi parte" [169]. Cuál era esta nueva oportunidad, permaneció algo confuso para el mismo Clarín ; nos hablará esporádicamente de la novela psicológica, de la novelesca y de la poética, pero sin llegar a aceptar plenamente ninguna de ellas. En un artículo de *Ensayos y Revistas*, *La novela del porvenir*, examen crítico de un estudio del francés Brunetière, publicado en la *Revue des Deux Mondes*, Leopoldo Alas huye de dar sus ideas y se limita a comentar al escritor francés ; sólo deducimos que cree que la novela futura se inclinará hacia un vago misticismo, pero parece colocarse en contra de la novela idealista, augurada y defendida por el crítico francés, en la cual el autor irá hacia una idea previamente fijada.

---

[166] *E. R.*, pág. 63.
[167] "Zola, al limitarse y negar otros modos de vida al arte contemporáneo, se paró, dejó de *ver verdad nueva*" (*E. R.*, pág. 62).
[168] "La tendencia neo-psicológica, sin derrotar a Zola, ni mucho menos, divide con él y con otros, la actividad literaria" (*E. R.*, pág. 63).
[169] *E. R.*, pág. 147.

De todas estas fórmulas novelísticas, a la que dedicó más comentarios fue a la novela psicológica. En 1887, publicaba en *La Ilustración Ibérica*, el artículo titulado *Paul Bourget* [170], el cual señala la aparición, en la crítica de Leopoldo Alas, del concepto de novela psicológica o neo-psicológica, según la llama en otro escrito. En este artículo destaca la oportunidad de la fórmula novelística utilizada por Bourget; "en esta novela (*Mensonges*)" hay "algo —escribe— como una autonomía psicológica, a la que no hay más remedio que reacudir cuando se quiere ahondar de veras en la observación y experiencia artística" [171]. Al año siguiente en otro artículo de *La Ilustración Ibérica*, niega exclusividad a la novela psicológica, aunque la acepta: "el arte psicológico, si como exclusivo asunto de la novela se hace intolerable, es y será siempre uno de los mejores y más fecundos objetos" [172]. Dentro de esta tendencia psicológica sitúa *Realidad*; Pérez Galdós había escogido como personajes, condición señalada por P. Bourget a este tipo de novela, caracteres excepcionales, distintos a la multitud de tipos medios. El "psicologismo" se refleja también en el prólogo a sus *Cuentos morales,* aunque luego se halle muy apagado en los relatos [173].

En *Ensayos y Revistas,* son constantes las afirmaciones de que aunque el naturalismo esté todavía vigente, hay algo más actual. Es en este libro donde se muestra más claramente el deseo de hallar una nueva ruta por la que pueda seguir avanzando el género narrativo, que va alejándose del mundo de la realidad externa para

---

[170] Recogido en *M.,* págs. 145 y ss.

[171] *M.,* pág. 158. La utilización del término "reacudir" está de acuerdo con la afirmación de que la novela psicológica de Bourget se halla en la tradición de Constant, Stendhal, Sainte-Beuve, que aparece en una de sus críticas a *Realidad* (*G.,* pág. 194); de ahí la denominación de neo-psicológica.

[172] *M.,* pág. 248.

[173] "Los llamo así, porque en ellos predomina la atención del autor a los fenómenos de la conducta libre, a la psicología de las acciones intencionadas. No es lo principal, en la mayor parte de estas invenciones mías, la descripción del mundo exterior, ni la narración interesante de vicisitudes históricas, sociales, sino *el hombre interior,* su pensamiento, su sentir, su voluntad" (*Cuentos morales,* pág. VII).

entrar en el interior del hombre [174]. Anuncia como posibles solu-
ciones: *la novela novelesca,* concepto que no queda muy claro,
aunque parece tratarse del dominio de la acción sobre los otros
elementos, y la *novela de sentimiento o poética* [175]. En el citado
artículo *La novela del porvenir,* afirma que ésta se inclinará hacia
un misticismo muy vago; del naturalismo dice "aún tiene sin cumplir gran parte de su idea; no ha llegado el momento de su perfección", y señala sus tres grandes aportaciones: "la observación,
la influencia del medio y la impersonalidad" [176]. La denominación
de "novela novelesca" no es de Clarín sino que proviene del escritor
francés Prévost; Gullón [177] la identifica equivocadamente con la psicológica. Es curioso que el artículo que Alas dedicó a ella, termine
refiriéndose a la "novela de sentimiento o poética" [178]. Baquero
Goyanes, en su artículo *Clarín y la novela poética,* indica que "Alas
en este ensayo —*La novela novelesca*— es más intuitivo que teori-
zador, pues en este aspecto no deslinda con claridad, los límites
de una y otra novela. Cualquiera puede darse cuenta que novela
novelesca y novela poética nada tienen de común"; en realidad,
tanto la teoría como la intuición están ahogadas por el confusionismo que domina a Clarín ante la crisis de la fórmula realista del
novelar. "Novela poética" es un concepto creado por Leopoldo
Alas, pero no conseguimos descubrir que quiere expresar con él
nuestro escritor, ni tampoco después de leer el mencionado artículo de Baquero Goyanes, quien basa su exégesis en el examen de
algunos relatos de Alas y de sus declaraciones en el artículo *La*

[174] Toda la crítica a *La prueba* de Emilia Pardo Bazán (*M. C.,* 20-IX-
1890), está escrita desde la acusación de incapacidad para entrar en el interior de los caracteres. "En general —escribe—, los autores españoles, con
excepción de los antiguos místicos (jamás bastante alabados y estudiados)
y del sublime Cervantes (tan poco estudiado), son medianos psicólogos en
la novela, y los novelistas modernos de por acá, si se meten en teorías para
explicar sus procedimientos, suelen buscar razones para defender esa pobreza de medios psicológicos, esa debilidad del genio nacional".
[175] *E. R.,* págs. 141, 153-4.
[176] *E. R.,* pág. 391.
[177] *Clarín, crítico literario,* pág. 412.
[178] Señalado por Baquero Goyanes, en *Clarín y la novela poética:*
Alas parece desarrollar, en esa aproximación de lo "novelesco" y lo "poético", una idea de Prévost.

novela novelesca. Una delimitación de este concepto —novela poética— debería ir a buscar sus raíces en otros estudios, así en el antes comentado, *Paul Bourget,* donde declaraba que "la esencia del realismo" está "en sacarle la sustancia poética a la vida prosaica" [179], palabras que recuerdan la manifestación de Oller de que Zola le descubrió "el gran contingut de poesía que conté a voltes el natural per qui sab ben observar-lo".

En todas estas afirmaciones de Clarín, encontramos dos notas caracterizadoras; por un lado, la creencia en la oportunidad de unas nuevas corrientes novelísticas; por el otro, un confusionismo que impide a nuestro crítico decidirse por un tipo determinado de novela. Esta impresión de confusionismo es aumentada por sus últimos artículos, donde el lector llega a deducir que Alas defiende, en algún momento, la vuelta a la novela del decenio 1880-1890; así, en la crítica de *Bodas reales,* publicada en *El Imparcial* el 3 de diciembre de 1900, se queja de que "hace tiempo que ni él —Pérez Galdós— ni nadie pinta en el arte grande del libro nuestra actualidad social. Y el asunto llama, importa y ofrece interés sumo" [180]. Anteriormente en la crítica de *Torquemada en el Purgatorio,* se preguntaba: "¿Quién duda que, pasado algún tiempo, volverá el gusto popular a encontrar interés y atractivo en la pintura viva, *impersonal,* exacta, de las teorías humanas, del *dato,* sin comentario espiritual del fenómeno natural y social ordinario"; para terminar afirmando que "dentro de veinte años los mismos escritos y procedimientos de Balzac ofrecerán más novedad e interés que las mil retorcidas y alambicadas esencias depuradas que hoy embelesan a muchos" [181].

En los dos últimos años de su vida, muestra una gran atracción por las novelas de Tolstoy, prueba de ello es el prólogo a *Resurrección,* firmado en abril de 1900. Indica aquí que un fenómeno de "nuestra época" es que los artistas se conviertan en sociólogos, en moralistas, tal es el caso de Zola y Bourget; en general, cuando esto ocurre sus trabajos salen perdiendo en valor artístico. En

---

[179] *M.,* pág. 254.
[180] *G.,* pág. 363.
[181] *G.,* pág. 266. Artículo publicado en *El Imparcial,* 6-V-1895.

Tolstoy hay "algo muy superior al sociólogo y que está al nivel del artista: el apóstol" [182]. Y en el que probablemente fue uno de sus últimos escritos, el prólogo a *Trabajo* de Zola, declara: "Zola es el primer novelista de su país, a mi ver, entre los vivos; y acaso también del mundo entero. Tolstoy, espíritu más profundo no es tan fuerte ni tan variado y abundante como Zola, con serlo mucho. Mi alma está más cerca de Tolstoy que de Zola, sin embargo". En este mismo prólogo, Leopoldo Alas quiere presentar su pensamiento crítico como una ideología permanente, sin cambios ni evoluciones, por eso nos dice que cuando escribió el prólogo a *La cuestión palpitante* "era yo entonces, sin embargo, tan idealista como ahora, así como soy ahora tan naturalista como entonces".

[182] Pág. VIII.

CONCLUSIÓN

Al llegar al final de este examen de la labor crítica de Leopoldo Alas, quisiera justificar algunas limitaciones voluntarias que presenta. En primer lugar, no se trata de una revisión de toda su producción, pues, por imposibilidad material, no he examinado sus colaboraciones en una serie de publicaciones —*El Cascabel, El Español, El Globo, La Justicia, Los Madriles, La Opinión, El País,* etc. No creo que estos escritos contradigan ninguna de las afirmaciones sostenidas en este trabajo, aunque es posible que iluminen algún punto de su obra o personalidad, e incluso —como me ha ocurrido con las "revistas mínimas" de *La Publicidad*— nos ofrezcan un aspecto inédito del escritor asturiano. La poca atención prestada a su "crítica menuda" o "policíaca", como la llama él, no procede de un menosprecio de este tipo de escritos, sino de considerar que tenía escasa relación con la finalidad de mi estudio. La carencia de una detallada estructuración de su pensamiento estético es debida a la extraordinaria dificultad que, para ello, representa la naturaleza pragmática de sus escritos y el eclecticismo teórico, de base historicista, de su pensamiento. Por otro lado, la escasa amplitud concedida al examen de su conocimiento de la literatura y el pensamiento europeos proviene de la creencia de que el principal interés, en este tipo de estudio, reside en la contrastación con lo que los otros escritores y el público lector de la época conocían del mundo cultural europeo.

Otro aspecto que ha quedado abandonado a lo largo de estas páginas, es la exposición de la íntima unidad que presenta el conjunto de todos sus escritos. Varios de nuestros historiadores y crí-

ticos han intentado una confrontación valorativa de sus trabajos
de crítica y creación; Baquero Goyanes escribe, en el volumen quinto de la *Historia de las Literaturas Hispánicas*; "el Clarín crítico,
que en su época fue más famoso que el Clarín novelista, ha perdido valor hoy a expensas del segundo". Fernández Almagro, Max
Aub, y la mayoría de sus comentaristas defienden esa superioridad
del Leopoldo Alas novelista sobre el Clarín crítico. Cualquier discusión en torno a este tema carece de interés científico, y se cierra
en un bizantinismo gratuito; como novelista es autor de dos obras
maestras, como escritor de relatos breves y cuentos ocupa el primer
lugar en la literatura española del XIX, como crítico llenó con su
producción el último cuarto de siglo, y, aparte de su labor constante de saneamiento y enriquecimiento de la atmósfera literaria e
intelectual, nos ha dejado una serie de artículos magistrales; su
crítica, tanto en calidad como en cantidad, destaca extraordinariamente entre todo lo que se escribe a su alrededor, y lo sitúa como
una figura de altura europea, poseedora de amplias resonancias
actuales. El verdadero problema de la confrontación de su obra
crítica y creativa, no reside en averiguar donde hay mayor mérito,
en sus artículos o en sus narraciones, sino en mostrar la unidad
perfecta que existe entre esos dos aspectos de la labor literaria de
Leopoldo Alas. González Serrano, en su artículo *La crítica en España,* distinguía entre "arte producto" y "arte crítico"; el primero, según este escritor, exigía en quien lo cultivaba unas condiciones de síntesis, el segundo, de análisis, de ahí que sólo excepcionalmente apareciesen reunidos en un autor; reconocía, sin embargo, que la novela, y especialmente la naturalista, parecía favo-
recer el nexo entre "arte producto" y "arte crítico". Años después,
en 1887, Leopoldo Alas señalaba, en las páginas de *La Ilustración
Ibérica,* que se notaba "cierta tendencia a juntar más y más cada
vez la crítica y el arte", y que el crítico tendía a ser algo artista
creador. Como ejemplo de esta actitud mencionaba al francés Paul
Bourget, pero él mismo sería uno de los representantes más pre-
claros de esa tendencia a unir "creación" y "crítica".

   Para algunos pensadores el XIX es el siglo de la historia —Clarín mismo lo declara así en la "revista mínima" del 30 de
octubre de 1889—, para otros es el siglo de la novela realista, otros

ven en él el predominio de la crítica. Las tres corrientes, historicismo, realismo narrativo y criticismo, confluyen en Clarín, y no se contraponen sino que forman una unidad homogénea, pues las tres corresponden a una misma actitud vital: la investigación de la verdad; Juan Sardá declaraba, en 1888, que la novela era "hija legítima del matrimonio del arte con la verdad". El parentesco entre la historia y la novela ha sido tenido en cuenta por muchos críticos; pero no ha ocurrido lo mismo con la proximidad entre la novela realista y la crítica, sin embargo, aquélla, al reflejar la realidad, no desempeña el papel de un mero espejo, como quería Stendhal o defendían Flaubert y los naturalistas con su teoría de la impasibilidad u objetividad narrativa; el novelista realista más que un fotógrafo de la realidad, es un crítico de la realidad, que se sitúa ante la vida social con actitud parecida a aquella con que el crítico literario se enfrenta a la obra; el norteamericano Harry Levin termina su estudio, *What is realism,* afirmando: "The bourgeois novel is nothing if not critical". Esta proximidad entre crítica y novela realista permite a Leopoldo Alas destacar dentro de los dos géneros literarios; por otro lado, hay que tener en cuenta que, en su caso, prosiblemente se refleje más el crítico en las novelas que el narrador en los artículos; prueba de ello es que tienda a ver y destacar, en los persona¡es de sus relatos, las actitudes literarias; es decir, que examina la realidad social con los ojos de un hombre formado más en los libros que en la vida. La crítica y la novela están movidas por la misma finalidad: el estudio enriquecedor del hombre y sus actividades; son pues, como sostenía Taine, en 1865, dos aspectos del nuevo humanismo, a cuya difusión, dedicó Leopoldo Alas sus mayores esfuerzos: "Du roman —afirmaba Taine— à la critique et de la critique au roman, la distance aujourd' hui n'est pas grande. Si le roman s'emploie à montrer ce que nous sommes, la critique s'emploie à montrer ce que nous avons été. L'un et l'autre sont maintenant une grande enquête sur l'homme, sur toutes les variétés, toutes les situations, toutes les floraisons, toutes les dégénérescences de la nature humaine. Par leurs avenirs et leurs espérances, tous deux se rapprochent de la science". La doble faz de la producción de L. Alas es un elevado testimonio de estas palabras de Taine.

Los artículos de Clarín se presentan al lector moderno como parte de la tradición crítica europea, originada en la estética alemana y la crítica francesa, pero cuyas más lejanas raíces se hallan en el humanismo renacentista. Las dos coordenadas que definen la producción de nuestro escritor son precisamente el pensamiento idealista alemán y el positivismo historicista francés; y el plano en que se sitúan, el mapa físico y moral de la sociedad española. Su visión y concepción de la literatura es totalmente europea, pero referida siempre al complejo histórico y cultural de nuestro país. Esta visión europea le lleva a polemizar y enfrentarse a críticos de otros países, franceses especialmente y, en particular, Brunetière; mientras la preocupación nacional hace de él un eslabón importantísimo en la tradición "regeneracionista" del progresismo español, dentro de la línea culturalista, es decir, entre quienes supervaloran los problemas culturales, por ver en la cultura la posibilidad de transformar el país.

Con la simple lectura de los escritos de Clarín, nos damos cuenta de la extraordinaria importancia que su labor crítica tiene dentro del proceso literario español; pero su valor no se limita a las fronteras nacionales, y, si situamos sus artículos dentro del panorama europeo, veremos que ocupa uno de los lugares más destacados entre los críticos del último tercio del siglo XIX. Personalmente he de confesar que ha sido la lectura de la obra de Henry Peyre, *Writers and Their Critics. A Study of Misunderstanding*, la que me ha descubierto la gigantesca talla del Clarín crítico; en contraste con la extensa serie de incomprensiones de los críticos europeos, que Peyre va examinando, L. Alas surge como el escritor continental de mayores aciertos en la valoración de obras y movimientos. Posiblemente, junto con J. Yxart, fuese el único autor capaz de aceptar, al mismo tiempo, la novela naturalista, Victor Hugo, Baudelaire e Ibsen. Esta situación excepcional dentro del panorama de la crítica europea aparece engrandecida por las cuatro bases en que se apoyan todos sus comentarios: humanismo, consideración del arte como una vía de conocimiento, realismo e historicismo; y como aspecto de este último, de gran importancia en el terreno estético, el valor decisivo que concede a la "oportunidad" de los movimientos literarios. En estas páginas hemos ido

viendo cómo estas bases van reapareciendo una y otra vez, desde
sus primeros artículos hasta los últimos. Todas ellas se hallan íntimamente unidas; no se trata de concepciones aisladas sino de las
distintas partes de un solo organismo, relacionadas entre sí por
una mutua exigencia, surgida de las dos ideas centrales de que
proceden las cuatro: el hombre como centro y fin último del pensar, y el hombre definido en su relación con la naturaleza y los
otros hombres, es decir, con la realidad, pero una realidad no estática, sino en continuo proceso; como tampoco el hombre es el ser
abstracto, sino el hombre de un lugar y tiempo determinados, el
el hombre de una realidad determinada; de ahí la necesidad de la
visión historicista. El arte se presenta como un medio de comprender lo que nos rodea y de comprendernos a nosotros mismos; el
arte es, escribía en el artículo *Del naturalismo,* "una manera
irreemplazable de formar conocimiento y conciencia total del mundo bajo un aspecto especial de totalidad y de sustantividad, que
no puede darnos el estudio científico, no hay razón para querer que
sólo sea el carácter humano lo que sea objeto de tal fuente de
percepción, sino que la realidad entera debe y merece ser estudiada y expresada por modo artístico".

BIBLIOGRAFÍA UTILIZADA

I. TEXTOS DE LEOPOLDO ALAS [1]

I A. Volúmenes y folletos de crítica

Solos de Clarín, Madrid, 1881 (Madrid, 1891, *S.*).

La literatura en 1881, Madrid, 1882 (*L. 1881*).

Sermón perdido, Madrid, 1885 (*S. P.*).

Un viaje a Madrid, Folletos literarios I, Madrid, 1886 (*Un v.*).

Alcalá Galiano. El período constitucional de 1820 a 1823. Causas de la caída del sistema constitucional. La emigración hasta 1833, Conferencia pronunciada en el curso 1885-1886 del Ateneo madrileño, recogida en *La España del siglo XIX*, Madrid, 1887 (*A. G.*).

Nueva campaña, Madrid, 1887 (*N. C.*).

Cánovas y su tiempo, Folletos literarios II, Madrid, 1887.

Apolo en Pafos, Folletos literarios III, Madrid, 1887 (*A. en P.*).

Mis plagios. Un discurso de Núñez de Arce, Folletos literarios IV, Madrid, 1888 (*M. pp.*).

Mezclilla, Madrid, 1889 (*M.*).

Benito Pérez Galdós, Madrid, 1889.

A 0,50 poeta. Epístola en versos malos con notas en prosa clara, Folletos literarios V, Madrid, 1889.

Rafael Calvo y el teatro español, Folletos literarios VI, Madrid, 1890 (*R. C.*).

Museum. Mi revista, Folletos literarios VII, Madrid, 1890 (*Mu.*).

Un discurso, Folletos literarios VIII, Madrid 1891 (*Un d.*).

Ensayos y Revistas, Madrid, 1892 (*E. R.*).

---

[1] En los paréntesis doy edición consultada, si es distinta a la primera, y abreviatura utilizada en las notas.

Palique, Madrid, 1893 (*P.*).
Crítica popular, Valencia, 1896.
Siglo pasado, Madrid, 1901 (*Siglo p.*).
Galdós, Obras completas, vol. I, Madrid, 1913 (*G.*).
Obras selectas, Madrid, 1947 (*Oo. Ss.*).

I B. *Relatos*

La Regenta, Barcelona, 1884-1885 (Barcelona, 1963).
Su único hijo, Madrid, 1890 (Buenos Aires, 1944).
Cuentos morales, Barcelona, 1896.
El gallo de Sócrates, Barcelona, 1901.

I C. *Colecciones de periódicos*

Arte y Letras, Barcelona (*A. L.*).
La Correspondencia, Madrid (*La C.*).
La Diana, Madrid (*La D.*).
El Día, Madrid (*El D.*).
La España Moderna, Madrid (*La E. M.*).
La Ilustración Española y Americana, Madrid (*La I. E. A.*).
La Ilustración Ibérica, Barcelona (*La I. I.*).
El Imparcial, Madrid (*El I.*).
Madrid Cómico, Madrid (*M. C.*).
El Mundo Moderno, Madrid (*El M. M.*).
El Progreso, Madrid (*El P.*).
Pluma y Lápiz, Barcelona (*P. L.*).
La Publicidad, Barcelona (*La P.*).
El Solfeo, Madrid (*El S.*).
La Unión, Madrid (*La U.*).
Vida Literaria, Madrid (*V. L.*).

I D. *Prólogos*

Altamira, Rafael, *Mi primera campaña,* Madrid, 1893.
Balart, Federico, *Poesías completas,* vol. I, Barcelona, 1929. Publicado como
    artículo en *El Imparcial,* el 12 y 19 de febrero de 1894.

Bobadilla, Emilio, *Escaramuzas,* Madrid, 1888.
Carlyle, Thomas, *Los héroes,* vol. II, Madrid, 1893.
Gómez Carrillo, E., *Almas y cerebros,*. París, 1898.
González Serrano, Urbano, *Goethe. Ensayos críticos,* Madrid, 1892. Publicado como artículo en *La Unión,* el 18 de febrero de 1879.
Pardo Bazán, Emilia, *La cuestión palpitante,* Madrid, 1883.
Rodó, José Enrique, *Ariel,* Valencia, 1912? Publicado como artículo en *El Imparcial,* el 23 de abril de 1900.
Tolstoy, León, *Resurrección,* Barcelona, 1901?
Zola, Émile, *Trabajo,* Barcelona, 1901.

I E. *Epistolarios*

Epistolario a "Clarín", Madrid, 1943 (*E. a L. A.*).
Epistolario de Menéndez Palayo y Leopoldo Alas, Madrid, 1943 (*E.*).
Siete cartas de Leopoldo Alas a José Yxart, en *Archivum* (Oviedo), 1960, X, 385-397 (*Siete...*).

II. TRABAJOS SOBRE LEOPOLDO ALAS [2]

Alonso Cortés, Narciso, *Armonía y emoción en Salvador Rueda,* en *Cuadernos de Literatura Contemporánea* (Madrid), 1943, n. 7, 36-48.
Alonso Cortés, Narciso, *"Clarín" y el "Madrid Cómico",* en *Archivum* (Oviedo), 1952, II, 43-61.

[2] Después de escrito este libro han llegado a mi conocimiento dos trabajos sobre la crítica literaria de L. Alas. Uno de Gonzalo Sobejano —*Clarín y la crisis de la crítica satírica,* en *Revista Hispánica Moderna,* 1965— examen ponderado y sugestivo de la crítica "policíaca" de Clarín, en relación con la corriente de crítica satírica de la literatura española del XIX, y con valiosas referencias a otros aspectos de la crítica literaria de Alas. Carácter totalmente distinto a esta valoración positiva tiene el folleto de sesenta páginas publicado por William E. Bull y Venon A. Chamberlin, *Clarín: The Critic in Action* (Oklahoma State Publication, 1963). G. Sobejano, en el artículo mencionado, lo considera "el punto más bajo en la valoración de la crítica clariniana" y añade que "aunque contiene algunas apreciaciones certeras parece inspirado por el propósito de aniquilar la memoria de Clarín como crítico". Me resulta muy difícil dar una opinión sobre un folleto que estudia el mismo asunto que este libro, pero de tal manera que parece tratemos de distintos escritores. Bull y Chamberlin demuestran

Álvarez Buylla, Adolfo, *Discurso leído en la Apertura del Curso Académico 1901-1902,* Oviedo, 1901.

Anónimo, *Clarín industrial,* en *Revista Nueva* (Madrid), I, 1899.

Anónimo, *Los funerales de Clarín, Revista Nueva* (Madrid), I, 1899.

Arboleya Martínez, Maximiliano, *Alma religiosa de "Clarín". Datos íntimos e inéditos,* en *Revista Quincenal* (Barcelona), 10-VII-1919, 328-349.

Azorín, *Obras completas,* Madrid, 1947, vol. I.

Azorín, *Clásicos y modernos,* Buenos Aires, 1952.

Baquero Goyanes, Mariano, *"Clarín", creador del cuento español,* en *Cuadernos de Literatura* (Madrid), 1949, nn. 13, 14, 15, 145-149.

Baquero Goyanes, Mariano, *"Clarín" y la novela poética,* en *Boletín de la Biblioteca Menéndez Pelayo* (Santander), 1947, XXIII, 96-101.

Barra, Eduardo de la, *El endecasílabo dactílico. Crítica de una crítica del crítico Clarín,* Rosario, 1895.

Beser, Sergio, *Documentos clarinianos,* en *Archivum* (Oviedo), 1963, XII, 507-526.

Beser, Sergio, *Siete cartas de Leopoldo Alas a José Yxart,* en *Archivum* (Oviedo), 1960, X, 385-397.

Beser, Sergio, *"Sinfonía de dos novelas". Fragmento de una novela de "Clarín",* en *Ínsula* (Madrid), 1960, n. 167, 1 y 12.

Blanquat, Josette, *Clarín et Baudelaire,* en *Revue de Littérature Comparée* (Paris), 1959, XXXIII, 5-25.

Blanquat, Josette, *La sensibilité religieuse de Clarín. Reflets de Goethe et de Leopardi,* en *Revue de Littérature Comparée* (Paris), 1961, XXXV, 177-196.

Bobadilla, Emilio ("Fray Candil"), *Escaramuzas,* Madrid, 1888.

Bobadilla, Emilio, *Un nuevo libro de Clarín,* en *Madrid Cómico* (Madrid), 5-I-1889.

Brent, Albert, *Leopoldo Alas and "La Regenta",* University of Missouri, 1951.

Bull, William E., *The Liberalism of Leopoldo Alas,* en *Hispanic Review* (Philadelphia), 1942, X, 329-339.

conocer la crítica y personalidad de Clarín, pero una total carencia de perspectiva histórica —característica también de otros artículos anteriores de Bull dedicados a Clarín— les impide comprender la obra clariniana; de ahí la aplicación a Alas de calificaciones como "conservative Spanish Catholic" (pág. 13). En la obra de Emilia de Zuleta, recientemente aparecida, *Historia de la crítica española contemporánea* (Editorial Gredos, Madrid, 1966), se dedican doce páginas a presentar y revisar algunos importantes aspectos de la crítica clariniana, con valoración predominantemente positiva.

Bull, William E., *Clarin's Literary Internationalism,* en *Hispanic Review* (Philadelphia), 1948, XVI, 321-334.

Bull, William E., *The Naturalistic Theories of Leopoldo Alas,* en *P. M. L. A.* (Baltimore), 1942, LVII, 536-551.

Cabezas, Juan Antonio, *"Clarín". El provinciano universal,* Madrid, 1936.

Clavería, Carlos, *Clarín y Renan,* en *Cinco estudios de literatura española moderna,* Salamanca, 1945, 31-45.

Clavería, Carlos, *Flaubert y "La Regenta",* en *Cinco estudios de literatura moderna,* Salamanca, 1945, 11-28.

Clavería, Carlos, *La "Teresa" de Clarín,* en *Ínsula,* 1952, n. 76, 1 y 4.

Clocchiatti, Emilio, *"Clarín" y sus ideas sobre la novela,* en *Revista de la Universidad de Oviedo,* 1948, LIII-LIV y LVII-LVIII, 1949, LIX-LX.

Darío, Rubén, *España contemporánea,* París, 1901.

Fernández Almagro, Melchor, *Crítica y sátira en Clarín,* en *Archivum* (Oviedo), 1952, II, 33-42.

Fernández Almagro, Melchor, *Leopoldo Alas y Clarín,* en *Ínsula* (Madrid), 1948, n. 31, 1.

Fishtine, Edith, *Clarin in His Early Writings,* en *Romanic Review* (New York), 1938, XXIX, 325-342.

Fray Candil, véase Bobadilla, Emilio.

García Pavón, Francisco, *"Clarín" crítico en su obra narrativa,* en *Ínsula* (Madrid), 1952, n. 76, 5 y 11.

García Pavón, Francisco, *Crítica literaria en la obra narrativa de "Clarín",* en *Archivum* (Oviedo), 1952, II, 63-68.

Gómez Santos, Marino, *Leopoldo Alas. "Clarín",* Oviedo, 1952.

González Blanco, Andrés, *Clarín como crítico,* en *Nuestro Tiempo* (Madrid), octubre 1923, 5-18.

González Serrano, Urbano, *Estudios críticos,* Madrid, 1892.

Gramberg, Eduard J., *Fondo y forma del humorismo de Leopoldo Alas, "Clarín",* Oviedo, 1959.

Gullón, Ricardo, *Aspectos de "Clarín",* en *Archivum* (Oviedo), 1952, II, 161-186.

Gullón, Ricardo, *"Clarín" crítico literario,* en *Universidad* (Zaragoza), 1949, 389-431.

Icaza, Francisco A. de, *Examen de críticos,* Madrid, 1894. Discurso leído en la inauguración del curso 1893-1894 del Ateneo madrileño.

Juretschke, Hans, *España ante Francia,* Madrid, 1940.

Kronik, John, *Clarin and Verlaine,* en *Revue de Littérature Comparée* (París), 1963, XXXVII, 368-384.

Maeztu, Ramiro de, *Clarín, Madrid Cómico and C. Limited, Revista Nueva,* 1899, I.

Martínez Cachero, José M., *Clarín crítico de su amigo Palacio Valdés,* en *Boletín del Instituto de Estudios Asturianos* (Oviedo), 1953, VII, 401-412.

Martínez Cachero, José M., *Salvador Rueda escribe a Clarín,* en *Revista de la Universidad de Oviedo,* 1948, XLIX-L.

Martínez Cachero, José M., Prólogo a *La Regenta,* Barcelona, 1963.

Palacio Valdés, Armando, *La novela de un novelista,* Buenos Aires, 1957.

Pardo Bazán, Emilia, *Nota bibliográfica.* *"Mezclilla",* en *La España Moderna* (Madrid), febrero 1889, 185-190.

Posada, Adolfo G., *Autores y libros,* Valencia, 1909.

Posada, Adolfo G., *Leopoldo Alas, "Clarín",* Oviedo, 1946.

Prat de la Riba, Enric, *Per la llengua catalana,* Barcelona, 1918.

Rodó, José Enrique, *El que vendrá,* Barcelona, 1920.

Sainz Rodríguez, Pedro, *La obra de Clarín,* Madrid, 1921. Discurso inaugural del curso 1921-1922, en la Universidad de Oviedo.

Santullano, Luis, *En el centenario de Clarín. Alabanzas y vejámenes ultramarinos,* en *Ínsula* (Madrid), 1952, n. 76.

Taylor, Alan Carey, *Carlyle et le pensèe latine,* Paris, 1937.

Torrendell, J., *Clarín y su ensayo,* Barcelona, 1895.

Torrente Ballester, Gonzalo, *Panorama de la literatura española,* Madrid, 1956.

III. OTRAS OBRAS MENCIONADAS

Allot, Miriam, *Novelists on the Novel,* London, 1959.

Alonso, Dámaso, *Menéndez Pelayo, crítico literario,* Madrid, 1956.

Aristóteles, *Poética,* Madrid, 1963.

Arnold, Matthew, *Essays, Literary and Critical,* London, 1950.

Arrieta, Rafael Alberto, *Introducción al Modernismo literario,* Buenos Aires, 1956.

Azorín, *La voluntad,* Madrid, 1939.

Becker, George J., *Documents of Modern Literary Realism,* Princeton, 1963.

Blanco García, Francisco, *La literatura española en el siglo XIX,* Madrid, 1910.

Booth, Wayne C., *The Rhetoric of Fiction,* Chicago, 1961.

Borgerhoff, Albert B. O., *"Réalisme" and Kindred Words. Their Use as Terms of Literary Criticism in the First Half of the Ninenteenth Century,* en *P. M. L. A.* (Baltimore), 1938, LIII, 837-843.

Bourget, Paul, *Études et Portraits,* vol. I, Paris, 1895.

Brunetière, Ferdinand, *Les époques du Théâtre français,* Paris, 1914. Conferencias pronunciadas en el Odéon de París, en 1891-1892.

Brunetière, Ferdinand, *L'évolution des genres*, vol. I, *L'évolution de la critique*, Paris, 1914.

Campoamor, Ramón de, *Poética*, Madrid, 1883.

Cossío, José M. de, *Cincuenta años de poesía española 1850-1900*, Madrid, 1960.

Davis, Gifford, *The Critical Reception of Naturalism in Spain before "La cuestión palpitante"*, en *Hispanic Review* (Philadelphia), 1954, XXII, 97-108.

Díaz, José Pedro, *Gustavo Adolfo Bécquer. Vida y poesía*, Madrid, 1958.

Díaz Plaja, Guillermo, *Modernismo frente a 98*, Madrid, 1951.

Eliot, T. S., *Selected Prose*, London, 1953.

English Critical Essays, Nineteenth Century, Selected and edited by Edmund D. Jones, Oxford, 1961.

Eoff, Sherman H., *The Spanish Novel of "Ideas": Critical Opinion (1836-1880)*, en *P. M. L. A.* (Baltimore), 1940, LV, 531-558.

Epistolario de Menéndez Pelayo y Valera, Madrid, 1946.

Escarpit, R., *Sociologie de la littérature*, Paris, 1958.

Fishtine, Edith, *Don Juan Valera. The Critic*, Bryn Mawr, 1933.

Frye, Northrop, *Anatomy of Criticism*, Princeton, 1957.

Gaos, Vicente, *La Poética de Campoamor*, Madrid, 1955.

Gili Gaya, Samuel, *Sobre la "Historia de las ideas estéticas" de Menéndez Pelayo*, Santander, 1956.

Giner de los Ríos, Francisco, *Estudios de Literatura y Arte*, Madrid, 1876.

Goncourt, Edmond y Jules, *Idées et Sensations*, Paris, 1866.

González Blanco, Andrés, *Un novelista de la generación gloriosa: Jacinto Octavio Picón*, en *Nuestro Tiempo* (Madrid), diciembre 1923, 249-269.

González Serrano, Urbano, *Ensayos de crítica y filosofía*, Madrid, 1881.

Gramsci, Antonio, *Oeuvres choisies*, Paris, 1959.

Hauser, Arnold, *Historia social de la literatura y el arte*, vol. III, Madrid, 1957.

Hegel, G. W. F., *Estética*, traducción de H. Giner de los Ríos sobre la versión francesa de C. Bernard, Madrid, 1908.

Historia general de las literaturas hispánicas, dirigida por Guillermo Díaz Plaja, vol. V, Barcelona, 1958.

Jackson, Gabriel, *Costa et sa "Revolution par le haut"*, en *Estudios de Historia Moderna* (Barcelona), 1953, III, 285-300.

James, Henry, *Literary Reviews and Essays*, New York, 1957.

Jiménez, Alberto, *Juan Valera y la generación de 1868*, Oxford, 1956.

Krynen, Jean, *L'esthétisme de Juan Valera*, Salamanca, 1946.

Lain Entralgo, Pedro, *Menéndez Pelayo. Historia de sus problemas intelectuales*, Buenos Aires, 1945.

Leavis, Q. D., *Fiction and the Reading Public*, London, 1932.

Levin, Harry, *What is realism?*, en *Contexts of Criticism*, Harvard, 1957, 67-75.

López Morillas, Juan, *El krausismo español*, México, 1956.

Machado, Manuel, *La guerra literaria (1898-1914)*, Madrid, 1913.

Maeztu, Ramiro de, *Las letras y la vida en la España de entreguerras*, Madrid, 1958.

Martino, Pierre, *Le Naturalisme français, 1870-1895*, Paris, 1960.

Menéndez Pelayo, Marcelino, *Historia de las ideas estéticas en España*, Madrid, 1962.

✗ Montesinos, J. F., *Costumbrismo y novela*, Valencia, 1960.

Montesinos, J. F., *Pereda o la novela idilio*, México, 1961.

Montesinos, J. F., *Galdós en busca de la novela*, en *Ínsula* (Madrid), 1963, XVIII, n. 202, 1 y 16.

✗ Moreau, Pierre, *La critique littéraire en France*, Paris, 1960.

Navarro Tomás, Tomás, *Arte del verso*, México, 1959.

Nicoll, A., *The Theory of Drama*, London, 1931.

Nicoll, A., *World Drama*, London, 1949.

Olguín, M., *Marcelino Menéndez Pelayo's Theory of Art, Aesthetics and Criticism*, en *Publications in Modern Philology* (Berkeley), 1950, XXVIII, 333-358.

Ortega Munilla, José, *Siluetas contemporáneas. Pérez Galdós*, en *La Diana*, 1-II-1882. Reproducido en *El Imparcial*, el 6-II-1882.

Palacio Valdés, Armando, *Obras escogidas*, Madrid, 1933.

Palacio Valdés, Armando, *Semblanzas literarias*, Madrid, 1947.

Pardo Bazán, Emilia, *Los pazos de Ulloa*, Barcelona, 1886.

Pereda, José M., *Cartas de Pereda a Palacio Valdés*, en *Boletín de la Biblioteca de Menéndez Pelayo* (Santander), 1957, XXXIII, 121-130.

Pérez Galdós, Benito, *Arte y crítica*, Madrid, 1923.

Pérez Galdós, Benito, *Cánovas*, Madrid, 1929.

Peyre, Henry, *Writers and Their Critics*, Ithaca, 1944.

Renouard, Ives, *La notion de génération en histoire*, en *Revue Historique* (Paris), 1953, CCIX, 1-23.

Roca Franquesa, José M., *Palacio Valdés: Técnica novelística y credo estético*, Oviedo, 1951.

Romo Arregui, Josefina, *Vida, poesía y estilo de D. Gaspar Núñez de Arce*, Madrid, 1946.

Rosselli, Ferdinando, *Una polemica letteraria in Spagna: il Romanzo Naturalista*, Pisa, 1963.

Rueda, Salvador, *El ritmo*, Madrid, 1894.

Sabatier, Paul, *L'Esthétique des Goncourt*, Paris, 1920.

Saintsbury, George, *A History of Criticism,* vol. III, London, 1906.

Salvan, Albert J., *L'essence du réalisme français,* en *Comparative Literature* (Eugene, Oregon), 1951, III, 218-233.

Sánchez, Roberto G., *Un gran crítico dramático del XIX. José Yxart,* en *Ínsula* (Madrid), 1961, XVI, n. 172, 15-16.

Sarcey, Francisque, *Quarante ans de théâtre,* vol. I, Paris, 1900.

Sardá, Juan, *Obras escogidas,* Serie Castellana, vol. I, Barcelona, 1914.

Stang, Richard, *The Theory of the Novel in England (1850-1870),* London, 1959.

Sumoy, Ramón, *José Yxart y su crítica,* trabajo de licenciatura presentado a la Universidad de Barcelona, 1962.

Tolosa Latour, Manuel, *El Instituto Rubio,* en *La Lectura* (Madrid), 1901, I, 21-23.

Trotsky, Leon, *Literature and Revolution,* University of Michigan, 1960.

Vicens Vives, Jaime, *Cataluña en el siglo XIX,* Madrid, 1961. Edición castellana de *Els catalans en el segle XIX.*

Watt, Ian, *The Rise of the Novel,* Berkeley, 1957.

Wellek, René y Austin Warren, *Teoría Literaria,* Madrid, 1959.

Wellek, René, *A History of Modern Criticism,* vol. 2, London, 1955.

Wilson, Edmond, *Literatura y sociedad,* Buenos Aires, 1957.

Yxart, José, *El arte escénico en España,* vols. I y II, Barcelona, 1894 y 1896.

Yxart, José, *Obres catalanes,* Barcelona, 1895.

Zola, Émile, *Le roman expérimental,* Paris, 1923.

Zola, Émile, *Les romanciers naturalistes,* Paris, 1923.

ABREVIATURAS EMPLEADAS EN EL TEXTO

A. en P.	= *Apolo en Pafos.*
A. G.	= *Alcalá Galiano. El período constitucional de 1820 a 1823...*
A. L.	= *Arte y Letras.*
E.	= *Epistolario de Menéndez Pelayo y Leopoldo Alas.*
E. a L. A.	= *Epistolario a "Clarín".*
El D.	= *El Día.*
El I.	= *El Imparcial.*
El M. M.	= *El Mundo Moderno.*
El P.	= *El Progreso.*
El S.	= *El Solfeo.*
E. R.	= *Ensayos y Revistas.*
G.	= *Galdós.*
L. 1881.	= *La literatura en 1881.*
La C.	= *La Correspondencia.*
La D.	= *La Diana.*
La E. M.	= *La España Moderna.*
La I. E. A.	= *La Ilustración Española y Americana.*
La I. I.	= *La Ilustración Ibérica.*
La P.	= *La Publicidad.*
La U.	= *La Unión.*
M.	= *Mezclilla.*
M. C.	= *Madrid Cómico.*
M. pp.	= *Mis plagios. Un discurso de Núñez de Arce.*
Mu.	= *Meseum.*
N. C.	= *Nueva campaña.*
Oo. Ss.	= *Obras selectas.*
P.	= *Palique.*
P. L.	= *Pluma y Lápiz.*
R. C.	= *Rafael Calvo y el teatro español.*
S.	= *Solos de Clarín.*
Siete...	= *Siete cartas de Leopoldo Alas a José Yxart.*
Siglo p.	= *Siglo pasado.*
S. P.	= *Sermón perdido.*
Un d.	= *Un discurso.*
Un v.	= *Un viaje a Madrid.*
V. L.	= *Vida Literaria.*

ÍNDICE DE NOMBRES PROPIOS

---

[1] Se incluyen (a) las obras originales citadas en el texto, así como las obras de otros autores (éstas en cursiva y entre comillas) que fueron objeto de estudio por nuestro autor; luego (b) se añaden los prólogos a obras de distintos autores; y finalmente (c) las principales revistas en las que colaboró L. Alas.

ÍNDICE GENERAL

BIBLIOTECA ROMÁNICA HISPÁNICA

Director: DÁMASO ALONSO

I. TRATADOS Y MONOGRAFÍAS

1. Walther von Wartburg: *La fragmentación lingüística de la Romania.* Agotada.
2. René Wellek y Austin Warren: *Teoría literaria.* Con un prólogo de Dámaso Alonso. Cuarta edición. 432 págs.
3. Wolfgang Kayser: *Interpretación y análisis de la obra literaria.* Cuarta edición revisada. 594 págs.
4. E. Allison Peers: *Historia del movimiento romántico español.* Segunda edición. 2 vols.
5. Amado Alonso: *De la pronunciación medieval a la moderna en español.*
   Vol. I: Segunda edición: 382 págs.
   Vol. II: En prensa.
6. Helmut Hatzfeld: *Bibliografía crítica de la nueva estilística aplicada a las literaturas románicas.* Segunda edición, en prensa.
7. Fredrick H. Jungemann: *La teoría del sustrato y los dialectos hispano-romances y gascones.* Agotada.
8. Stanley T. Williams: *La huella española en la literatura norteamericana.* 2 vols.
9. René Wellek: *Historia de la crítica moderna (1750-1950).*
   Vol. I: *La segunda mitad del siglo XVIII.* 396 págs.
   Vol. II: *El Romanticismo.* 498 págs.
   Vol. III: En prensa.
   Vol. IV: En prensa.
10. Kurt Baldinger: *La formación de los dominios lingüísticos en la Península Ibérica.* 398 págs. 15 mapas. 2 láminas.
11. S. Griswold Morley y Courtney Bruerton: *Cronología de las comedias de Lope de Vega (Con un examen de las atribuciones dudosas, basado todo ello en un estudio de su versificación estrófica).* 694 págs.

II. ESTUDIOS Y ENSAYOS

1. Dámaso Alonso: *Poesía española (Ensayo de métodos y límites estilísticos).* Quinta edición. 672 págs. 2 láminas.
2. Amado Alonso: *Estudios lingüísticos (temas españoles).* Tercera edición. 286 págs.

26. José Ares Montes: *Góngora y la poesía portuguesa del siglo XVII.* Agotada.

27. Carlos Bousoño: *La poesía de Vicente Aleixandre.* Segunda edición, en prensa.

28. Gonzalo Sobejano: *El epíteto en la lírica española.* Agotada.

29. Dámaso Alonso: *Menéndez Pelayo, crítico literario. Las palinodias de Don Marcelino.* Agotada.

30. Raúl Silva Castro: *Rubén Darío a los veinte años.* 296 págs. 4 láminas.

31. Graciela Palau de Nemes: *Vida y obra de Juan Ramón Jiménez.* Segunda edición, en prensa.

32. José F. Montesinos: *Valera o la ficción libre (Ensayo de interpretación de una anomalía literaria).* Agotada.

33. Luis Alberto Sánchez: *Escritores representativos de América.* Primera serie. La segunda edición ha sido incluida en la sección VII, *Campo Abierto,* con el número 11.

34. Eugenio Asensio: *Poética y realidad en el cancionero peninsular de la Edad Media.* Agotada.

35. Daniel Poyán Díaz: *Enrique Gaspar (Medio siglo de teatro español).* 2 vols. 10 láminas.

36. José Luis Varela: *Poesía y restauración cultural de Galicia en el siglo XIX.* 304 págs.

37. Dámaso Alonso: *De los siglos oscuros al de Oro.* La segunda edición ha sido incluida en la sección VII, *Campo Abierto,* con el número 14.

39. José Pedro Díaz: *Gustavo Adolfo Bécquer (Vida y poesía).* Segunda edición corregida y aumentada. 486 págs.

40. Emilio Carilla: *El Romanticismo en la América hispánica.* Segunda edición revisada y ampliada. 2 vols.

41. Eugenio G. de Nora: *La novela española contemporánea (1898-1960).* Premio de la Crítica.
Tomo I: (1898-1927). Segunda edición. 622 págs.
Tomo II: (1927-1939). Segunda edición corregida. 538 págs.
Tomo III: (1939-1960). Segunda edición, en prensa.

42. Christoph Eich: *Federico García Lorca, poeta de la intensidad.* Segunda edición, en prensa.

43. Oreste Macrí: *Fernando de Herrera.* Agotada.

44. Marcial José Bayo: *Virgilio y la pastoral española del Renacimiento.* Agotada.

45. Dámaso Alonso: *Dos españoles del Siglo de Oro (Un poeta madrileñista, latinista y francesista en la mitad del siglo XVI. El Fabio de la "Epístola moral": su cara y cruz en Méjico y en España).* 258 págs.

46. Manuel Criado de Val: *Teoría de Castilla la Nueva (La dualidad castellana en la lengua, la literatura y la historia).* Segunda edición, en prensa.

III. MANUALES

IV. TEXTOS